조선시대 선비들의 백두산 답사기

조선시대 선비들의
백두산 답사기

김지남 외 저
이상태 외 역

혜안

서 문

　백두산은 예로부터 우리 민족의 영원한 성지이며 마음의 고향으로 신성시여겨 아무도 접근할 수 없는 성역이었다. 이러한 성지가 개방되게 된 것은 만주에 청나라가 건국된 후 백두산을 경계로 국경회담이 열리게 되면서부터인데 이 회담에 청은 목극등을 파견하였고 우리측은 박권이 대표로 참여하였다.

　이 책에 수록된 『북정일기』, 『북정록』, 『백두산기』 등은 이 때 회담에 대표로 참여하였던 박권, 수석통역관인 김지남, 통역관이며 김지남의 아들인 김경문 등의 기행문을 수록한 것이다. 우리 나라에서 백두산에 관한 등정기를 쓴 것은 이들이 처음이며 특히 김지남의 『북정록』은 기행문인 동시에 백두산 정계비 설치에 관하여 연구할 때 반드시 참고해야 할 훌륭한 사료집이다.

　그 후 백두산 정계비가 설치된 지 50여 년이 지나서 1751년에 이의철, 1764년에 박종, 1766년에 서명응 등이 백두산을 등정하고 기행문을 남기게 되며, 이들보다 1세기 후에는 청나라와 또다시 국경문제가 발생하여 이를 조사하기 위해 우리측 대표로 간 이중하가 백두산기를 남겼다. 이들 기행문마다 백두산을 사랑하고 그 백두산을 우리의 성지로 지켜야 한다는 굳은 의지들이 잘 나타나 있다.

　이들 기행문을 간단히 소개하면 다음과 같다.

『북정록』은 1712년 백두산 정계비를 세울 때 김지남이 접반사 박권의 수석통역관으로 따라가서 청나라의 대표인 목극등과 박권 사이를 오가면서 양측의 이익이 상충되지 않도록 조정하고 우리측의 목적을 달성할 수 있도록 최선을 다한 내용들이 자세하게 기록되어 있다. 이 자료는 국사편찬위원회에 소장되어 있던 필사본으로, 후손들도 확실하게 저자를 몰랐던 듯하다. 내용이 너무 자세하기 때문에 혹시 가문에 피해가 있을까봐 염려하여 "후세에 반드시 우리 집안에서 비장으로 보존하여야 하고, 남에게 빌려주어서 여러 사람들이 보게 하는 폐가 없어야 할 것이니 깊이 경계하노라"고 후기를 적어 두었다.

홍세태의 『백두산기』는 그의 문집 『유하집』 권9에 수록되어 있다. 청의 목극등이 양국의 경계를 확정하기 위해 파견된다는 통지를 받고 우리 조정에서는 박권을 접반사로 삼아 청의 관원들과 함께 경계를 정하도록 하였다. 일행은 백두산 꼭대기에 올라 분수령을 찾아 정계비를 세우고 돌아왔다. 이 때 청의 목극등은 직접 백두산에 올라갔으나, 접반사 박권과 함경감사 이선부는 늙고 허약하다는 이유로 백두산에 올라가지 않고 역관 김경문이 목극등과 함께 올라갔다. 이 글은 김경문의 이야기를 전해들은 홍세태가 그 사실을 기록한 것이다. 김경문이 직접 기행문을 쓰지 않은 이유는 그의 아버지 김지남이 『북정록』을 썼기 때문으로 친구를 통하여 간접적으로 쓴 것이다. 이 글에는 정계비를 세우는 과정이 가장 소상히 기록된 점이 주목된다.

『북정일기』는 백두산 정계비를 세울 때 우리측 대표였던 접반사 박권이 쓴 일기체 기행문이다. 그 내용은 박권이 조선과 청, 두 나라가 국경을 정하기 위해 파견되는 청나라 사신 목극등의 접반사로 임명된 3월 17일부터 서울로 되돌아온 7월 13일까지의 여행 일기와 국경 부근 지역의 지방 사정에 대한 소감을 적은 보고문이 첨부되어 있는데 내용이 소략하며 뒷부분은 결본된 듯하다.

이의철의 『백두산기』는 그가 갑산 부사로 재임할 당시인 1751년 백두산에 다녀와 날짜별로 소상하게 기록한 기행문인데 5월 24일에 갑산부를 출발하여 그 다음 달 3일에 갑산부로 되돌아오기까지 꼬박 열흘이 걸리는 노정의 기록이다. 특히 서수라령부터는 진흙탕 속에서 고생고생하면서 백두산으로 향하는 모습이 생생하게 묘사되어 있다. 그리고 말미에 자신의 행차때 백두산의 형세를 알지 못하여 백두산 인근 마을의 백성들을 너무 많이 오랫동안 동원했음을 반성하고 이 자료를 근거로 훗날 백두산을 유람하는 이들은 자기를 교훈 삼아 너무 많은 백성을 동원하지 말 것을 당부하고 있다. 이의철의 『백두산기』가 있기 전까지는 1764년 박종의 『백두산유록』이 최초의 백두산 기행문으로 알려져 왔지만 그보다 10여 년 앞서 백두산을 다녀와 기행문을 남긴 셈이 된다. 따라서 이의철의 『백두산기』는 박종의 『백두산유록』과 더불어 200여 년 전 백두산의 정황을 알려주는 귀중한 자료이다.

『백두산유록』은 조선후기 함경도 경성의 유학자였던 박종이 쓴 백두산 유람기이다. 이 글은 저자 박종이 1764년 5월 14일부터 6월 2일까지 당시의 경성 부사 겸 북병사 신상권 일행과 함께 백두산을 다녀오면서, 도중에서 견문한 내용과 자신의 감상을 일기의 형태로 기록한 것이다. 『백두산유록』은 다른 백두산 기행문들과 유사한 면도 있지만 몇 가지 점에서 유의할 만한 특징이 있다. 첫째는 이것이 함경도 현지에 살던 재야학자의 등산 기록이라는 점이다. 그는 현지 지형이나 기후, 풍물에 대한 이해와 관심이 남달랐으므로 이를 매우 자세하게 기록하였다. 둘째, 그의 기행문에는 우리의 산하와 우리의 전통문화에 대한 자부심이 강하게 나타나 있다. 그는 백두산을 중국 최고의 산인 곤륜산의 적장자로 인식하고 기타 중국의 여러 산들은 모두 서자나 차자로 간주하고 있다.

『유백두산기』는 1766년에 서명응이 조엄 등과 함께 백두산에 오른 후에 집에 돌아와 쓴 백두산 유람기로서 그의 문집 『보만재집』에 실려 있다. 서명응은 홍문관 부제학으로 있으면서 홍문관록의 선출을 주관하라는 명을 받았으나 사양하다 갑산부로 유배되었고, 조엄 또한 부제학으로 임명되었으나 응하지 아니하여 삼수부로 유배되었다. 이들 두 사람은 유배길에 서로 만나 백두산 근처에 유배된 것을 계기로 백두산에 오를 것을 합의하고 갑산 부사 민원, 삼수 부사 조한기 등과 함께 왕복 8일에 걸쳐 백두산에 올랐다. 그들은 분수령에 이르러 백두산 정계비를 보고 경계가 잘못되었음을 밝히고, "분계강과 합류해 두만강으로 들어가고, 두만강은 다시 백두산 동쪽으로 넘쳐흐르니, 그 근원을 쉽게 찾을 수 있었을 것인데도 7백리 땅을 하루 아침에 손 한 번 쓰지 못하고 잃었다"라고 매우 안타까워했다. 아울러 그 때 우리측 대표였으나 그 현장에 참여하지 않았던 접반사 박권과 함경 감사 이선부를 통렬히 비판하였다. 이러한 인식은 백두산 정계비 건립 이후 현장을 직접 답사한 고위 관료의 시각이라는 데서 중요하다.

『백두산일기』는 1885년 8월 우리측 토문감계사로 임명된 이중하가 중국측 감계원 진영, 덕옥, 가원계과 함께 백두산 정계비와 토문강 발원처를 조사한 기록으로서 그 사료적 가치가 매우 크다. 그는 청나라가 홍단수를 경계로 국경을 정하려고 하자 "내 머리는 베일 수 있지만 국토는 줄일 수 없다"고 목숨을 걸고 항의하여 청나라의 주장을 철회시키고, 간도 영유권 분쟁의 불씨였던 토문강의 발원처가 두만강이 아닌 송화강 상류의 토문강임을 확인하여 이후 이 지역에 대한 영유권을 적극적으로 주장할 수 있는 근거를 마련하였다.

지금은 갈 수 없는 백두산, 일찍이 건국설화와 연결되어 민족의
성지로 여겨 왔던 백두산은 민족의 평화적 통일이 이룩될 때 7천만
겨레의 영원한 고향이 될 것이다.

아울러 좋은 책 만들기에 여념이 없으신 오일주, 양상모 님을 비
롯한 도서출판 혜안 직원들께 깊은 감사를 드린다.

1998. 5. 20

역자 씀

조선시대 선비들의 백두산 답사기

차 례

김지남의 북정록

『북정록(北征錄)』은 1712년(숙종 38) 청과 조선 사이의 국경을 조사하기 위하여 청의 차사(差使)로 온 목극등과 조선측의 접반사(接伴使)인 박권(朴權) 사이의 교섭 전말을 그 사이에서 통역 일을 한 수역(首譯) 김지남(金指南)이 쓴 일기이다.

이 일기에는 청측에서 갑자기 국경을 조사하고 경계를 정하게 된 계기라든가, 이에 대한 조선 정부의 대응, 정계비를 세우고 양국의 경계를 전하게 된 전말 등이 양측을 오가며 통역을 한 역관의 눈으로 본바대로 적나라하게 묘사되어 있다. 이 자료는 일차적으로 현재 압록강과 두만강을 경계로 한 우리 나라와 중국의 국경선이 최초로 명문화된 역사적 사건을 기록하였다는 점에서 매우 중요하다. 뿐만 아니라 이 자료에는 양국 사신들의 대응과 그 수종들의 자세 및 심리, 연변 수령이나 주민들의 모습들도 리얼하게 묘사되어 있어서 당시의 사회를 이해하는 데에도 최고의 자료라고 하겠다.

김지남은 주지하듯이 우봉 김씨로 역관 중인의 명문 출신이다. 김지남의 활동은 단지 통역을 하는 수고에 그칠 뿐만 아니라 아들 김경문(金慶門)과 함께 역관들의 관청인 통문관의 연혁과 사례를 모아 『통문관지(通文館志)』로 간행하여 조선시대 역관 중인들의 세계를 이해하는 데 중요한 문헌을 남기기도 하였다. 그의 아들 경문과 현문(顯門)도 역시 역관으로 크게 활약을 하였다.

이 책에 수록된 『북정록』의 대본은 1930년에 김지남의 8대손인 김세목(金世穆)이 소장한 원본을 조선사편수회에서 차람하여 등사한 필사본이다. 원본을 대

조할 수 없어 아쉬운 점이 없지 않으나 원본을 등사 교정한 정서본이기 때문에
내용상으로 별 차이는 없을 것으로 생각된다.

8대손인 김세목의 추기(追記)에 의하면 『북정록』은 1930년 당시 자신의 8대
조인 김지남의 일기인데, 김세목의 생종(生宗) 7대조인 김경문이 그 사행에 함께
따라 갔었고, 양종(養宗) 7대조인 김현문의 글씨로 정리되었다는 것을 밝히고 있
다[아래 세계도(世系圖) 참조].

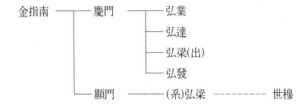

金指南 ─────── 慶門 ─────── 弘業
　　　　　　　　　　├── 弘達
　　　　　　　　　　├── 弘梁(出)
　　　　　　　　　　└── 弘發
　　　　├── 顯門 ─────── (系)弘梁 ──────── 世穆

북정록

서 문

백두산은 우리 나라 여러 산 가운데 으뜸 산이다. 압록강은 천하 삼대 강의 하나이고 토문강(土門江) 또한 그 지류이다. 우리 나라의 서북쪽은 여진족과 얽혀 살고 땅이 서로 섞여 있는데, 바로 이 백두 산과 압록강을 경계로 한다. 강을 따라 험준한 산을 끼고 있고, 교통이 통하지 못하는 곳이 위아래로 수백 리이고 황막하고 험하기가 이를 데 없어 인가가 없다. 수령들이 비록 이 곳의 읍진(邑鎭)에 부임해 와도 이 곳을 두루 살펴볼 수 없으니, 우리 같은 사람들의 발길은 더욱 미칠 수 없는 곳이다.

임신년(1692, 숙종 18)에 청나라에서 백두산 조사를 위해 사신을 파견하면서 우리에게 길을 안내하라고 했는데, 조정에서 길이 없다고 사양하여 그 일은 수그러들었다. 경인년(1710, 숙종 36)에 백두산 서쪽 변방의 백성이 국경을 넘어가서 살인을 범했다. 청나라는 이 듬해 신묘년(1711, 숙종 37)에 조사관을 보내서 변고가 일어난 위원 (渭源) 지역을 조사하고, 이어서 내지(內地)로 들어와서 백두산을 가보려고 하였다. 조정에서는 재신(宰臣)[1]에 명하여 접대하게 하고 또

---

1) 문하부(門下府) · 의정부의 정2품 이상의 벼슬아치를 가리키는 말.

길을 빌려주는 문제를 가지고 쟁론하게 하였다. 이 때 광천 김공(廣
川金公 : 金指南)이 추운 겨울날 서쪽에서 열흘을 보내면서 끝까지
고집하자, 북경 사신이 그만 기가 꺾여 돌아간 일이 있었다. 다음
해 임진년(1712, 숙종 38) 봄에 전에 왔던 청의 사신이 다시 국경에
나타났기에 공은 접반사를 따라 평안도로 내려갔고, 그 사람들이 오
라(烏喇) 북쪽으로부터 나와서 돌아가자 다시 서울로 왔다가 또 함
경도의 국경 일대를 다녀왔다고 하였다.

공의 맏아들 수겸(受謙 : 김경문의 字)이 뛰어난 재주로 인해 새로
국천(國薦)에 올랐고, 또한 함경 감사의 추천으로 그 곳에 가서 무릇
5개월 동안 변경을 조사하고 산세 등의 지도 그리는 일을 잘 끝마
쳤다. 돌아온 뒤 그 때 다니면서 기록한 것을 『북정록(北征錄)』 1권
으로 정리하여 나에게 서문을 부탁하였다.

내가 서문을 다 쓰고 가만히 생각건대, 공은 경인년(1710)에 일찍
이 연경(燕京 : 북경)에 사신으로 갔었고, 신묘년(1711)에는 서쪽 변방
에 일을 맡아 했으며, 임진년(1712)에도 또 그 일을 하였다. 이와 같
이 길 위에 있은 지가 무려 3년이었다. 한편 북로의 수천 리 길은
너무나 험난하였다. 여름에 쇠를 녹이는 더위를 무릅쓰고 가파른
언덕에서 말을 몰았으며 물살 험한 강에서 뱃길을 무릅쓰는 등 위
태롭고 괴로운 형상이 참으로 많았는데, 공은 이런 일들을 모두 현
명하게 치러냈으니 가히 근면하다고 하겠다.

청의 사신들과 우리 변경의 길을 빌리는 문제로 다투었을 때, 그
들이 자신의 뜻대로 하지 못하여 화를 품고 돌아갔으므로, 사람들은
그들이 우리 나라를 모함할까 걱정하였다. 그러나 그들이 다시 오
자 공은 좋은 얼굴로 나아가 그들의 환심을 사고 묵은 감정을 풀어
없앴다. 지도를 얻은 것이라든가 나무를 벤 사실을 불문에 부친 것,
개시(開市)의 폐단을 제거하는 등 몇 가지 일을 모두 주선하였으니

공이 보인 담판의 공로는 가히 크다고 하겠다.

 그러나 공이 그토록 많이 돌아다녔던 일은 축하를 받을 일이지 위로 받을 일은 아니라고 생각한다. 활을 차고 사방으로 다니는 것이야말로 남자된 자의 커다란 소원인 것인데, 세상에 나서 늙어 몸을 못 움직이게 되었더라도 어찌 그러한 소원을 버리겠는가? 비록 늘 놀러 다니는 사람이라도 동쪽을 보면 서쪽을 빠뜨린 것에 항상 안타까워하기 마련이고, 그 가운데에서도 사방을 두루 다 구경하고 멀리 돌아다닌 사람은 수천 사람 중에 하나도 되지 못한다. 그런데 공은 북으로 연경에 갔었고 동으로 일본에 들어갔으니 그 본 것이 진실로 장대하고 이채롭다고 하겠다. 서행북정(西行北征)에 이르러서는 비록 나라의 안이지만 이 또한 일반 사람들은 엄두를 내지 못하는 땅인데도, 하늘이 공을 동서남북으로 유람하게 하였으니 어찌 놀랍다고 하지 않겠는가?

 이 기록은 다만 공이 벼슬에서 물러나 한가한 날에 펼쳐 보면서 누워 유람하기 위한 재료만은 아니다. 이 글은 능히 나로 하여금 자리를 떠나지 않고도 북쪽의 산천과 풍속을 다 알게 하였으니, 이 몸이 멀리 철령(鐵嶺), 장령(長嶺), 죽마(竹馬), 선춘령(先春嶺) 등 여러 고개를 넘어 두만강 위에 임한 것만 같다. 그 기록의 상세함이여, 참으로 믿을 만하구나!

 그뿐 아니라 이 책에서 또 느낀 바가 있으니, 무릇 대국인(大國人)이 소국(小國)에 사신으로 오면 대개 돈과 재물을 뜯어내는 데 혈안이고, 이 폐단은 명나라 때 가장 심하였다. 더구나 청나라 사람들은 오직 뇌물만 이익으로 아는 자들이라고 우리들은 보아 왔는데, 이 사람들은 전연 그렇지 않아서 깊은 산 궁벽한 들판에 식량을 천 리나 끌고 와 스스로 식사를 해결했으며, 우리들이 바친 음식은 비록 한 그릇의 밥이라도 모두 거절하고 받지 않고 언필칭 폐단을 덜어야 한다고 하면서 끝내 조금이라도 법례에 따르지 않은 것이 없었다. 이것은 우리 조정의 대책과 손님에 대한 접대가 합당했던 것이고 청나라 사신도 또한 가히 충량하고 일을 잘 하는 사람이었다고 하겠다.

공자가 『춘추』에서 "(오랑캐 나라에) 가서 보라"는 말씀이 계셨고, 또한 "(오랑캐 국가에 임금의 위엄이 있는 것이) 중국에 임금의 권위가 없는 것과는 같지 않다"고 칭찬하셨다. 금일의 논자들이 대개 지금의 청나라는 중국이 아니므로 인정하지 않겠다고 하는 것을 나는 그간 안타깝게 여겨 왔는데, 이 자리에서 특별히 이러한 사실을 밝혀 두고자 한다.

계사년(1713, 숙종 39) 단양(端陽 : 단오) 상순 송악(松岳) 고시언(高時彦)[2]이 삼가 서문을 쓰다.

추기 : 이 책은 8대조의 일기인데, 그 때 생가쪽 7대조인 경문(慶門)이 모시고 갔다 왔고, 양가쪽 7대조인 현문(顯門)이 글씨를 쓴 것이 분명하다. 후세에 반드시 우리 집안에서 비장으로 보존하여야 하고, 남에게 빌려주어서 여러 사람들이 보게 하는 폐가 없어야 할 것이니 깊이 경계하노라.

7대조의 친서임을 인증하는 것으로 이 책의 서문 글씨체와 여현(礪峴) 묘소의 8대조 지남(指南)의 비석 음기(陰記)의 글씨체가 같고, 음기 끝에 "차남 현문 근서(次男顯門謹序) 운운"한즉 친필 수적(手蹟)임이 분명하다.

조선개국 539년 경오년(1930) 9월 즉 218년 후 8세손 세목(世穆)이 추록(追錄)하다.

임진년(1712) 2월 24일 정축

평안 감사의 장계(狀啓)편에 북경에서 보낸 자문(咨文)이 왔다. 내

---

2) 1671(현종 12)~1734(영조 10). 자는 국미(國美). 호는 성재(省齋). 본은 개성(開城). 저서에 『성재집(省齋集)』, 『소대풍요(昭代風謠)』 등이 있음.

용은 다음과 같았다.

"예부(禮部)에서 알린다. 강희(康熙) 50년(1711) 8월 초4일 태학사(太學士) 온달(溫達) 등이 올린 계(啓)에 따르면, 금년에 목극등 등이 황제의 뜻을 받들어, 봉황성(鳳凰城)에서 장백산(長白山)까지 우리 변경을 조사하려 한다. 그러나 길이 멀고 물이 커서 바로 그 곳에 이르지 못하니, 내년 봄 얼음이 녹을 때 차사관(差司官)으로 하여금 목극등과 함께 의주 강가에서 조그만 배를 만들어 물을 따라 올라 가려 한다. 그리고 만약 배가 전진할 수 없게 되면 육로를 따라 토문강(土門江)에 가서 우리 지방을 조사할 것이다. 이번에 가는 것은 특별히 우리 변경을 조사하려는 것이니 그대들 나라와 관계되지는 않으나, 다만 우리 변경의 육로 길이 요원하고 지세도 매우 험하여 중도에 장애가 있으면, 조선국으로부터 가끔 도움을 받도록 하고자 한다. 이러한 뜻을 가지고 해당 부서의 서명을 받아 조선국의 금년 정기 사신으로 온 관원으로 하여금 베껴 가지고 가 그 왕에게 주도록 하니 이를 준행할지어다. 조선국 정기 사신 정사(進貢正使) 여산군(礪山君) 이방(李枋) 등에게 일러서, 베껴 가지고 가서 그 왕에게 주고 조선국에 조회하는 것이 좋겠다. 이를 위해 전번의 사조(查照)와 합하여 시행하니 모름지기 따르도록 하라. 이를 조선국에 자문으로 보낸다."

2월 26일 기묘

만윤(灣尹 : 義州府尹)의 장계편에 다음과 같은 패문(牌文)이 왔다.
"황제의 특사[欽差]인 오라 총관[3] 목극등이 강희 51년(1712, 숙종 38) 2월 15일에 북경에서 출발하여 의주(義州)에서 강물을 따라 올

---

3) 총관은 청대에 요녕성(遼寧省) 심양(瀋陽)과 길림(吉林) 등에 '주방총관(駐防惣管)'이라 하여 설치했던 군사관직.

라가 장백산 남쪽을 거쳐 바로 토문강에 이를 것이다. 목극등과 함께 가는 관원은 2등 시위(侍衛) 포극소륜(布克蘇倫), 주사(主事) 악세(鄂世), 좌령(佐領) 합석(哈席), 7품 필첩식(筆帖式 : 寫字官) 소이선(蘇爾禪), 6품 통사(通事) 이격(二格), 무품 통사(無品通事) 여주(余珠) 및 따라가는 발십고(撥什庫) 갑병(甲兵) 50명이다. 이 때문에 먼저 패문을 보내 알리니, 바라건대 조선국경 지방관원은 그대 나라의 예에 비추어 준행하라.

강희 51년 월 일

파견 행차는 회동관(會同館)에서 출발하여 조선국 국경에 이를 것이다. 운운"

비국(備局 : 비변사)에서 즉시 회의를 열어 접반사(接伴使)와 본원(本院 : 司譯院)에서 차출할 차비관(差備官)4)을 결정하였다.

접반사 : 행 부사직(行副司直) 권상유(權相游) - 출발한 후에 새로이 교서를 내려 접반사를 바꾸어 따로 중신(重臣)을 파견하게 하고, 의정부 우참찬(議政府右參贊)의 임시 직함을 주었다.

군관 : 동지(同知) 노진백(盧振白)과 비국 낭청(備局郎廳) 민창기(閔昌基)

차비관(差備官) : 전 사역원 정(前司譯院正) 장원익(張遠翼)

공간 당상(公幹堂上) : 행 부사직(行副司直) 김지남(金指南), 행 부사용(行副司勇) 김응헌(金應瀗)

공간 당하(公幹堂下) : 전 첨정(前僉正) 김만희(金萬喜), 전 판관(前判官) 이세만(李世萬)

2월 28일 신사 맑음

식후에 접반사가 대궐에 들어가 임금님을 청하여 뵈려고 하니 임

---

4) 특별한 일을 맡기려고 임시로 임명하는 벼슬아치.

금님께서 하교하시기를,

"접반사는 응당 빨리 떠났어야 할 것인데, 지금까지 떠나지 않았다면 빨리 가는 것이 좋겠다. 어제 저 사람들을 접대하는 일에 대하여 비국 당상이 이미 자세히 말하였는데, 만약 접대 사항들을 모두 결정한 후에 떠나면 또한 지연될 걱정이 있으니 접반사는 금일 내에 떠나도록 하라"

고 하였다.

당일 정오쯤에 접반사가 임금님을 뵙자, 어첩(御帖)을 의례대로 하고 예단을 넉넉히 마련할 것을 담당 관서에 분부하라고 어전에서 하교하였다. 임금을 뵈온 뒤 반상(伴相 : 뒤에는 모두 접반사라 함)은 즉시 인사하고 길을 떠났다. 나는 대신 댁에 떠날 인사를 해야 하기 때문에 내일 이른 아침에 뒤따라 출발하겠다는 뜻을 접반사에게 고하고 돌아왔다.

2월 29일 임오   맑음

새벽에 출발하여 사현(沙峴)에 도착하니 김호연(金浩然)이 뒤따라와서 그와 함께 갔다. 잠깐 여현(礪峴)의 선산에 들러 간단한 배례를 한 후 벽제관(碧蹄館)에 도착하여 잠시 쉬고 말에게 꼴을 먹인 후 40리를 갔다. 파평관(坡平館)에 도착하니 접반사 일행이 지난 밤 벽제에서 자고 이 곳에 도착하였다가 이제 막 길을 떠나면서 송경(松京 : 개성)에서 묵을 것이라 하면서 먼저 출발하였다.

우리는 말에게 꼴을 먹이고 뒤따라가겠다고 하고, 잠시 쉬며 요기를 한 후 출발하였다. 임진강을 건너 30리를 가서 임단관(臨湍館)에 도착하니 접반사의 행차가 막 출발하고 있었으므로 말에게 꼴을 먹인 후 우리도 곧 따라 떠났지만 날이 이미 기울어 버렸다. 길을 재촉했지만 도착지까지 반쯤밖에 못 갔는데 날이 칠흑처럼 어둡고 길이 진창이어서 간신히 한걸음 한걸음 전진하였다. 접반사가 태평관(太平館)에 도착한 후, 개성 유수부(留守府)의 하급 관리들에게 분부하여 길 안내로 나장(羅將) 4명 및 횃불잡이 수십 인을 뽑아 마중 보냈다. 그 고맙고 다행스러움은 이루 말할 수가 없었다.

횃불을 들고 십여 리를 간 후 태평관의 동쪽 별관에 도착하여 접반사를 배알하니 거의 자정쯤이 되었다. 이 날 160리를 갔다.

2월 30일 계미　맑음

접반사를 따라 새벽에 횃불을 들고 출발하여 금천군(金川郡)에 도착한 후 해서역(海西驛)의 말로 갈아탔다. 평산부(平山府) 총수참(蔥秀站)을 거쳐서 서흥현(瑞興縣)에 도착하여 익연당(益捐堂)에서 잤다. 이 날 170리를 갔다.

3월 1일 갑신　맑음

새벽에 횃불을 들고 출발하여 검수참(釰水站), 봉산군(鳳山郡), 황주목(黃州牧)에 차례로 들렀다가 중화부(中和府)에 이르러 머물러 잤다. 이 날 180리를 갔다.

연일 달리니 피곤함을 이기지 못하여 겨우 숙소를 찾아 막 자려고 하는데, 접반사가 사람을 보내어 불렀다. 바로 숙소에 들어가 보니 북경에 갔던 동지사(冬至使)의 귀국 선발대인 오태열(吳泰說), 이홍매(李弘邁), 홍취주(洪就疇) 등이 자리하고 있었다. 그들은 동지사가 보낸 장계와 별단의 초안(別單草)을 가지고 2월 15일 북경을 출발, 29일 압록강을 건너 지금 이 곳에 도착하여, 우리 접반사 앞에 배알한 것이다.

그 장계의 대략 내용은 이러했다.

"정월 27일, 목극등이 황제의 뜻이라 하며 관소에 왔기에 저희들은 관대(冠帶)를 갖추고 영접하였습니다. 목(穆)이 가운데에 앉고, 예

부 주사(禮部主事) 하순(何順), 호부 주사(戶部主事) 아희(俄喜)가 동쪽
에 앉고, 저희들은 앞에 나아가 읍례(揖禮)를 행하고 서쪽으로 앉았
습니다.

목이 저희의 안부를 물어 이에 화답하고 나자, 그는 '이번 변경을
조사하는 행차는 그만둘 수 없는데, 압록강과 토문강 사이에 달리
둘러서 가는 길이 있는가? 조선에서는 인삼을 채취하는 자들이 길
을 잘 알 것이니, 그들로 하여금 대령하였다가 길을 가르쳐 주게 하
도록 하라'고 하여, 저희들은 답하기를, '이들은 저희가 귀국한 후에
저희 나라의 지방관에게 찾아서 대령하도록 하겠지만, 다만 저희 나
라가 삼금(蔘禁)이 지엄하여 왕래하며 길을 아는 사람들이 정말 있
는지는 모르겠다'고 하였습니다.

목이 말하기를, '반드시 노정을 자세히 안 후에야 식량과 소요 비
용을 준비하여 갈 수가 있으니, 함께 온 사람 중에 혹 북로(北路)의
토문강 근처의 사람으로 들어온 사람이 있으면 불러서 물어보는 것
이 좋겠다'고 하였습니다. 신(臣)들이 '북로는 매우 멀어서 그 지방
사람들은 원래 오지를 않는다'고 하였더니, 목은 '이 일은 황제의 뜻
이니, 우리가 장차 압록·토문 양 강 사이에 달리 둘러서 갈 수 있
는 곳이 있다는 것을 아뢰어야 하므로 상세히 대답하라'고 하였습니
다.

저희들은 답하기를, '양 강의 사이는 왕성(王城)에서 길이 아주 멀
어서 견문이 닿지 못하고, 실제로 길이 어떠한지를 모르기 때문에
억지로 대답하기가 어렵다'고 하자, 목이 종이 한 장을 내보이며,
'이번에 가는 것은 모두 4, 50인인데, 성경(盛京 : 심양)에서 출발하여
흥경(興京) 변방의 두도구(頭道溝)에서 백두산 남변을 거쳐 토문강에
이를 것이다. 모두 우리 나라 쪽으로 가므로 너희 나라에는 건너가
지 않을 것이며, 식량도 모두 우리가 준비할 것이고 너희 물건을 쓰

지 않을 것이다. 그러나 길이 험하고 막혀서 가기 어려운 곳에 이르면, 너희 나라에서 반드시 조응하여 다시 우리 나라와 출입하는 경계를 조사해야 할 것이다. 그리고 양국 경계가 서로 접하여 험하고 막혀 가기 어려운 곳이면, 서로간에 오가며 교섭해야만 할 것이니, 만약 통역관이 없으면 서로 통하기가 어려울 것이다. 너희 나라에서 알아서 통역관 수명을 파견하여 앞으로 가는 길에 수행하면 좋겠다'고 하고, 또 말하기를 '이 글은 황제가 직접 내린 것은 아니나 황제의 뜻에 따른 것이므로 살펴본 후 답변을 써서 주기 바란다'고 하였습니다.

이에 저희들은 '말하는 뜻을 모두 알았고 통역관을 파견하는 일은 돌아가 국왕에게 고한 후 받들어 행하겠다'고 써서 주었더니, 목이 말하기를 '이 글은 다만 통역관 한 문제만 답한 것이다. 이번에 문답한 이야기를 내가 황제께 아뢰어야 하므로 원컨대 자세히 듣고 싶다'고 하기에, 신 등이 말하기를, '받들어 행할 것은 다만 통역관 한 문제뿐이고, 다른 문제는 별로 답할 말이 없다'고 하였지만, 목이 재차 고집하여 실랑이하므로 부득이 '말하는 뜻은 모두 알았고 험하여 가기 어려운 곳에 이르면 우리 나라에서 어찌 감히 충분히 조응하지 않겠으며, 또 식량은 비록 스스로 준비한다고는 하였지만, 만약 우리 나라 경계로 들어오게 되면 역시 어찌 감히 공경히 접대하지 않겠는가? 통역관을 파견하는 것은 돌아가 국왕에게 보고하고 삼가 마땅히 받들어 행하겠다'고 써 주었습니다.

그랬더니 목은 내용이 아주 석연치 않지만 좋다고 받아 두면서 말하기를, '이번에 가서 도착한 곳에 대해 양국이 반드시 피차의 지명을 알아야 서로 만날 수 있다. 그리고 임신년(1692, 숙종 18)에 늑초(勒楚)가 갔을 때 조선인이 그 수행인을 삼도구(三道溝)에서 포살하였는데, 삼도구와 맞닿는 땅은 조선의 어느 읍인가? 또 우리 나라의 변계에 모월산(冒月山)이라는 곳이 있는데, 이들 경계에 대해서 사신으로 온 사람 중에 혹 자세히 아는 사람이 있으면 불러 물어 보라'고 하였습니다. 저희들은 '만포(滿浦) 이하는 노야(老爺 : 상대에 대한 존칭)께서 이미 다녀온 곳이므로 다시 갈 필요가 없을 듯하다. 그리고 압록강원(鴨綠江源)에서 배를 만든다고 하였는데, 과연 이 곳이 어디인지를 모르겠다. 황제의 사신[欽差]이 도착할 곳을 자세히 알아야만 우리 나라에서도 기다려 접대할 수 있을 것이다'라고 하였습니다.

목극등이 말하기를, '우리가 도착하기 전에 강변 파수인으로 하여금 탐지하게 하여 기다리는 것이 좋겠다'고 하기에, 신들은 '삼강구비(三江仇非) 이상은 사람이 나란히 갈 수가 없고 말도 발을 디딜 곳이 없는 극히 험한 땅이어서 우리 나라도 마찬가지로 어찌할 수가 없습니다. 비록 흠차가 이르렀다고 해도 환영하는 관원이 도달할 수가 없을 것이니 매우 걱정스럽다'라고 하였습니다.

그는 다시 '삼강구비 이상은 폐사군(廢四郡)의 끝이라고 하는데, 이 곳이 본국의 어느 지방인지 모르겠다. 내가 두도구에서 출발할 것이니, 이는 폐사군이 끝난 곳의 건너편 우리 나라 지방이니 이 곳에서 기다리는 것이 마땅하다'라고 하였습니다. 저희들은 '폐사군이 끝난 곳이 정확히 어느 곳인지는 모르겠습니다만 저희 나라에서 어찌 감히 알아서 거행하지 않을 수 있겠는가'라고 답하였습니다. 말을 마친 후 목극등은 한참 묵연히 있었습니다. 운운"

그리고 별단의 내용은 이러했다.

"변경을 조사하는 행차가 장차 다시 있을 것인데, 이 일이 어떤 뜻에서 나왔는지 모르겠습니다. 정월 초10일에 역관 김홍지가 서화문(西華門) 밖의 미고(米庫)에서 쌀을 바꾸고 돌아오는 길에 일을 마치고 나오는 대통관(大通官 : 수석 통역관) 박만석(朴萬石)을 만나게 되어 '듣건대 목극등이 장차 다시 연변에 가서 변경을 다시 조사한다는데, 무슨 일 때문입니까?'라고 물어보았습니다. 박만석은 '목극등이 다시 가는 이유는, 첫째는 그 곳 강변에서 몰래 삼을 캐는 자가 월경하는 것을 살피려는 뜻이요, 둘째는 백두산 남변의 산세가 어떤가를 필히 상세히 알려는 것이다. 황제 폐하께서 천하 산천의 길과 이수(里數)를 잘 알고 있지만 오직 이 백두산만은 자세히 알지 못하여 전번에 심양, 영고탑(寧固塔) 두 곳의 장군에게 산세를 살펴서 아뢰라고 하였는데, 두 곳에서 올라온 보고가 같지 않아서 지금 또 사관(司官)을 보내는 것이니 전일에 미심쩍은 일을 자세히 하려는 데 불과하다'라고 하였습니다.

후일에 또 박만석에게 물었던 바를 통관(通官) 김사걸(金士傑), 홍이가(洪二哥) 등에게도 탐문하도록 했는데, 그 대답이 역시 박만석의 말과 같았습니다. 그들은 '지금 다시 가는 것은 다른 뜻이 아니고 중국에서 『일통지(一統志)』를 만들고 있는데, 아직 끝나지 않은 것은 오로지 백두산을 자세히 알지 못한 때문이다. 그리고 근년에 황제께서 심양, 선창(船廠), 영고탑 세 곳에서 피갑(披甲)을 뽑아서 혹은 만 명, 혹은 오천 명에게 신표를 지급하여 조선 서북 양계의 건너편에서 삼을 채취하게 하였다. 금번에 (조선 땅에 건너가서) 몰래 삼을 캔 자들은 원래 죽여야 할 자들로서 별로 문제는 없다. 그러나 혹시라도 관에서 보낸 피갑을 조선인이 잘못 장살하게 되면 적지 않게 난처한 빌미가 생길 것이다. 그러므로 몰래 월경하는 길을 자세히 조사하여 잘 처리하려는 것이니, 이는 황제 폐하께서 조선을 위하는 일이요 결단코 다른 뜻은 아니다'라고 하였습니다. 그 말을 비록 믿기는 어려우나 이미 들은 바가 있는 고로 이와 함께 아룁니다.

초9일에 제독(提督)이 와서 갑자기 패문(牌文)을 보냈다고 말하므로 그 자세한 사실을 알 수 없어서 수역(首譯) 등이 통관배와 사사로이 나누었다는 말을 대강 들어보니 '지난 번 목극등이 조선 사신을 찾아갔을 때, 연변의 길 형편을 자세히 알려고 하였지만 사신이 답한 것이 명쾌하지 못하여 목이 석연치 못한 채로 돌아오게 되었다. 또 지난해에 패문을 보내지 않았다고 조선에서 협조하지 않고 막는 일이 많았으므로 조선 사신에게 말하지 않고 갑자기 발송했다'라는 것이었습니다.

이어서 대통관(大通官) 홍이가(洪二哥)가 당일에 해자(海子)에서 황제가 패주(霈州)에 가는 것을 전송하고 관소에 도착하였기에 수역(首譯) 등이 그들에게 가서 '그저께 패문을 출송하였다는데, 무릇 패문은 반드시 칙서가 있은 후에 출송하는 것이 관례인데, 자문(咨文) 중에 「다만 조선국으로 하여금 가끔 조관(照管)하게 한다」라는 말만 있으니 우리 나라는 장차 어디에서 맞이해야 하는가? 다시 자세히 헤아리지 않고 갑작스레 출송하니 어찌 그리 처사가 전도되었는가?'라고 물었습니다. 홍이가는 '내가 해자에서 처음 듣기로는, 목극등이 하순(何順)과 상의한 후, 계를 올리고 황제의 재가를 얻어 병부로 하여금 바로 발송케 하니, 병부(兵部)에서는 칙서가 없이 패문을 발송하면 전례에 어긋난다고 하였다. 그러자 목은 이미 황제의 뜻이 있으니 패문을 보내고 안 보내고는 너희 병부에서 마음대로 하라고 했고, 병부에서는 그 말에 겁을 먹고 성화같이 발송했다고 한다. 그러므로 내가 목극등에게 말하기를, 「칙서 없이 패문을 보내는 것은 전례가 없고 하물며 자문 중에 말이 자세치 않으니 어디에서 접대하겠는가?」 하니, 목이 비로소 잘못을 깨닫고 말하기를, 「당신 말이 옳다. 지금 이미 역마로 급송하였으니 쫓아가서 되돌리기가 어렵다. 당신이 빨리 관중(館中)에 가서 사신과 비밀히 상의하여 문서 한 장을 받아 오면 내가 신속히 전달하여 조선에 우리들이 어느 곳으로 갈 것이라고 계속 알리는 것이 좋을 듯하다」고 하였다'라고 와서 말하였습니다.

장계는 청인(淸人)에게 부치는 것이 불가하므로 저희들은 이것은 전례가 없는 일이고, 죄인 마감 문서(罪人磨勘文書) 및 방물 이준 문서(方物移准文書)는 황제의 교지가 내려진 후, 선발로 가는[先來] 역관과 군관편에 급히 먼저 발송하겠다고 목극등에게 가서 전해 주고 예부에 주선해 달라고 했습니다.

초10일 아침에 홍이가가 와서 말하기를, '지난밤에 목극등을 만나서 그대들의 뜻을 전한즉 선발대편으로 빨리 발송하도록 하고, 당연히 예부에도 주선하도록 하겠다'라고 하였답니다.

목극등이 이에 12일에 출발했는데, 바로 오라(烏喇)의 자기 임소(任所)를 거쳐 심양으로 돌아온 후, 행차 준비를 정리하고 마필을 충분히 먹인 다음, 북변에 풀이 생기기를 기다렸다가 길을 떠나 두도구(頭道溝)로 향한다고 합니다. 저들도 역시 데리고 갈 통관과 파견할 장경(章京), 필첩식 등을 차출할 것이고, 이번 18일 황성(皇城)을 출발하여 참(站)들을 거쳐 심양에 들어간 다음 목극등이 임소로부터 돌아오기를 기다려 발정한다고 합니다."

3월 초2일 을유   비

접반사가 장계를 보냈다. 그 대략은 이러하다.

"행차가 중화(中和)에 도착하여 동지사 선발대를 만나 장계의 초안(狀啓草)를 얻어보니 목극등의 행차가 폐사군이 끝난 곳 맞은편으로 온다고 합니다. 폐사군의 끝은 바로 함경도 땅이니 응접하는 일은 의당 함경도에서 하여야 하고 평안도에서 기다릴 일이 아니므로 저희들 일행은 앞으로 더 나아가지 않고 우선 여기에서 기다렸다가 조정의 분부를 기다리겠습니다."

3월 초6일 기축   맑음

저녁 후에 비변사에서 접반사는 되돌아와 상경하였다가 다시 함
경도로 가라는 지시 공문이 도착하였다.

3월 초7일 경인   맑음

식사 후 일행이 접반사를 따라 중화를 떠나 오후에 황주에 이르
러 숙박했다. 저녁에 접반사가 분부하여 말하기를,

"내일 지나가는 길에 산산진(蒜山鎭)의 관방 형세(關防形勢)를 보
고 가고자 한다. 나와 함께 두 명의 비장(裨將)과 김 동지(金同知)만
가고 나머지 사람은 바로 봉산(鳳山)으로 가서 기다리도록 하라. 제
반 의장과 수종 인원 점심 등은 준비하지 말고 다만 데리고 가는 인
마의 요기할 것만 가지고 가라"
라고 하였다.

3월 8일 신묘   맑음

아침 식사 후에 접반사는 황강방(黃崗傍)을 출발하여 산산진으로
갔다. 병사(兵使 : 黃海道兵使) 정이상(鄭履祥)이 함께 떠났으며 첨사
(僉使) 이침(李樑)이 인도하였다. 가면서 두루 지세를 살폈다. 잠시
논란한 후 파하였다. 해질 무렵에 봉산군에 이르러 묵었다.

3월 9일 임진   맑음

새벽 6시쯤 떠나 검수참(劒水站)에서 점심을 먹고 서흥(瑞興)에서
묵었다.

3월 10일 계사   흐리고 비

아침 8시쯤 떠나 총수참(葱秀站)에서 점심을 먹고 잠시 옥류천(玉
溜泉)을 보고 평산(平山)에서 묵었다.

3월 11일 갑오   큰 비

새벽 6시쯤 출발하여 금천에 이르러 점심을 먹었다. 빗줄기가 굵어져서 앞으로 나아가기가 어려웠으나 본군(本郡)에 폐를 끼칠까 염려되어 비를 무릅쓰고 출발하였다. 옛 금천에 이르러 일행이 모두 지쳤으므로 주막에 머물도록 한 뒤, 접반사가 본 고을 수령이 갚겠다는 증서를 써 주고 돈 1관(貫)어치의 탁주를 사서 일행 모두 두루 마시게 한 다음 다시 출발하였다.

청석동(靑石洞)을 지나자 마치 양동이로 쏟아붓듯이 비가 내렸고 바람마저 강하게 불어 일행 가운데 젖지 않은 자가 없었다. 수행하는 역졸들이 엎어지고 자빠졌으며 뒤처진 사람이 부지기수였다. 산에 물이 갑자기 불어 휩쓸려갈까 염려되었다. 뒤처진 사람을 보호하려고 천천히 가는 바람에 어두워진 뒤에야 개성에 도착하였다. 태평관(太平館)의 동쪽 별관에 일행을 모아 놓고 이 곳 관리들에게 분부하여 탁주를 내어오게 해서 각기 한 사발씩 마시도록 했다. 또 땔감을 꺼내어 불을 지펴서 옷을 말렸다.

비로 인하여 개성 유수(開城留守)는 직접 오지 못하고 사람을 시켜 접반사의 안부를 물었다.

3월 12일 을미   비

어제와 마찬가지로 바람이 불고 비가 와서 개성에 계속 묵었다. 오후에 개성 유수 이야(李壄)가 음식을 한 상 정성스레 차려 가지고 와서 접반사에게 대접하였다. 몇 차례 술을 돌린 뒤에 접반사가 두 비장과 나를 불러놓고,

"그대들은 늘 좋은 음식을 먹고 편히 지내왔는데, 이렇게 국가의 일로 인해 고생을 하면서 오가는 동안, 맛있는 음식을 한 번도 먹이지 못하여 내가 매우 민망하였다. 지금 이 음식이 자못 맛이 있는 듯하니 그대들은 모름지기 마음껏 먹고 취하라. 내가 이를 보고자

한다"

라고 하였다. 그 말씀이 참으로 황송하고 감사하였다.

3월 13일 병신   눈비

빗줄기가 조금 가늘어졌지만 눈이 섞여 내렸고 바람이 여전히 매섭게 불었다. 냇물이 크게 불었으며 곳곳의 교량이 떠내려갔다. 날이 개기 전에는 전진하기 어려운 형세였기 때문에 그런 사실을 비변사에 급히 알리고 계속 머물렀다. 식사 후에 접반사가 가마를 타고 개성 유수부로 가서 감사를 표하였다.

이 곳은 고려의 옛 터로서 가볼 만한 곳이 많았으나 그 동안에는 매번 길이 바빴기 때문에 뜻을 이룰 수가 없었다. 오후에 낭청(郞廳) 민창기(閔昌基)와 함께 말을 타고 만월대(滿月臺)에 올라가 옛 궁궐 터를 좌우로 둘러보았다. 옛 일을 듣고자 하였으나 물을 사람이 있을 리 없고, 초목이 무성한 옛 터에는 잡초의 탄식만이 가득할 뿐이었다.5)

방향을 돌려 성남리(城南里)의 추궁(楸宮)으로 향했는데 이 곳은 우리 성조(聖祖 : 태조)께서 일어난 본궁(本宮)이다.6) 계유년(1693, 숙종 19)에 지금 임금(숙종)께서 친히 행차하셔서 머무신 뒤에 정침(正寢)7)의 터에 큰 비석8)을 세우고 높게 화려한 비각을 지어서 풍우를

---

5) 기자(箕子)가 은(殷)나라의 도읍을 지나며 보니 고국은 망하였고, 옛 궁실은 폐허만 남아 보리밭이 되어 있어 탄식하였다는 것. 이 때 부른 노래를 맥수가(麥秀歌)라고 한다. 따라서 고려왕조가 멸망하여 그 옛 도읍지를 둘러보며 한탄하는 의미이다.
6) 이성계가 왕위에 오르기 전에 있었던 개성의 사저(私邸). 개성 중부 남계방(南溪坊 : 속칭 楸洞)에 위치하는데, 이성계가 왕위에 오르고 나서 경덕궁(敬德宮)이라 하였다.
7) 추궁(추동궁)의 안채를 말함.
8) 태조 이성계가 조선왕조를 개국하기 전 거처한 곳에 세운 공덕비.

막았다. 비의 앞면에 임금께서 친히 짓고 쓰신 글이 있었다.

작년에 다시 개국하여 즉위하신 해를 만났고[9]
금일은 흔쾌히 성조(聖祖)의 궁을 바라보노라
어찌 다만 갱장(羹墻)[10]의 추모만 더하겠는가
넓고도 크신 뜻을 생각하니 회포가 끝이 없노라[11]

뒷면에 있는 개국 전후의 시말을 찬양한 글은 태학사(太學士 : 홍
문관 대제학) 권유(權愈)가 지은 것이고, 글씨는 호조 판서 오시복(吳
始復)이 썼으며, 비문의 제목 전서(篆書)는 승지 권규(權珪)가 쓴 것
이다. 얼마 동안 바라보다가 돌아왔다.

돌아오는 길에 개성 유수를 지낸 김우항(金宇杭)[12]의 생사당(生祠
堂)에 들어갔다. 이 곳은 판서 김우항이 일찍이 유수로 있을 때에
선정을 많이 베풀어 이 지역의 백성들이 마을 가운데 사당을 세워
영정을 모셔 놓고 봄가을로 제사를 드리는 곳이다. 비록 김우항을
직접 보지는 못하였지만 김우항의 영정이라 칭하며 높이 받드니 어
찌 공경하여 절하지 않을 수 있겠는가?

---

9) 조선이 건국한 해는 1392년 임신년. 숙종이 이 곳을 방문한 것은
   1693년이니 그 전 해는 곧 1692년 임신년으로 조선이 개국한 지 300
   주년이 되는 해였음.
10) 선왕 태조 이성계의 공덕을 추모함.
11) 원문은 다음과 같다.
   昨年重遇龍飛歲 今日欣瞻聖祖宮 奚但羹墻追慕倍 緬懷洪烈意無窮
12) 1649(인조 27)~1723(경종 3). 조선 후기의 문신. 호는 갑봉(甲峰)·좌
   은(坐隱). 대개 사당에 모셔지는 것은 죽어서야 가능한 일이나 드물게
   선정을 베푼 수령들의 높은 덕을 추모하기 위해서 마을 사람들에 의
   해서 살아 있을 때 사당이 건립되기도 하는데 이를 생사당이라 일컬
   음. 김우항도 개성 유수로 있을 때 많은 혜정(惠政)을 베풀었으며 뒤
   에 사람들로부터 장자(長子) 또는 완인(完人)이라 일컬어졌다.

3월 14일 정유   맑음

식사 후에 출발하여 장단(長湍)에서 점심을 먹고 파주(坡州)에 당도하여 묵었다.

3월 15일 무술   맑음

아침 일찍 출발하여 고양(高陽)에서 점심을 먹은 후, 접반사에게 보고하고 먼저 여현(礪峴)의 산소에 가서 절하였다.

오후에 경영고(京營庫)에 가서 관복을 갈아입고 접반사를 따라 대궐로 가서 복명(復命)하였다. 막 나오려고 할 때에 비변사의 관리가 한 장의 시행 지침서를 가지고 와서 접반사에게 바쳤다. 접반사가 보고 나서 나를 불러 보여주었다. 이 날 비변사에서 임금을 알현할 때 접반사 권상유(權尙游)를 우윤(右尹) 박권(朴權)으로 교체하기로 한바, 박권은 지금 이장(遷葬)하는 일로 원주에 내려가 있으므로 말을 타고 속히 올라오라고 임금께서 재결한 글이었다.

그제 함경 감사(咸鏡監司) 이선부(李善溥)의 장계가 도착하였다. 그 내용은 다음과 같았다.

"목극등의 행차가 의주를 경유하지 않고 심양에서 곧바로 폐사군의 끝인 후주(厚州) 땅으로 도착할 예정입니다. 그런데 청나라 쪽에서는 그 궁벽진 곳으로 들어갈 길이 없으므로 반드시 우리 나라의 삼수, 갑산을 경유하여 들어갈 것이니, 서울에 있는 역관 가운데 통역 잘하는 자를 급히 보내주십시오."

비변사에서 임금께 아뢰기를,

"함경 감사에게는 유능한 통역이 반드시 필요할 것이니, 역관 김경문(金慶門)을 별도로 차출 임명하여 말을 주어 내려가도록 분부하는 것이 어떠하겠습니까?"

하니, 임금께서 이를 허락하였다.

3월 17일 경자 맑음

아침에 김경문이 국왕께 인사 올리고 이어 호조(戶曹)로 가서 예단(禮單)으로 가져갈 물건 네 바리를 받아 나왔다. 이것은 함경 감사가 목극등이 함경도에 오면 주인의 도리로서 예단을 주어야 한다면서 그 곳에서 생산되는 물품 이외에 명주, 종이 등을 요청하여 허락받은 몇 가지 물품들과 중간에 문위사(問慰使)들에게 줄 예단까지 합친 것이다. 임금께서 김경문이 내려갈 때 함께 가지고 가도록 하여 모두 가져온 것이다.

3월 19일 임인 맑음

아침에 도제조(都提調) 김 상국(金相國)13) 댁으로 갔는데 상국(相國)이 물어보는 사항들이 있어 다음과 같은 대화가 오갔다.

"제가 듣기로는 김홍지(金弘祉)는 사신으로 나가는 일에 관해 말하기를 조정[廟堂]의 일이면 당연히 내려가겠다고 하였답니다. 그리고 저의 아들 김경문도 이미 내려가 있으니 청나라 칙사를 영접할 관원의 규례로 말한다면 비록 부족하지만 지난해에 접대한 예에 비추어 보면 오히려 충분한 편입니다. 소인이 어찌 나라 일을 감히 피하려고 하겠습니까? 소인은 다만 이미 나이 먹고 병든데다가 작년 관서 지방 강변(江邊)에 나갔던 일14)로 근력이 다했습니다. 지금 북로(北路)의 험난한 행차는 결단코 감당하기가 어렵습니다. 혹시라도 가다가 넘어지고 엎어질까 염려가 많은데 그렇다면 나라 일이나 저에게나 낭패스러운 일이 아니겠습니까? 더구나 예로부터 부자가 함께 군중(軍中)에 있을 때에는 애비는 집에 돌아가도록 하였습니다.

---

13) 숙종 38년 3월의 비변사 좌목에 의하면 전임 의정이었던 행판중추부사(行判中樞府事) 김창집(金昌集)으로 보인다.

14) 1711년 청의 사신이 위원(渭原) 지방의 변고를 조사하러 왔을 때 김지남이 가서 길 빌려주는 일로 쟁론했던 일을 가리킴.

또한 이른바 청나라에서 오는 목극등이라는 자는 저희 부자의 얼굴을 이미 알고 있습니다. 공께서 큰 일을 주관하시는데 저희 부자가 함께 가는 일이 과연 좋을지 모르겠습니다."

"그저께 김경문이 내려갈 때도 이와 같은 정리(情理)를 누누이 말하였네. 지금 그대의 말을 들으니 일의 사정과 부자지간의 예[體禮]가 모두 타당하니 김홍지로 대신 보내는 것이 좋겠네."

"당하(堂下) 장원익(張遠翼)은 상통사(上通事)로서 마땅히 이번 내려가는 일에 포함되어야 합니다. 이는 비록 평상시에 사신 접대하는 관원을 차출하는 경우와는 다르지만 이번 행차는 진행상황을 미리 헤아리기 어려우므로 보통 때의 경우와는 달리해야만 할 것 같습니다."

"당하(堂下) 김경문이 이미 내려갔으니 장원익을 반드시 보낼 필요는 없다고 보네. 빼 버려도 무방할 것이야."

즉시 물러나와 이희철(李希哲) 대감과 함께 접반사 행차에 갈 관원으로 전 첨정(前僉正) 김만희(金萬喜), 공간당상(公幹堂上) 행부사맹(行副司猛) 김홍지(金弘祉), 행부사용(行副司勇) 김응헌(金應瀗), 당하 전 판관(堂下前判官) 이세만(李世萬)을 정하여 추천하였다.

3월 21일 갑진 　맑음

늦게 접반사 박권 대감이 원주에서 명을 받아 올라오고 있다는 소식을 들었다. 재작년에 박 대감이 부사로서 연경에 갈 때 내가 수행하여 갔는데, 잘 보살펴 주셨다. 즉시 가서 뵙고자 하였으나 날이 저물어 뵙지 못하였다.

3월 22일 을사 　맑음

아침에 접반사의 댁으로 가서 뵈었는데 나에게 하교하여 이 같은 말들이 오갔다.

"듣자하니 그대는 평안도에 가는 일은 기꺼이 종사했으면서 함경도로 가는 행차는 기피한다고 하니, 이는 일의 편하고 어려운 것을 가려 나라 일을 하고 안하는 것이니 이것이 무슨 도리인가?"

"소인이 어찌 감히 그러한 마음을 가지고 있겠습니까? 사역원(司譯院)의 도제조(都提調)이신 노대감께서 일이 관례에 어긋남을 살피시고 정리(情理)가 안타까운 것을 헤아리셔서 특별히 면하도록 허락한 것이지 소인이 일의 편하고 어려운 것을 가린 것이 아닙니다. 또 청나라 차관(差官)의 접대는 칙사를 맞이할 때와 같은 경우가 아니기 때문에 역관은 2, 3명이어도 무방합니다. 더구나 김홍지는 말과 일을 잘해서 큰 일을 감당할 만합니다. 이런 사람이 있으니 공무를 수행하는 데 무엇을 걱정하십니까? 바라옵건대 사또께서는 걱정하지 마십시오."

"김홍지의 사람됨은 나 또한 익히 아는 바이네. 그러나 비록 인재라고는 하나 칠십 노인이 만리 길을 다녀와야 하는데, 어찌 아무 탈 없이 돌아오리라고 보장할 수 있겠는가? 더욱이 가는 곳은 지극히 험난한 땅이 아닌가? 그대는 여러 말 하지 말라. 나는 임금께 그대를 데려가야 한다고 계청(啓請)할 것이네."

"소인같이 쓸모없는 사람을 반드시 데려가고자 하신다면 도제조께 말씀하시는 것이 좋을 것입니다. 하필이면 번거롭게 임금님께 계청하려고 하십니까?"

"임금께 아뢰면 반드시 윤허하실 것이네. 그런데 대신에게 말해서 혹시 허락하지 않으면 어찌할 것인가. 임금께 계청하든지, 대감에게 말씀드리든지 하는 것은 내가 알아서 할 것이니 그대는 더 이상 말하지 말게."

오늘 사또의 한바탕 가르침은 엄하게 책망하고 깨우치는 것이어서 매우 황공하였다.

3월 23일 병오   맑음

접반사 박권이 임금님을 뵙고서 다음과 같이 아뢰었다.

"비변사에서 최근 역관 김홍지를 접반사의 행차에 데리고 가도록 정하였습니다. 그런데 김홍지는 지금 연경에 가 있어 아직 돌아오지 않았습니다. 또한 이 나이 많은 사람이 만리 길을 갔다 온 후에 병이 없겠습니까? 먼 길을 반드시 다시금 가게 할 일이 아닙니다. 역관 김지남은 작년에 목극등이 차사(差使)로 나올 때에 평안도에 가서 접대하였습니다. 이번 행차에 먼저 이 사람을 데리고 가는 것이 어떻겠습니까?"

"김홍지는 나이가 많은데다 즉시 따라갈 수 있을지 모르겠으니 김지남을 데리고 가는 것이 좋겠다."

"접반사의 행차에는 통례상 군관(軍官)을 2명 데리고 가게 되어 있습니다. 창성 부사(昌城府使) 홍원익(洪元翼)을 경직(京職)으로 바꾸시고 선전관(宣傳官) 이의복(李義復)을 이번 사행에 제수하여 이 두 사람을 데리고 가면 어떻겠습니까?"

"말한 대로 하라."

접반사 박권은 또 아래와 같은 사항들을 건의하였다.

첫째, 문위사는 어첩(御帖)을 가져가고, 접반사는 총관(摠管)·시위·주사·좌령(佐領) 등 다섯 곳에 줄 예물을 가져갈 것.

둘째, 총관 이하 다섯 곳 및 필첩식·통역관 등 세 곳에도 예물을 마련하여 보낼 것.

셋째, 호조판서는 마침 산성(山城)에 출장가 있고, 접반사는 출발할 날짜가 급하므로 차관(호조 참판)으로 하여금 필요한 물품 지출 명세서를 작성하여 보고할 것.

넷째, 여러 가지 부채[各色扇], 최상품 담배[大匣草], 은제 담뱃대[銀項烟竹], 왜섭자(倭鑷子 : 족집게), 왜능화(倭菱花),15) 부싯대쇠[花峯

火鐵]는 넉넉히 지급하여 보내도록 호조에 분부할 것.

이상의 일들이 어전에서 결정되었다. 또한 다음과 같은 사항들도 건의하였다.

훈련도감(訓鍊都監), 금위영(禁衛營), 어영청(御營廳)에 있는 새로 만든 몽고장막과 우비 하나씩을 갖추어서 보내는데, 역마 세 필로 차례 차례 전달하여 싣고 가도록 할 것.

청심원(淸心元) 한 제는 삼군문(三軍門)의 구급약에서 가져다 먼저 보낼 것.

이상의 일들도 어전에서 결정되었다.

호조의 보고서가 내려왔다. 그것은 아래와 같다.

"이번 일의 중요성은 이전과는 매우 다르므로, 전년에 비하여 물품을 넉넉히 마련하여 지출 명세서를 작성하여 올립니다."

◎ 접반사가 가져갈 예단(禮單)

▶ 오라 총관에게 줄 예물 :

붉은 명주[紅紬] 10필, 녹색 명주[綠紬] 10필, 남색 명주[藍紬] 10필, 흰 명주[白紬] 10필, 흰 모시[白苧布] 10필, 흰 무명[白木綿] 20필, 표범 가죽[豹皮] 3장, 사슴 가죽[鹿皮] 5장, 회색 족제비 가죽[靑黍皮] 10장, 흰색 한지[白綿紙] 50권, 황모필(黃毛筆) 30자루, 고급 먹[油煤墨]16) 20개, 후추[浮椒] 2말, 나전 담뱃대[螺鈿竹] 20개, 작은 포장 담배[小匣草] 300갑, 화문석[彩花席] 4장

▶ 2등 시위 · 주사 · 좌령 각각에 줄 예물 :

---

15) 능화지(菱花紙) 종류 같다. 마름꽃 무늬가 있는 종이를 능화지라고 한다.

16) 들기름을 태운 그을음으로 만든 참먹.

붉은 명주 5필, 녹색 명주 5필, 남색 명주 5필, 흰 모시 5필, 흰 명주 5필, 흰 무명 10필, 표범 가죽 1장, 상화지(霜花紙)17) 5권, 흰색 한지 20권, 회색 족제비 가죽 5장, 황모필 10자루, 고급 먹 10개, 후추 1말, 긴 담뱃대[長烟竹] 10개, 작은 포장 담배 100갑, 화문석 2장

▸ 7품 필첩식 · 6품 통사(通事) · 무품 통사(無品通事) 각각에 줄 선물 :

붉은 명주 2필, 남색 명주 2필, 녹색 명주 2필, 흰 명주 2필, 흰 모시 2필, 상화한지 5권, 흰색 한지 10권, 황모필 10자루, 회색 족제비 가죽 3장, 고급 먹 10개, 후추 1말, 작은 포장 담배 50갑, 긴 담뱃대 5개, 나무 자루로 된 주석 장도[木柄錫粧刀] 5자루, 푸른 칼집 칼[青鞘刀] 5자루

◎ 문위사가 가져갈 예단

▸ 총관에게 줄 예물 :

붉은 명주 5필, 녹색 명주 5필, 남색 명주 5필, 흰 명주 5필, 흰 모시 5필, 흰 무명 10필, 표범 가죽 1장, 사슴 가죽[鹿皮] 2장, 회색 족제비 가죽 5장, 흰색 한지 30권, 황모필 15자루, 고급 먹 15개, 후추 2말, 나전 담뱃대 10개, 작은 포장 담배 200갑, 화문석 3장

▸ 2등 시위 · 주사 · 좌령 각각에 줄 예물 :

붉은 명주 3필, 녹색 명주 3필, 남색 명주 3필, 흰 명주 3필, 흰 모시 3필, 흰 무명 5필, 회색 족제비 가죽 3장, 흰색 한지 17권, 고급 먹 10개, 황모필 10자루, 사슴 가죽 1장, 후추 1말, 나전 담뱃대 7개, 작은 포장 담배 100갑

▸ 7품 필첩식 · 6품 통사 · 무품 통사 각각에 줄 예물 :

---

17) 전라북도 순창(淳昌) 지방에서 생산되는, 윤이 나고 몹시 질긴 한지.

붉은 명주 2필, 녹색 명주 2필, 남색 명주 2필, 흰 명주 2필, 흰 모시 2필, 흰 무명 3필, 회색 족제비 가죽 2장, 흰색 한지 13권, 고급 먹 10개, 황모필 10자루, 후추 7되, 나전 담뱃대 5개, 작은 포장 담배 70갑

◎ 함경 감사가 가져갈 예단

▶ 총관에게 줄 예물 :

붉은 명주 5필, 녹색 명주 5필, 남색 명주 5필, 흰 명주 5필, 흰 모시 5필, 흰 무명 10필, 회색 족제비 가죽 5장, 흰색 한지 25권, 고급 먹 15개, 황모필 15자루, 표범 가죽 1장, 사슴 가죽 2장, 후추 1말, 나전 담뱃대 8개, 작은 포장 담배 150갑

▶ 시위 · 주사 · 좌령 각각에 줄 예물 :

붉은 명주 3필, 녹색 명주 3필, 남색 명주 3필, 흰 명주 3필, 흰 모시 3필, 흰 무명 5필, 회색 족제비 가죽 3장, 흰색 한지 13권, 고급 먹 10개, 황모필 10자루, 사슴 가죽 1장, 후추 7되, 나전 담뱃대 5개, 작은 포장 담배 80갑

▶ 필첩식 · 대통관(大通官)18) · 차통관(次通官 : 차석 통역관) 각각에 줄 예물 :

붉은 명주 2필, 녹색 명주 2필, 남색 명주 2필, 흰 명주 2필, 흰 모시 2필, 흰 무명 3필, 회색 족제비 가죽 2장, 흰색 한지 10권, 고급 먹 10개, 황모필 10자루, 후추 5되, 나전 담뱃대 3개, 작은 포장 담배 50갑

◎ 접반사가 요청하여 어전에서 결정한 문위사 예단의 추가분

---

18) 벼슬의 등급이 높은 통역을 맡은 벼슬아치. 통관은 주로 중국에서 오는 칙사의 통역관을 가리킴.

▶ 시위·주사·좌령 각각에 줄 추가분 :

붉은 명주 3필, 녹색 명주 3필, 남색 명주 3필, 흰 명주 3필, 흰 모시 3필, 흰 무명 5필, 회색 족제비 가죽 3장, 흰색 한지 17권, 고급 먹 10개, 황모필 10자루, 사슴 가죽 1장, 후추 1말, 나전 담뱃대 7개, 작은 포장 담배 100갑

◎ 청나라 사행의 요구에 응하기 위해서 접반사가 요청한 예비 물품 :

부채[別扇] 50자루, 삼각 부채[魚頭扇] 20자루, 둥근 부채[僧頭扇] 30자루, 큰 포장 담배[大匣草] 20갑, 왜섭자(倭鑷子) 20개, 은제 담뱃대 30개, 부싯대쇠 80근, 왜능화(倭菱花) 5축

3월 24일 정미 맑음

아침 일찍 접반사를 따라 대궐에 가서 하직하고 나왔다. 하직 인사를 두루 했지만 몇 곳은 들러보지 못하고 집에 돌아왔다.

손자 만적(萬迪)의 병이 이미 고치기 어려운 지경에 이르러 참담하고 불쌍한 것이 이루 말할 수 없었다. 그 어미가 고통스럽고 애달파하며 벌써 한 해를 넘기도록 오직 자식 병에 대해 근심할 뿐이니 그 정상을 어찌 말로 다할 수 있겠는가?

이 때 친구로 찾아오는 사람이 매우 많아 한편으로는 응대하고 한편으로는 떠날 차비를 하였다. 저녁 무렵 접반사 댁으로 가니 접반사가 이제 막 대궐에서 돌아와 있었다. 우리들에게 말하기를,

"오늘은 이미 늦었으니 출발할 형편이 아니다. 나는 동대문 밖 의막(依幕)에서 잘 것이니,19) 그대들은 내일 새벽에 나와 함께 출발하

---

19) 임금의 명을 받은 신하는 곧바로 당일 출발해야 하므로 4대문 안에서 묵을 수 없었기 때문에 동대문 밖 의막에서 묵는다고 한 것임.

는 것이 좋겠다"

라고 하였다. 집으로 돌아와 잤다.

어두워진 후에 비가 내리기 시작하여 밤새도록 퍼부었다.

3월 25일 무신   비

한밤중에 손자 만적이 끝내 요절하였다. 그 부모는 내가 출발하는 것 때문에 통곡도 하지 못하니 보기가 더욱 참담하였다.

종소리를 기다려[20) 비를 무릅쓰고 출발하였다. 김호연(金浩然)과 함께 동대문 밖 의막으로 가서 접반사를 배알한 다음 곧바로 즉시 60리를 가서 양주 녹양역(綠楊驛)에 이르렀다. 목사(牧使) 김일경(金一境)이 병으로 마중나오지 못했다.

점심 식사 후 즉시 출발하여 또 50리를 가서 포천현(抱川縣)에 도착했다. 현감(縣監) 신달원(申達源)은 휴가를 얻어 상경했다고 하였다. 또 새참을 먹고 출발하여 30리를 가서 영평(永平) 양문역(良文驛)에 이르러 묵었다. 현령(縣令) 이태보(李泰輔)가 와서 기다리고 있었다. 이 날 140리를 갔다.

3월 26일 기유   아침에 비 오다가 낮에 갬

이른 새벽에 출발하여 40리를 가서 철원(鐵原)에서 관리하는[出站]21) 풍전역(豊田驛)에 이르렀다. 이 곳은 강원도 땅이다. 부사(府使) 이이만(李頤晩)이 참(站)에서 기다리고 있었다. 그 대접[供饋]하는 것이 경기 지방의 고을보다 훨씬 나았다.

역마를 갈아타고 서울로 돌아가는 쇄마(刷馬)22)편에 편지를 써서

---

20) 5경(오전 4시)에 큰 쇠북을 33번 치고 성문을 열어 사람들을 통행케 한 것으로 이를 파루(罷漏)라고 한다.
21) 출참(出站) : 도로의 담당 고을에서 파견하여 관리하는 조그만 역.
22) 사행 때 말이 부족할 경우 각 지역에서 말을 추쇄하여 해결하였음.

부쳤다. 점심 식사 후 40리를 가서 김화현(金化縣)에 닿았다. 현감은 이병연(李秉淵)이었다. 새참을 먹고 다시 출발하여 50리를 가서 금성현(金城縣)에 이르러 묵었다. 현령은 홍중복(洪重福)이었다. 이 날 130리를 갔다.

3월 27일 경술   맑음

새벽에 떠나 30리를 가서 금성현에서 관리하는 창도역(昌道驛)에 이르러 점심 식사를 하였다. 내맥판(內麥坂)과 외맥판(外麥坂)을 잇는 송강(松江)의 부교(浮橋)를 건너 40리를 가서 회양(淮陽)에서 관리하는 신안역(新安驛)에 도착했다. 부사 김시경(金始慶)이 나와서 기다리고 있었다.

이른바 맥판(麥坂)은 평지가 갈라져서 가운데에 송강이 있는 것인데, 물이 많으면 건너기 어렵고 물이 적으면 다리를 만들어 지나갈 수 있다. 그런데 좌우의 언덕길이 굽이지고 급경사를 이루었으며 그 높이가 수백 길이나 되었다. 옛날에 보리를 짊어지고 오르던 자가 강물에 굴러 떨어져 죽었기 때문에 이름을 맥판이라 하게 되었다고 한다.

새참을 먹은 후 또 출발하여 50리를 가서 회양에 이르러 묵었다. 회양부성(府城)에서 10여 리 안 되는 곳에 백자원(栢子園)이 있는데, 그 둘레가 40여 리에 달하고 매우 큰 잣나무가 빽빽이 들어서 있는 것이 밀양(密陽)의 율전(栗田)[23]과 백중지세를 이루었다. 일 년에 수확하는 잣이 거의 천 석에 이른다고 한다. 마을이 넉넉하고 상인들이 모여드는 것이 가히 관동의 거읍(巨邑)이라 할 만하였다. 이 날

여기서는 서울에서 추쇄한 말이 다시 서울로 돌아가는 것을 의미함.
23) 밀양 교외에 밤나무 숲이 있는데, 몇 리에 걸쳐 밤나무가 가득 차 있어 해마다 많은 수확을 거두었다. 그 품질이 또한 뛰어나 세상에서 밀율(密栗)이라 불렸다(『신증동국여지승람』 권26, 밀양조).

120리를 갔다.

3월 28일 신해　맑음

　새벽에 출발하여 배로 서진강(西津江)을 건너 가마를 타고 철령(鐵嶺)을 넘었다. 상당히 험한 고갯길이 멀리 30여 리나 이어졌고 고개 정상에 이르니 이 곳이 바로 함경도와의 경계였다. 안변(安邊)의 안내인들과 함경감영 아전들이 와서 기다리고 있었다.

　몇 리를 더 가니 현문령(懸門嶺)이 있는데, 좌우의 암석이 깎아지른 듯이 서 있는 모습이 마치 문테[框]를 세워 놓은 것 같았다. 그 사이가 매우 좁아 두 바리를 실은 말이 간신히 지나갈 정도였다. 그 아래 15리쯤 더 내려간 곳은 너무나 험준하여 오르내리기가 지극히 어려웠다. 만일 문을 만들어 닫으면 만 명의 사람이라도 열 수 없을 정도였다. 가히 제1 관방(關防)이라 말할 수 있겠다.

　안변에서 관리하는 고산역(高山驛)에서 점심 식사를 했다. 부사 남적명(南迪明)이 병으로 인하여 나와서 맞이하지 못하였다. 또 50리를 가서 석왕사(釋王寺)에 이르러 묵었다. 이 날 100리를 갔다.

　석왕사는 안변의 큰 절인데 우리 태조대왕이 세운 절로서 건물들이 장려하고 승려 수도 많았다. 앞에는 용비루(龍飛樓), 흥복루(興福樓)가 우뚝하게 서 있었다. 서쪽에는 오백 나한전(羅漢殿)이 있는데, 나한들이 걸친 가사(袈裟)는 창건 당시에 입힌 금단(錦段 : 비단으로 짠 포목)이라고 하였다. 지금까지 300여 년이 지났는데도 비단 색깔이 거의 손상되지 않았으니 이 또한 매우 놀라운 일이다. 주지 스님이 올린 고적(古跡) 가운데에는 지금 임금님(숙종)이 친히 쓴 제(題)와 발(跋)이 있었으며, 청허자(清虛子)24)가 쓴 글도 있었다. 석비(石碑)가 하나 있는데, 글은 시직(侍直)25) 남학명(南鶴鳴)이 짓고, 글씨

---

24) 휴정대사(休靜大師)의 호.

는 부솔(副率) 이염(李濂)이 썼으며, 비문의 제목 전서(篆書)는 밀양
부사 이징하(李徵夏)가 쓴 것이다.

　고산 찰방(高山察訪) 박성로(朴聖輅)가 접반사에게 와서 뵈었다.

3월 29일 임자　맑음

　아침에 출발하여 50리를 가서 덕원부(德源府)에 이르렀다. 부사
이징휴(李徵休)가 10리 밖에 나와 맞이하였다. 원산포(元山浦) 근처
에서 점심 식사를 한 후 또 35리를 가서 문천군(文川郡)에 도착해 묵
었다. 군수 이덕운(李德運)은 휴가를 받아 상경하였고, 겸관(兼官) 고
원 군수(高原郡守) 이만정(李萬楨)이 와서 기다리고 있었다. 이 날 85
리를 갔다.

4월 1일 계축　맑음

　아침에 출발하여 50리를 가서 고원군(高原郡)에서 점심 식사를 하
였다. 다시 45리를 가서 영흥부(永興府)에 이르러 머물렀다. 부사 홍
표(洪彪)가 자못 접대를 잘하였다. 이 날 95리를 갔다.

4월 2일 갑인　맑음

　새벽에 출발하여 40리를 가서 정평(定平)에서 관리하는 초원역(草
原驛)에 이르러 아침 식사를 했다. 부사 유성일(柳星一)이 와서 기다
리고 있었다. 객사(客舍) 남쪽에 고산 찰방의 관사가 있었다. 촌락은
빼곡이 들어섰고 사람과 물자가 번성하였다.

　아침 식사 후에 40리를 가서 정평부(定平府)에 이르러 점심 식사
를 한 후 50리를 가서 함흥(咸興)에 도착해 묵었다. 이 날 130리를
갔다.

---

25) 박권의 『북정일기』에는 교관(敎官)으로 되어 있음.

아들 김경문이 10리 밖에 나와서 맞이하였다. 헤어진 지 여러 날
이 지나도록 소식을 듣지 못하여 걱정하던 차에 아무 탈 없이 잘 있
었다는 말을 들으니 참으로 안심이 되고 기쁜 일이었다.

함흥 성(城) 남쪽에 커다란 부교(浮橋)가 하나 있는데 이름이 만세
교(萬歲橋)라고 한다. 높이는 3, 4길쯤 되고 길이는 150칸이었다. 일
찍이 중국과 일본에 가 보았지만 이와 같은 웅장한 다리를 보지 못
하였다. 다리 끝에는 높은 누각이 있는데 낙지루(樂之樓)26)라는 현
판이 걸려 있었다.

함경도 관찰사가 우리가 행차한다는 말을 듣고 가야금과 기생들
을 데리고 와서 이 누각에서 기다리고 있었다. 나는 접반사를 따라
들어갔는데 아주 지극한 대접을 받았다. 조촐한 연회 후에 객사로
돌아왔다. 함흥은 바로 우리 태조의 고향으로 여행하는 자로서는
참으로 찾아볼 만한 옛 땅인데, 행색이 바쁘고 또 자유롭지 못하여
내 마음대로 할 수 없으니 정말로 한탄스럽다.

통판(通判) 이의수(李宜邃), 중군(中軍) 심약허(沈若虛), 거산 찰방
(居山督郵) 허량(許樑)이 접반사에게 와서 뵈었다.

장계를 올리는 편에 집에 편지를 부쳤다.

4월 3일 을묘   맑음

함흥에 머물렀다. 오후에 함경도 관찰사가 먼저 출발하였다. 이는
도중의 여러 읍에서 음식 접대하는 데 폐단이 많을까 염려하였기
때문이었다.

---

26) 원문에는 낙지루(樂之樓)라고 되어 있으나 『여지도서』 함흥조를 참
    조할 때 이는 낙민루(樂民樓)가 옳다. 낙민루는 함흥부성 서쪽 끝 성
    천강(城川江) 위의 왼쪽에 있던 낙민정(樂民亭)이 임진왜란 때에 파
    괴되자 관찰사 장만(張晩)이 다시 세운 것으로 경치가 도내에서 제일
    이었다(『여지도서』 권하, 함경도 함흥조).

경문이 관찰사를 따라 먼저 출발했다. 만나고 헤어짐이 참으로 안타까웠다. 서울에서 우편함이 도착했는데 서울집 아이들의 안부 편지를 보니 매우 위로가 되었다.

4월 4일 병진 맑음

오후에 출발하여 함흥에서 관리하는 덕산역(德山驛)에서 묵었다. 이 날 30리를 갔다.

접반사가 거쳐 가는 고을에 폐단을 끼칠까 염려하여 데려가는 아랫것들을 많이 줄였다. 그리하여 우리들도 거느렸던 길잡이 나장[指路羅匠]과 한쪽 말잡이[左牽馬]들을 없앴고 배행 차사원(陪行差使員)인 고산 찰방 또한 따라오지 못하게 했다.

4월 5일 정사 맑음

아침에 출발하여 함관령(函關嶺)[27]을 넘었다. 고갯길이 높고 가파른 것이 철령보다 갑절은 되어 보였다. 45리를 가서 홍원(洪原)에서 관리하는 함원역(函原驛)에 닿았다. 현감 이진상(李震相)이 와서 기다리고 있었다. 점심 식사 후 다시 25리를 가서 홍원현에 이르러 묵었다. 이 날 70리를 갔다.

읍의 동쪽 5리쯤 되는 곳에 천도(穿島)[28]라는 섬이 있는데 경치가 볼 만하다 하여 접반사가 가마를 타고 가 보았다. 내가 또한 수행하였다. 이른바 천도는 포구가에 잇따라 펼쳐 있는 긴 둑으로, 가로로 길게 뻗어 바다로 들어가는데, 둑 가운데에 큰 굴이 뚫려 석문(石門)

---

27) 북관(北關)을 왕래하는 자는 모두 이 길을 경유해야 했기 때문에 남관(南關)의 인후(咽喉)였다.
28) 바닷가에 굴이 있어 동서로 서로 통하였다. 바닷물이 이를 따라 솟구쳐 들어왔기 때문에 천도라 하는데, 특히 일출 광경은 더욱 볼 만하다.

을 이루고 있었다. 높이는 3길이고 너비는 4길로, 바닷물을 먹었다 뿜었다 하고 그 속으로 배들도 지나가곤 하는데, 참으로 기이한 광경이었다.

조금 남쪽에 언덕이 하나 있는데 평평하여 앉을 만하였다. 앞에는 큰 바다가 끝없이 넓게 펼쳐져 있었고, 좌우에는 여러 섬들이 빙 둘러 바다에 늘어서 있었다. 나는 일행과 함께 바닷가에서 시를 읊조리면서 또 전복 따는 어부들을 한참 구경한 후에 돌아왔다.

4월 6일 무오   맑음

아침에 출발하여 40리를 가서 홍원에서 관리하는 평포역(平浦驛)에 이르러 점심 식사를 하였다. 삼관령(三關嶺)을 넘었다. 다시 55리를 가서 북청(北靑)에 이르러 묵었다. 이 날 95리를 갔다. 관찰사가 몸이 불편하여 이 곳에 머물렀다.

아들 경문이 북청의 성(城) 남쪽 5리 밖에 나와 맞이하니 매우 기뻤다. 이 곳은 바로 함경남도 병영(兵營)이다. 병사 윤각(尹慤)은 예동(藝洞) 윤 대감의 조카이다. 올 때에 윤 대감이 부탁한 편지가 있어서 곧바로 건네주었다. 우후(虞候) 민진두(閔震斗)와 판관 성임(成任) 또한 예전부터 안면이 있었는데, 먼 변경 땅에서 만나니 더없이 기쁘고 위로가 되었다.

4월 7일 기미   조금 흐림

북청(北靑)에 머물렀다. 장계를 올리는 편에 집에 편지를 부쳤다.

4월 8일 경신   맑음

북청에 계속 머물렀다. 관찰사의 병세가 조금 좋아져서 먼저 출발했다. 경문과 다시 헤어졌다.

오후에 병사(兵使)가 음식상을 잘 준비하고 풍악을 크게 베풀어

접반사를 위한 송별연을 베풀었다. 비장인 홍원익·이의복 두 명과
우후 민진두 등만이 함께 참석했다. 접반사가 우리들에게 전갈을
보내어 말하기를,

"함께 앉아 즐기고 싶지만 사또(병사를 가리킴)의 뜻이 그렇지 않
기 때문에 함부로 거스리기 어려워 마음이 매우 편치 않다"

라고 하였다. 사또가 비장을 보내어 우리들을 다른 장소로 불러 약
간의 술과 안주로 대접하였다. 속담에 "한 잔 술에 눈물난다"는 말
이 참으로 명언이 아닐 수 없다. 물러나와 내 방에 드러눕는 것만
같지 못했지만, 이미 사또의 분부라고 하므로 그 자리에 가지 않을
수 없었다. 곧 파하여 돌아오니 진실로 벙어리가 황련(黃連)을 먹는
것이라 하겠다.[29]

4월 9일 신유   맑음

아침에 출발하여 45리를 가서 북청에서 관리하는 자항역(艤航
驛)[30]에 이르러 점심 식사를 했다. 다시 30리를 가서 제인관(濟仁館)
에서 묵었다. 이 곳도 북청의 관할 지역이다. 이 날 75리를 갔다.

4월 10일 임술   맑음

아침에 출발하여 후치령(厚峙嶺)을 넘었다. 고갯길이 높고 험하기
가 철령이나 함관령보다 다섯 배나 더하였다. 고갯마루 북쪽은 삭
풍이 지독히 매섭게 불고 빙설(氷雪)에 덮인 높은 봉우리들이 우뚝
우뚝 솟아 있었다. 그 높은 봉우리와 깊은 골짜기에 쌓여 있는 눈과
얼음들은 여름이 지나도록 녹지 않는다. 그리고 7월에 이미 서리가
내리기 때문에 귀리 이외에는 다른 곡식은 익지 않는다고 한다. 이

---

29) 황련은 약초의 이름. 곧 벙어리가 쓴 오이를 먹는다는 뜻과 같으니,
말하자면 남에게 어떤 사실을 전달하고자 해도 말할 수 없다는 뜻.
30) 『북정일기』에는 자항참(紫航站)으로 되어 있음.

곳 토박이 사람이 아니면 결단코 견딜 수가 없다.

65리를 가서 배상포덕(褒上浦德)31)의 둘죽밭[豆乙粥田]을 지나 북청에서 관리하는 황수원(黃水院)에서 점심 식사를 했다. 다시 45리를 가서 갑산(甲山)에서 관리하는 종포역(終浦驛)32)에서 묵었다. 이날 110리를 갔다.

초저녁에 서울에서 우편함이 왔는데, 아이들 편지를 받아보니 큰누님이 이 달 초5일 새벽 4시쯤에 세상을 떠났다는 소식이 들어 있었다. 나의 죄업이 무겁고 깊어서 일찍이 부모를 여의고, 또 한 분의 형님과 세 명의 누이를 모두 사별하여 큰 누님만을 어머니같이 모셨었다. 그런데 내가 변방에 와서 갑자기 부음을 들으니 머리를 찧고 통곡하며 오장이 갈기갈기 찢어지는 듯하였다. 사람의 불행이 어찌 이와 같을 수 있을까. 사또가 중방(中房)을 보내어 위로하니 감격을 누르지 못하였다. 비장인 창성 부사 홍원익, 선전관 이의복, 차원(差員)인 거산 찰방 허량이 즉시 와서 조문하였다.

부사 유구징(柳龜徵)이 상중(喪中)이어서 관리하는 역에 나와 기다리지 못한다고 하였다.

4월 11일 계해

이른 아침에 출발하였다. 겨우 길에 오르자 바람이 매섭게 불고찬 기운이 몸 속으로 스며들어 부득이 길 가운데서 털모자와 외투를 꺼내어 착용했다. 40리를 가서 응덕령(鷹德嶺)을 지나 웅이역(熊耳驛)에 도착하여 점심을 먹었다. 다시 30리를 가서 호린역(呼獜驛)에 도착하여 요기했다. 미처 10리를 못 가서 찬 바람이 불면서 소나기가 갑자기 쏟아지기 시작하였다. 행중의 군졸들은 추워서 다리를

---

31) 산의 언덕이 높으면서 고갯마루는 평평한 것을 북쪽 지방에서 속어로 '덕(德)'이라고 한다.
32) 『북정일기』에는 종포참(從浦站)으로 되어 있음.

벌벌 떨지 않는 자가 없었다. 겨우겨우 출발하여 45리를 가서 허천
강(虛川江)을 건넜다.

아들 경문이 또한 부음을 듣고 와서 함께 통곡하니, 사람들이 옆
에서 보고 모두 슬퍼하였다.

갑산부에 이르러서는 내가 묵을 방으로 곧장 들어갔다. 관찰사가
곧바로 사령을 보내 위문하였다. 관찰사의 비장 여러 명이 와서 조
문하였고, 혹은 사람을 보내 위문하는 자들도 있어서 다소 위로가
되었다. 이 날은 120리를 갔다.

4월 12일 갑자   맑음

갑산에 머물렀다. 전날 저녁에 접반사가 오는 길에 곧장 관찰사
의 숙소로 들어가서 나를 위해

"김아무개 부자는 나라 일로 변방으로 나왔는데 가족의 부음을
듣게 되었다. 만약 관에서 상복을 지급하지 않는다면 인정과 예의
를 갖출 수 없겠습니다"
라고 말했다. 관찰사도 그렇게 여겨서 7승포(七升布) 3필과 4승포 2
필을 내주도록 했고, 바느질하는 사람에게 명하여 우리 부자의 상복
과 도포를 만들어 주도록 했다.

두 사또(접반사와 관찰사)의 보살핌이 이와 같으니, 고마운 마음에
몸둘 바를 모르겠다. 감영에서 서울에 상소를 올리는 편에 편지를
써서 상중인 생질들에게 부쳤고 집에도 보냈다.

저녁에 삼수 부사(三水府使) 장세익(張世益)이 와서 접반사를 뵈었
다.

4월 13일 을축   맑음

새벽녘에 내가 묵는 방에 아들 경문과 함께 임시 분향소를 설치
하고 상복을 입었다. 판관(判官) 이세만(李世萬)이 때맞추어 찾아왔

고, 김호연(金浩然)과 김자구(金子久)가 추후에 와서 위문하였다. 조금 늦게 이 낭청(李郎廳)과 관찰사 비장 여 첨지(呂僉知)도 와서 위문하였다.

접반사가 관찰사와 상의하여, 김응헌·김경문·이세만으로 하여금 내일 먼저 강변에 가서 기다리고 준비하는 일을 맡도록 분부했다. 잠시 후에 삼수부의 아전이 행차하기 위해 출발하라는 군령을 내려 알림판에 써서 보였다. 우리는 곧 평상복으로 갈아입고, 접반사와 관찰사를 뵈니 두 분께서 위로하여 주셨다. 진실로 나도 모르게 황공하고 고마운 생각이 극에 달했다.

식후에 접반사를 수행하여 45리를 가서 주례원(朱禮院)에서 점심을 먹었다. 또 50리를 가서 오목진(五木津)을 건너 삼수부(三水府)에 도착하여 접반사는 관덕루(觀德樓)에 머무르고 나는 아들 경문과 더불어 장관청(將官廳)에서 잤다. 이 날 150리를 갔다.

고을원 장세익(張世益)은 일찍이 경문과 함께 사신 일행으로 북경에 가서 같이 고생했던 친분이 있어 매우 환대하였다.

4월 14일 병인   눈

아침에 눈이 조금 내리고 오후에는 큰 바람이 불었다. 삼수부에 머물렀다. 식후에 김호연 등 3인이 이 곳에서 식량과 천막을 수습하여 후주(厚州) 파수처(把守處)로 갔다. 다시 아들 경문과 헤어졌다. 저녁 무렵에는 관찰사가 갑산으로부터 와서 동헌에 머물렀다.

4월 15일 정묘   맑음

삼수부에 머물렀다. 두 사또(접반사와 관찰사)가 접반사 일행은 구갈파지(舊加乙坡知)로 나가고 관찰사 일행은 삼수부에 머물러 총관 일행을 기다리겠다는 뜻으로 공문을 작성하여 서울로 보냈다. 장계를 올리는 편에 집에 편지를 부쳤다.

아침 일찍 잠자리에서 일어났는데 왼쪽 귀에 종기가 생겼다. 귀 끝이 매우 쑤시고 아파서 풍단(風丹)이 재발하지 않을까 하는 생각이 들고 (이 때문에) 일을 할 수가 있을지 매우 걱정이 되었다. 두 사또가 이를 알고서 매우 불안해하였다. 오후에는 얼굴까지 부어오르고 아파서 병세가 매우 심했다. 관찰사 비장 유경(柳儆)이 메밀가루를 식초와 섞어 조제하여 붙이라고 가르쳐 주었다. 이튿날 아침에야 비로소 풍단이 아닌 것을 알았다. 귀 끝의 독기 있는 고름을 빼고 해독 고약을 백반가루에 섞어 발랐다. 저녁에 김자구(金子久)와 함께 베개를 나란히 하여 잤다.

4월 16일 무진　비

비가 종일 내렸다. 삼수부에 머물렀다. 귀의 통증이 다소 가벼워지고, 부기도 다소 가라앉았다. 접반사는 며칠 더 머물다가 조금 낫거든 뒤따라오라고 분부하였다.

4월 17일 기사　비안개

비가 말끔히 개지 않았고 짙은 안개가 사방에 자욱이 찼다. 임시로 만든 나무다리가 모두 물에 잠겨 다니기가 어렵다는 말을 듣고 계속 머무르고 출발하지 않았다.

4월 18일 경오　맑음

아침 일찍 일어났는데, 귀에 난 종기가 차도가 있었고 통증도 멈추었다. 나아갈 길이 건너기가 험난하다고 들었으므로 다음 날 혼자 갈 것을 생각하니 매우 걱정되었다. 그리하여 접반사를 뵙고 같이 따라가겠다는 뜻을 아뢰고 어첩(御帖)을 받들고 갔다.

영성령(零星嶺)을 넘었는데 고갯길이 비록 높고 험한 편은 아니었지만, 골짜기 길이 매우 깊었고 수목이 빽빽하였다. 70리를 가서 소농보(小農堡)에 도착했다. 권관(權管) 윤세정(尹世楨)이 5리 앞서 마중나와 있었다.

점심 식사 후 곧 출발하여 감장(甘長)의 험한 언덕길을 넘었다. 위험한 다리와 돌길이 너무나 험하고 좁아서 겨우겨우 지나갔다. 신갈파지(新加乙坡知)를 거쳐 장진강(長津江)을 건너서 구갈파지에 도착하여 진동헌(鎭東軒)에 머물렀다.

권관(權管) 손석주(孫碩冑)는 망보는 관원으로 앞서 후주로 떠나 있어 이 때는 아직 돌아오지 못하였다. 그리하여 어면(魚面) 만호 유성부(柳聖溥)가 기다리고 있었다. 이 날 100리를 갔다.

4월 19일 신미   비

구갈파지에 머물렀다. 의주부에서 총관 일행이 이 달 초 6일에 심양을 출발해서 곧바로 두도구(頭道溝)로 향한다는 내용의 공문이 도착했다. 그간의 일정이 보름길에 해당하는데 아직도 아무 소식도 들을 수 없으니 그 까닭을 알 수 없었다.

신갈파지 첨사 이여회(李汝晦)가 접반사에게 인사드리기 위해 여기에 왔다. 그는 전 군기시 첨정(前軍器寺僉正) 이한규(李漢圭)의 아들인데, 내가 일찍이 무고감관(武庫監官)으로 있을 때 그의 부친과 함께 근무했고, 병술년(1706, 숙종 32) 북경 사신으로 갈 때에는 그의 형 여적(汝迪)과 동행했었다. 이 외딴 변방에서 친구의 자제를 만났으니 피차의 즐거움이 어찌 쓸쓸한 골짜기에서 들려오는 발자국 소리 때문만이랴!

4월 20일 임신   비

구갈파보(舊加乙坡堡)에서 머물렀다. 어면 만호 유성부가 망보는 임무를 대신하고 주인(主人) 손석주는 돌아와 접반사를 뵈었다.

4월 21일 계유　맑음

구갈파보에서 머물렀다. 신갈파 첨사 이여회가 또 와서 접반사를
뵈었다.

4월 22일 갑술　맑음

구갈파보에 계속 머무르고 있는데 총관 일행의 소식은 아직도 없
다는 내용으로 공문을 작성하여 서울로 보내면서 집에 편지도 함께
부쳤다.

4월 23일 을해　맑음

구갈파보에 머물렀다. 자작권관(自作權管) 한우석(韓宇錫), 인차외
만호(仁遮外萬戶) 이중창(李重昌)이 와서 접반사를 뵈었다.

식후에 송전(宋田)으로부터 아들 경문이 와서 접반사께 문안드리
고 아울러 나를 만났다. 서로 보고 위로하며 기뻐하였다. 나와 같이
자고 다음 날 아침에 돌아갔다.

4월 24일 병자　맑음

구갈파보에 머물렀다. 서울에서 유지(諭旨)를 받들어 공문을 보내
왔는데, 우리 사또로 하여금 "삼수(三水)·갑산(甲山)과 육진(六鎭)의
백성들에 대한 폐해를 조사하여 조목조목 보고하도록 하라"는 내용
이었다. 일행의 가족 편지도 함께 부쳐 왔다.

4월 25일 정축　맑음

계속 구갈파보에 머물렀다. 아침에 망보는 관원의 보고서가 왔는
데, 총관 일행이 이 달 22일에 효좌대(曉坐臺) 파수막에 도착하니 서
찰로 통지한다는 것이었다. 이른바 효좌대라는 것은 강계(江界) 소
관의 폐사군(廢四郡) 안에 있는 파수처(把守處)를 말하는데 여기서부

터 500여 리 떨어진 곳에 있다. 즉시 내일 후주로 나아가서 기다리고 있겠다는 내용으로 장계를 작성해 보냈다. 집에 보내는 편지도 함께 부쳤다.

4월 26일 무인   맑음

새벽녘에 어첩을 받들고 먼저 출발하여 충천령(衝天嶺)을 넘었는데, 고갯길이 후치령이나 함관령보다 더 험했다. 작년에 평안도 강변(江邊)에 행차하였을 때에는 하루에 몇 개의 큰 고개를 넘었는데, 그 중에서도 벽동(碧潼)의 신리(新里)가 가장 험했다. 그러나 고갯길 험한 것이 이보다 더하지는 않을 것 같았다. 이 고개의 험하기는 신리 고개와는 비교도 되지 않았다. 멀리 뻗은 형세의 시작과 끝이 무릇 50리이며, 촉나라(중국 사천성)의 산길이 지극히 험하다는 말이 있지만, 이와 같을런지 모르겠다.

송전참(松田站)에 도착하여 점심 식사를 한 후에 가파른 절벽을 따라 10여 리 정도를 나아가니 강 속에 암석이 우뚝 솟아 있는데, 둘레가 가히 수십 아름이나 되었고 높이는 수백 길이나 되어 마치 하늘을 떠받치고 있는 기둥을 바라보는 듯했다. 산꼭대기 위에 잣나무 세 그루가 빽빽하게 하늘을 가리고 있으니, 하늘이 솜씨 좋은 장인을 시켜 깎아 만든 듯하였다. 정말로 빼어난 경치라 하겠다.

또 몇 리쯤 가니 김호연(金浩然)과 아들 경문이 마중나왔다. 그들이 보고하기를,

"간신히 청나라 통관 홍이격을 만났는데, 그가 시위와 함께 마상선(馬尙船 : 통나무로 만든 작은 배)을 타고 올라와서 말하기를, '금방 거슬러 올라갈 테니 중신(重臣)들께서는 험한 곳을 건너와서 영접할 필요없이 편안한 곳에 머물며 기다리는 것이 좋을 것이요'라고 하였습니다"

하니, 접반사가 말하기를,

"이미 '영접'이라는 호칭을 가지고 있으니 어찌 험한 곳을 꺼려서 스스로 편안하고자 하겠는가? 다만 채찍질하여 갈 뿐이다"
하였다.

후주에 도착하여 동대파수(東臺把守) 앞에서 멀리 저쪽의 배를 바라보니 (청나라 측 일행은) 바야흐로 노를 저어 위로 올라오고 있었다. 내가 접반사의 지시로 강가로 달려가니, 홍이격이 나를 보고는 배를 돌려서 왔다. 강가로 올라와서는 모래밭에 앉아서 조용히 이야기를 나누었다.

내가 우리 사또(접반사)의 안부를 전하자, 홍이격이 감사의 뜻으로 대답하고 나서 이렇게 말했다.

"칙사께서는 초6일에 심양[盛京]을 출발했지요. 이 곳 강가에 도착하여 일행을 둘로 나누었소. 총관(摠管)께서 많은 인마(人馬)를 거느리고 산골짜기 길을 갔고, 시위와 나는 수행원 20명을 거느리고 마상선 10척에 나누어 타고 물길로 왔지요. 19일에 두도구(頭道溝)를 출발했는데 (조선측) 파수를 바라보고 물으니 숨어버리고 답해주지 않았소이다. 만나는 파수마다 모두 그러했소. 미리 분부해 놓았다면 그들의 행동이 어떻게 이와 같았겠소. 지극히 놀라운 일이요."

"미리 분부한 것이 간절할 뿐만이 아니었으나 촌사람들이 무식하여 한갓 두려움을 품었기 때문입니다. 듣고 보니 참으로 부끄러움을 금할 수 없습니다. 우리 접반사께서 만일 그러한 일을 아시면 반드시 그 죄를 무겁게 다스릴 것입니다."

"그들이 저지른 일은 비록 매우 밉지만, 만약 중죄를 입는다면 매우 불쌍한 일이니 반드시 알릴 필요는 없을 것 같습니다."

"시위의 행차는 지금 거슬러 올라오고 있는지요?"

"강가에 13도구(十三道溝)가 있어 길을 나누어 출발한 후에 매일 밤 각 도구(道溝)에서 만나 함께 잤습니다. 25일부터 서로 헤어져 이미 8도구(八道溝)까지 왔으나 만나지 못하고 있습니다. 사정이 이러하니 총관이 오는 것을 기다려서 거취를 결정해야겠습니다."

그리고 다시

"일행의 사람과 짐을 옮길 말들을 제대로 대기하여 놓고 있습니까?"

하고 묻기에,

"평소에는 칙사가 압록강을 건널 때 강변에서 인마(人馬)를 대기시켜 놓는 것이 상례이지요. 그러나 이번 경우는 서울로 올라가는 칙사와는 다르고, 작년에 이미 그대들 스스로 말을 타고 짐을 실은 규례가 있었으니 어찌 우리가 미리 대기해야 할 일이 있겠습니까?"

하고 대답하자 홍이격은 깜짝 놀라며 큰 소리로 말했다.

"자문(咨文)에 '잘 보살펴 주라'는 말이 있고, 패문(牌文)에도 '그대 나라의 예에 비추어 준행하라'는 말이 있는데, 어찌 금은을 주는 것처럼 말하는 것이오. 이것들은 '잘 보살펴 주라는 일'에 불과한 것이오."

"이 같은 일을 일찍 알았다면, 다른 도(道)의 역마(驛馬)를 모으는 것이 어려운 일이 아니나, 그러나 지금 이 도의 형세는 멀리 떨어진 변방이라 사람들이 드물고 역마 행정 또한 매우 빈약하기 때문에 빨리 갖춘다고 해도 지금 그 방도가 전혀 없으니 어찌하면 좋겠소?"

"총관께서 옥하관(玉河館)에서 그대 나라의 동지사신(冬至使臣)과 더불어 담화할 때[33] 보여 준 황제의 말씀 중에는 조선에 도착하면 인마를 징발해 쓰고 데리고 간 마필은 모두 돌려보내라는 뜻으로

---

33) 3월 1일자 동지사의 장계 내용 참조.

박(朴)·김(金) 두 당상(堂上) 역관에게 재삼 신신 당부하였소. 지금 마필을 대기시키지 않았다고 하니 대체 이게 무슨 말이오?"

"칙사의 행차에 인마를 대기시키는 것은 작은 일이 아니며, 하물며 황제의 말씀은 얼마나 중대한 일이겠소. 만약 신신 당부했다면 박·김 두 당상이 어찌 동지사 일행에게 말하여 조정에 보고하지 않았겠소. 지극히 괴이한 일입니다."

"그러면 장백산의 길을 안내하는 사람도 미리 대기하지 않았소?"

"김 당상관이 전한 사신의 보고서에는 두 가지 사항이 있었습니다. 하나는 하급 통역관 몇 명을 파견하는 일이고, 또 하나는 장백산을 조사할 때 길 안내인을 미리 대기시키라는 것이었습니다. 장문에는 이외에 다른 사항은 없었습니다. 지금 이 같은 마필 대기에 관한 논란은 피차에게 낭패스러운 일이 될 것이 틀림없으니 참으로 걱정스러운 일이 아닐 수 없습니다."

"무릇 일을 하자면 여러 가지 말이 나오게 마련이지만 그렇다고 미봉적으로 일을 할 수는 없소. 그대는 여러 말 말고 빨리 가서 상의하여 좋게 처리하는 것이 좋을 듯하오. 총관이 도착한 후에 그대가 만약 이를 말한다면 반드시 좋지 않은 일이 일어나게 될 것이오."

그는 이렇게 말하고는 옷소매를 떨치고 배를 타고 가버렸다.

돌아와서 마필을 갖추어 놓지 않을 수 없다는 사정을 접반사께 보고하였으나 허락하지 않았다. 양쪽 사이에 끼여 내가 속 태운 일은 정말 말로 다 표현할 수 없을 지경이었다.

시위와 홍이격은 동대파수 건너편에서 숙박했는데, 숲속에 천막을 치고 숙소로 삼아 머무르면서 총관을 기다릴 요량인 것 같았다.

저녁에 도차사원(都差使員)인 홍원(洪原) 현감(縣監) 이진상(李震相)과 김호연·김만희·이세만 등과 함께 강을 건너, 시위를 찾아가 우리 접반사의 뜻이라고 하고 돼지 한 마리와 쌀 한 섬, 간장과 채소 등의 물품으로 취사를 돕겠다고 했다.

이에 시위는 말하기를,

"음식물을 보내겠다는 뜻은 감사할 만하나, 총관께서 부재중이므로 마음대로 받을 수는 없다"

하고 거절하였다. 이격이 말하기를,

"총관은 조선에서 음식물을 보내주더라도 반드시 받지 않을 것이니 괘념치 마시오. 낮에 말한 짐 실을 말에 대한 것은 깊이 유의하시오"

라고 하였다. 내가 비록 전과 같이 대답은 하였지만 어찌 근심이 크지 않겠는가? 여러 사람이 돌아와서 강변에 친 천막에서 잤다. 이날은 90리를 갔다.

4월 27일 을묘 맑음

동대파수 앞에 친 천막에서 머물렀다. 접반사께서 시위 일행을 만나 문답한 그간의 사정을 공문으로 작성하여 보내고 집에 편지를 부쳤다.

식후에 도차사원 및 김호연 등과 강을 건너 시위에게 문안을 드렸다. 인마를 요구하는 이격의 말이 더욱 심해졌다. 시위는 안장을 지운 말 두 필을 요청하여 산 속으로 부하들을 보내 총관의 소식을 알아보고자 하였다. 돌아와서 이 사실을 접반사에게 보고하니 즉시 말을 보내주었다.

나는 틈을 타서 접반사에게 보고하였다.

"홍이격이 말한 것은 비록 믿을 수 없지만 총관이 도착한 다음 그 말이 장차 어떠할지 모르겠습니다. 그리고 이미 황제 말씀에 '조선 말(馬)을 빌려 쓰라' 했다고 칭하고, 또 '잘 보살펴 주라'는 말은 모두 이러한 내용을 포함하고 있다고 말하니 한결같이 변명하고 다투기는 어려울 듯합니다. 또한 작년에 그들이 관서(關西)에 왔다 갔을 때, 일행이 타거나 짐을 실었던 말들은 모두 민간에서 차출한 말[刷馬]을 지급한 것이었으니, 이번에도 거절하기 어렵습니다. 바라건대 사또께서는 잘 헤아리시어 선처하심이 좋겠습니다."

그러자 사또는 갑자기 엄한 말로 꾸짖었다.

"그대들의 하는 짓을 내 항상 걱정했다. 오늘 아침에 도차사원의 말을 들은즉, 홍이격은 이미 북경 옥하관에서 말을 준비하라는 일을 재삼 박 역관과 김 역관에게 확인했다고 하였는데, 두 사람은 다 말하지도 않고 감히 거행하지 않겠습니까 하고 답했다고 하니, 저 역관들이 늙어서 망각하여 일이 이 지경에 이르렀으니 그 죄상이 참으로 통탄스럽다. 또 그대들이 곧바로 보고하지 않고 이리저리 주선하려고 하니 이것이 대체 무슨 도리란 말인가? 죄값을 받아야만 할 것이다."

"과연 이러한 말이 있었으나 실제로는 끝내 숨기고자 하는 뜻은 아니었습니다. 지금 머뭇거려 늦춘 죄는 피하기 어려우나, 사또께서 넓은 아량을 베풀어 주십시오. '허물을 보면 그 사람의 착한 마음을 알 수 있다'는 말이 있으니 그러한 측면이 없지 않을 것입니다."

이렇게 말씀드리자 사또께서 화를 거두고 웃음을 지으며 말씀하셨다.

"그대의 실정을 들으니 내 지금 마음이 조금 풀리네. 이미 황제의 뜻이 그러했다고 하고 또 미리 언급한 일이 있다고 하니 어찌 가히 거절할 수 있겠는가? 관찰사가 온 후에 상의하여 처리하겠다."

이제 걱정은 조금 덜었지만, 오히려 관찰사의 뜻이 어떠할지 알지 못하니 초조한 마음을 금할 수 없었다.

저녁에 관찰사 일행이 삼수부에서 이 곳으로 와서 만났다. 관찰사는 즉시 김경문을 보내 시위 및 이격에게 문안인사를 하도록 했다.

4월 28일 경진   맑음

강변의 천막에서 머물렀다. 서울에서 온 행랑편으로 집에서 온 아이들의 편지를 받아보았다. 식후에 또 김호연 등과 함께 강을 건너가서 문안인사를 드리고 돌아왔다. 시위가 또 2필의 안장 갖춘 말을 요청해 와서 관찰사에게 알리고 즉시 보내주었다.

접반사가 어쩔 수 없이 인마를 갖추어 놓아야 한다는 뜻을 관찰사와 의논하였는데, 그도 거기에 동의했다. 관찰사는 우리들에게 말하기를,

"청나라 차관(差官) 7인이 탈 말은 우리 두 사신(접반사와 관찰사) 일행이 타고 온 말 중에서 차출하여 주라. 그 나머지 수행원과 갑군들, 그리고 짐을 실을 말은 결단코 조치해 줄 수 없으니, 어떻게든지 미봉책을 쓰는 것이 좋겠다"

하므로 내가 말하기를,

"제가 그것을 갑자기 마련하기는 어렵다는 사정을 처음부터 끝까지 힘을 다해 설득하고 고집하였으나, 그들 또한 이치에 당치 않게도 철회하지 않고 있으니, 진실로 걱정됩니다. 총관이 도착한 후에 어떻게 말할지 모르겠습니다"

하였다. 홍이격이 소통사(小通事)를 불러 내게 말을 전했다.

"총관께서 일찍이 분부한 일이 있으니 지금부터는 통관(通官)은 일체 강을 건너오지 마시오. 혹 할 말이 있으면 소통사를 보내어 전달하는 것이 좋겠소. 또한 마른 양식이나 연초·소주를 조금 보내준 것에 대해서는 다른 사람들이 알지 못하게 하시오."

이로써 그들이 총관을 매우 두려워한다는 사실을 알 수 있었다.

4월 29일 신사   저녁에 비

아침 8시쯤 총관 일행이 유구치동(劉九致洞)으로부터 왔다.

시위 이하 모두 마상선을 타고 영접하였고, 우리들도 강변으로 가서 영접하였다. 총관은 황색비단으로 된 홍상(洪廂)과 금으로 그린 용기(龍旗) 2쌍을 앞세우고 있었다. 기타 장비와 수행원들은 이전에 비해 달라 보였다. 의장과 수행원은 모두 강가를 따라 가고, 총관은 시위·주사·이격·필첩식·장경 등 여러 관인들과 함께 마상선을 타고 거슬러 올라와서 시위가 설치한 천막에 머물렀다.

선발대가 순식간에 나무를 베어내고 천막을 배치하여 치니, 마치 성책(城柵)의 한가운데에 설치한 것과 같았다. 총관과 시위 두 장수는 큰 천막 앞에 네 폭의 황룡기(黃龍旗)를 세우고, 장경·발십고 갑군들은 활과 화살, 칼을 차고 총을 멘 자들이 좌우로 열을 지어 늘어서니 그 위풍이 매우 성대하고, 안팎이 엄숙하였다.

나는 도차사원, 김호연 이하 여러 사람들과 함께 강을 건너갔다. 차통관 오옥주(吳玉柱)를 통해 알리니, 여러 차관들을 불러서 앉게 한 후에 남쪽 뜰에 자리를 깔고서 우리를 들어오게 하였다.

먼저 내가 총관과 시위께 머리를 조아려 절을 올리고 여러 차관에게도 돌아가면서 절을 했다. 절을 마치자 총관께서 나의 귀를 본 후에 웃음을 지으며 말했다.

"김 첨지(僉知), 자네는 동지(同知)로 승진했는가? 몸과 집안이 편안하고 또 계급과 직책이 올랐으니, 어찌 축하할 일이 아닌가?"

나는 머리를 숙여 사의를 표하고 대답하였다.

"대인의 은덕을 입어 이 병든 몸을 간신히 보전하고 외람되게도 벼슬이 높아졌는데, 지금 대인의 축하를 받으니 황공하여 대답할 바를 모르겠습니다."

총관은 아들 경문에게도 웃으며 말하였다.

"너의 늙은 아비가 나를 환영하러 오고 너 또한 같이 왔으니, 너의 나라에는 그렇게 사람이 없느냐, 아니면 네가 자원하여 온 것이냐?"

"늙은 아비는 조정의 차사(差使)로서 이 곳에 오게 되었는데, 해가 갈수록 병이 많아지고 거동이 불편하여 저의 안타까움이 실로 컸습니다. 그래서 접반사 어른께 호소하여 대인 일행도 영접하고, 늙은 아비를 보호하기 위하여 오게 된 것입니다. 어찌 사람이 없어서 제가 왔겠습니까?"

"너의 말이 참으로 옳구나. 가히 자식으로서의 직분을 하였다고 할 만하다."

그리고는 다시 나에게 물었다.

"장백산으로 가는 길을 잘 아는 사람을 대령해 놓았는가?"

"길 안내인은 혜산(惠山) 땅에 이르면 당연히 대기하고 있을 것입니다. 다만 두 나라의 국경을 살피는 일은 산길이 지극히 험하여 발을 들여놓기도 어렵습니다. 여러 대인들께서는 어떻게 길을 가시려 하십니까?"

"그대는 양국의 경계를 명확히 알고 있는가?"

"저희들은 비록 직접 보지는 못하였으나, 장백산 꼭대기에는 하나의 큰 호수가 있습니다. 동쪽으로 흐르는 것은 두만강이 되고 서쪽으로 흐르는 것은 압록강이 되었으니, 그 호수의 남쪽이 곧 우리나라의 영토입니다. 그러므로 작년에 황제께서 창춘원(暢春苑)에서 사신을 불러 물어보았을 때 두만·압록 두 강으로 경계를 삼는다고 대답하였던 것입니다."

"그것을 증빙할 어떤 문서라도 있느냐?"

"상고 시대 이후로 나라를 세운 후에는 이로써 경계를 삼아 왔으니, 지금에 와서는 어린 아이들이라도 모르는 사람이 없습니다. 어찌 문서가 있어야만 증명이 되겠습니까?"

"장백산 남쪽에 파수(把守)가 설치되어 있는가?"

"이 산의 정상은 지극히 험하여 사람이 갈 수 없으니, 파수를 세우기가 쉽지 않습니다. 그러므로 황폐하게 비어 있고 버려져서 대국(大國)의 책문(柵門) 밖의 땅과 같을 뿐입니다."

"그러면 산 정상에서 조금 아래 지역에는 사람이 다닐 수 있는 길이 있는가?"

"산 남쪽에서 조금 멀리 떨어진 곳은 수목이 비록 무성하고 빽빽하나 산세가 자못 낮고 평평해서 길을 낸다면 겨우 인마는 통할 수 있을 것입니다."

"우리 일행이 탈 말은 대기시켜 놓았느냐?"

"이 문제는 저희가 받은 자문과 패문에 모두 거론되지 않았는데 지금에 와서 갑자기 징발하라고 하시니 그 까닭을 알지 못하겠습니다. 그리고 이 곳은 아주 변두리 지역으로 짧은 시일에는 마련하기가 어렵습니다. 만약 조정에 보고를 올리려면 갔다오는 데에 열흘에서 한 달이 소요될 것이니, 이 일을 장차 어떻게 처리해야 할런지요."

"패문 중에 황제가 파견한 관원 7명과 갑군 50명이 간다고 명백히 써 놓았고, 말미에 '그대들 나라의 예(例)에 따라 준행하라'고 밝혀 놓았다. 무릇 칙사가 파견될 때 패문을 보내는 것은 인마를 지급하라는 뜻이니, 지금 우리 행차에 대해서도 너희 나라에서 당연히 스스로 준비해서 대기했어야만 할 일이다. 하물며 자문 중에 있는 '조관(照官)'이란 두 자는 바로 이러한 일을 가리키는 것이다. 또한 황제께서 '작년에 행차할 때 말들이 많이 죽거나 다쳤으니, 이번에는 조선 말을 빌려 타고 우리가 타고온 말은 모두 돌려보내라'고 명령하셨다."

"보통 때에 칙사 패문에는 허다한 갑군들이 따라오는 규례가 없었고, 규례에 없는 일을 어떻게 미리 헤아려 대기하겠습니까? 또 동지사의 장계 중에 총관께서 '행차에 소요되는 먹고 마시는 것들은 전부 스스로 가져다 쓸 것이고 너희 나라 물품은 쓰지 않겠다'라고 하셨으니, 대인께서 우리 나라를 염려하여 폐단을 반드시 제거하고자 하시는 줄로 알아들었습니다. 그러므로 마필의 일에 대해서는 처음부터 생각이 미치지 못하였습니다. 지금에 와서 질책하시니 이는 실로 생각 밖의 일입니다. 정말로 어떻게 주선하기가 어렵습니다."

이와 같이 누누이 쟁변하였더니 총관은 이렇게 말했다.

"우리가 타고온 말은 이미 황제의 명령에 의해 돌려보냈다. 만일 너희 나라가 조달할 길이 없다면, 우리는 비록 걸어서 가더라도 오로지 황제의 명령을 준수하여 국경을 조사하고야 말겠다. 너희에게 강요하려는 것은 아니다."

총관은 노여운 얼굴로 계속 말했다.

"우리가 만약 너희 나라 인부와 말을 이용해서 여행하여 국경을 조사한 후에 강가를 따라 경원(慶源)에 도착하면 국경 저편은 바로 후춘(厚春) 지방이다. 그 곳에서는 우리 나라의 인부와 말들이 당연히 기다리고 있을 것이니, 너희 인마는 거기서 돌려보내겠다. 너희들은 돌아가서 접반사와 관찰사 두 사또에게 의논하고 다시 오는 것이 좋겠다."

우리들은 물러나와서 홍이격·오옥주와 함께 좌담하였다.

"차관 중에서 목 대인은 내가 이미 익숙하게 알고 있고 포 시위 또한 여러 차례 인사를 드렸는데, 나머지 사람들은 모두 초면입니다. 그래서 누가 소 시위(蘇侍衛)인지, 누가 악 주사(鄂主事)이고 합좌령(哈左領)인지 모르겠습니다. 또한 그들의 서열은 과연 어떻게 되는가요?"

"금번 행차에는 소(蘇) 시위라는 사람이 없는데 그대가 말하는 사람은 누구를 가리키는 것입니까?"

"포극소륜(布克蘇倫)이 두 사람 이름이 아니라 본디 한 사람의 이름이었습니까?"

"그렇습니다. 우리 청나라 사람의 이름은 네다섯 자가 됩니다. 목 총관, 포 시위, 악 주사 세 분은 고관 대인입니다. 합 좌령은 사정이 있어 오지 못하게 되자, 심양에 도착하여 우록 장경(牛鹿章京) 한가(韓哥)라는 사람을 대신 차출하여 왔습니다. 그의 서열은 필첩식의 아래입니다."

"그렇다면 필첩식의 직위는 예전부터 어첩을 드리는 규정에 해당하지 않는 것이고, 지금 장경은 필첩식의 밑에 앉아 있으니 어첩을 드린다는 것은 더욱 있을 수 없는 일입니다."

이 말을 듣고 홍이격은 곧 들어가서 총관에게 품의하였다. 총관은 장경의 품위가 비록 주사의 윗자리에 있으나, 이는 외관(外官)이므로 경관(京官)과는 다르다. 입급(入給)하지 않는 것이 좋다고 했다.

다시 강을 건너 돌아와서 문답했던 내용을 모두 두 사또께 아뢰었다. 그리고 다시 강을 건너가서 두 사또의 뜻을 보고하였다.

"우리 나라가 황제의 사신을 받들어 모시는데 어찌 감히 소홀하겠습니까? 그러나 일이 급작스럽게 되었으니 다른 변통할 길이 없습니다. 패문에 있는 57인이 탈 기마(騎馬)와 짐을 실을 50여 필은 결코 조달하기가 어려우니 잘 생각하시어 선처하여 주십시오. 짐들은 임시로 대인 일행이 타고 온 마상선으로 운반하는데, 혜산(惠山)까지 거슬러 올라간 후에는 부근 민가의 우마(牛馬)들을 징발할 수 있을 것입니다. 중앙에서 오신 일곱 분이 탈 말은 마땅히 저희 일행이 가져온 역마로 모시겠습니다. 나머지 갑군 등속은 돌려보내거나 수를 줄임이 어떠하겠습니까?"

총관은 한참동안 생각하더니 이렇게 말했다.

"너희 나라의 사정이 정말로 그러하다면, 짐들은 타고온 마상선으로 혜산까지 운반하고, 갑군 20명은 마상선을 가지고 올라가게 할 것이다. 일행이 탈 말과 이부자리와 음식물을 실을 말 40필을 준비하여 대령하는 것이 좋겠다."

"이 또한 대인께서 우리 나라를 염려하여 민폐를 덜어 주시는 성의입니다. 분부하신 것을 마련하는 데는 감히 받들어 시행하겠습니다."

또 두 사또가 앞으로 음식물과 마른 반찬을 올리겠다는 뜻을 말하자, (총관은)

"우리들이 올 때, 황제께서 혹 조선에 폐를 끼칠까 염려하시어 식량과 경비를 매우 풍족하게 하사해 주셨다. 이제 그대들이 주는 음식물은 결코 받기가 어렵다"

고 말하고 끝내 물품을 물리치고 받지 않았다. 돌아와서 두 사또께 아뢰었더니, 관찰사가 말하기를,

"당초의 100여 필을 책임지고 준비하라고 했다가 지금 40필로 줄여 주었으니 민폐를 덜게 된 것이 적지 않다. 우리의 도리로서는 이제 다시 숫자를 줄이기는 참으로 어렵다. 그러나 식량을 운반할 방안을 변통할 수 있다면 정말로 다행이겠다. 그대는 잘 생각해서 주선하도록 하라"

하였다.

"무릇 청나라 사신들이 우리 나라 경내로 들어오면 우리가 공급하는 것이 상례입니다. 그러므로 지금 여러 고을에서는 마땅히 예에 따라 준비를 잘 할 것으로 생각하는데, 과연 그렇게 하고 있습니까?"

"칙사 응대에 필요한 물품들은 내가 이미 다 갖추어 여러 고을에 배치해 놓았다."

"그와 같이 하셨다면 일을 쉽게 처리할 방안이 있습니다."

"어떻게 하겠다는 것인가?"

"저들의 식량을 우리로 하여금 운반하게 하는데, 저들로 하여금 그 수량을 자세히 헤아려서 기록해 두도록 하고, 봉수차원(逢授差員)에게 운반책임을 지워 삼수부에 보관하도록 합니다. 그리고는 저들 일행이 매번 도착하는 곳에는 그 곳에 배치되어 있는 양식을 대신 지급하도록 하는 것입니다. 끝에 가서 정산하여 처리하면 인부와 말을 동원하는 폐단이 자연히 줄어들 것입니다. 이런 방안이 어떠하겠습니까?"

"그 방안이 좋은 듯하지만 시끄러운 문제가 생길 수도 있으니, 혹시라도 부실하다고 질책이 돌아올까 염려가 된다."

"우리쪽 짐 싣는 말을 조달하기 어려운 사정은 처음부터 말하였습니다. 지금 이러한 계책을 내는 것은 부득이한 데서 나온 일입니다. 또 저쪽 하급 군졸들의 양식은 반드시 잡곡[田米]일 것이 틀림없으니, 이를 쌀로 바꾸어 지급하겠다는 뜻을 먼저 홍이격에게 말해서 총관에게 품의하는 것이 좋을 듯합니다."

이에 두 사또가 말하기를,

"그렇게 하는 것이 좋겠다. 그대가 가서 도모해 보라"

하였다. 나는 다시 강을 건너가서 먼저 이격에게 그 말을 전했다. 이격이 총관에게 가서 말하자 총관이 말하기를,

"그렇게 하는 것이 바른 일인지는 모르겠지만, 짐 싣는 말을 갖추기 어렵기 때문에 이렇게 된 것이니, 그렇게 하도록 하고 차질이 없도록 하는 것이 좋겠다"

하므로, 나는 곧 돌아와서 이 사실을 두 사또에게 알렸다.

"오늘의 형세로 보면 앞으로 모든 일이 크게 걱정할 것은 없을 것으로 생각된다."

"어찌 매번 순탄하기를 보장하겠습니까? 오로지 잘 대처하여 그들이 노여워하지 않도록 해야 할 것 같습니다"

하니, 두 사또도 이 말에 동의했다.

저녁 늦게 총관이 오옥주를 시켜 3척의 마상선에 잡곡 20석을 실어보내고 한 장의 문서를 함께 보내왔는데, 그 내용은 다음과 같았다.

"쌀 20석을 보내니, 10석은 토문강(土門江)으로 실어 보내 일행이 가면서 먹도록 하고, 10석은 삼수부에 보관하도록 하라. 만약 우리가 토문강을 따라 올라가면 인원이 반으로 줄어들 것이고, 되돌아 내려오는 자들이 있을지는 지금 정해지지 않았다. 만일 되돌아오는 자가 있으면, 보관해 놓은 쌀을 지급하여 먹게 하라. 우리 나라에 돌아갈 때까지 되돌아가는 사람이 없으면 문서가 도착하는 날에 삼수부 백성들에게 상으로 지급하라."

접반사가 도차원(都差員) 이진상(李震相), 차비역관(差備譯官) 이세만(李世萬), 지방관 장세익(張世翼)에게 명령하여 오옥주가 와 있는 강가로 가서 함께 수량을 확인하고 감독인을 별도로 정해서 창고에 운반한 다음, 칙사의 처분을 기다려 차례로 나누어 주도록 하였다.

대개 오늘은 칙사를 만난 첫날이다. 그들을 접대하여 공식적으로 처리한 일과 문서를 주고받으며 처리한 일이 이것만 있었던 것은 아니다. 그러나 빠짐없이 기록하기가 어려우므로, 번잡한 말은 빼고 긴요한 것들만 기록했다.

4월 30일 임오   비

어제부터 내린 비가 그치지 않았다. 아침 일찍 강을 건너가서 두 사또의 뜻으로 문후를 드렸다. 또 칙사 일행이 강을 건너 우리 나라 경내로 건너오면 곧바로 임금의 어첩을 전하고 (영접) 예식을 행해야 하지만 비가 여전히 그치지 않고 강변을 황막히 끊고 있으니, 단지 포막을 치고 예식을 행하는 것은 매우 곤란한 일이므로 다음 날 구갈파진 관사에 도착하여 영접례를 하기로 결정하고 우리쪽 처소로 돌아왔다.

아침 8시쯤에 총관 일행이 모두 마상선을 타고 건너왔다. 우리측 경내로 길을 갈 일행은 모두 55인에, 끌고온 소 20마리였다. (총관은) 잠시 천막에서 쉬었다가 나를 불러 말했다.

"지금 두도구(頭道溝)로 돌아가려는 사람은 장경을 비롯해서 40인이고 말은 200필이다. 이들은 왔던 길로 돌아갈 터인데, 혹시 마필 중에 국경을 넘어 들어가는 경우가 있으면 곧바로 되돌려 보내도록 하고, 또 맹수를 막으려고 자주 화포(火砲)를 쏘게 될 것이니 놀라지 말라는 뜻을 (그대 나라의) 강변 지역에 알려두는 것이 좋겠다."

이러한 사실을 두 사또에게 전하고, 평안도 강변 지역에 즉시 알리도록 했다. 그리고 곧 쏟아지는 비를 무릅쓰고 출발하였고, 접반사와 관찰사도 차례차례 출발하여 뒤따라갔다.

40리쯤 가다 송전(松田)에 도착하여 하룻밤을 잤다. 이 곳 역시 사람이 살지 않는 땅에 역참(驛站)만 설치한 지역이다. 역참에 도착한 후 접반사의 지시로 삶은 돼지고기 1마리와 약과 한 쟁반, 소주 5병을 갖추어 총관에게 가지고 갔다.

"절대로 나에게 음식을 보내지 말라고 이미 당부하였는데도 이처럼 보내느냐. 도대체 왜 그러느냐?"

"흠차(欽差 : 황제의 사신)께서 우리 나라에 들어오시게 되면 다과와 음식을 역마다 대접하는 것은 당연한 예입니다. 그런데 지금 대인께서는 특별히 우리 나라에 폐를 끼치는 것을 염려하여 번번이 물리치시고 받지 않으시니, 주인된 사람으로서 황제 폐하의 사신을 접대하고자 하는 도리로 어찌 서운하지 않을 수 있겠습니까? 이와 같은 하찮은 음식으로 저희의 작은 성의를 표하고자 할 뿐인데 어르신께서 이처럼 꾸짖으시니 도리어 송구스럽기 짝이 없습니다."

"지금은 일의 처음이고, 또 그대의 말 또한 매우 간절하니 부득이 거절할 수 없다. 그대 먼저 한 잔을 마시고 나에게 권한다면 사양하지 않겠다."

이에 내가 먼저 마시고 인사드리고 나왔다. 그리고 시위와 주사의 처소에 가서 마찬가지로 대접하고, 필첩식·장경·통역관들에게도 역시 다과를 전했다.

저녁 식사 후에 시위가 압록강에서 낚시를 하여 길이가 2척이나 되는 척척어(尺尺魚) 큰 놈 한 마리와 연목어(連牧魚) 18마리를 잡았다. 총관은 이것들을 앞에다 늘어놓고 나를 불러 말했다.

"이 생선들은 시위 어른이 직접 잡은 것이다. 척척어 반마리와 연목어 9마리를 너희 두 어른에게 보내 우리들의 성의를 표하고자 한다."

5월 1일 계미   비온 후 갬

새벽 6시쯤 출발하여 충천령을 넘었다. 그 길의 험준한 것이 정말로 고갯길 중에서 첫번째인데다가 연일 비까지 온 터라 넘어갈 때 힘들고 고통스러운 것이 지난번 넘어올 때보다도 배나 더했다.

고갯마루에 올라서자 총관 이하가 모두 말에서 내려 숨을 돌렸다. 이 때 내가 위로하여 말하기를,

"우리 나라의 산길이 험난하여, 대인들의 고초가 이토록 심하니 모시고 가는 사람으로서 송구하기 이를 데 없습니다"

라고 하자 총관이 웃으면서 말하기를,

"산이 높고 길이 험한 것이 그대가 일부러 그렇게 만든 것인가?"
라고 하여 모두들 한바탕 웃었다.

50리를 가서 구갈파보에 도착하였다. 그 곳 권관의 관사에 들어
갔다. 두 사또도 뒤이어 도착했다.

예를 올리겠다는 뜻을 전하니 총관을 중심으로 시위는 그 곁에
앉고, 주사는 동쪽에, 필첩식·장경·통관 등이 차례로 주사 아래
자리를 잡았다. 먼저 총관에게 어첩을 올리니 시위·주사 등 세 사
람이 모두 일어나 이를 받았다. 그 다음으로 두 사또의 명함을 올리
고 상견(相見)하기를 청하니 그렇게 하라고 하면서 말하기를,

"양국 사신이 서로 만나는 예는 예로부터 크고 작은 절차가 있을
터이니 자세히 서로 의논하여 착오가 없도록 하는 것이 좋겠다."

"황제의 사신을 맞이하는 예는 그 규범이 정해져 있고, 또 작년
참핵사(參覈使)가 오셔서 두 나라 사신이 만났을 때에도 이미 행한
바가 있었습니다. 따라서 어리석은 제 생각이오나 이 문제를 다시
거론할 필요는 없는 듯합니다."

"이러한 나의 뜻을 그대의 두 사또에게 아뢰어 적절하게 처리할
수 있도록 하라"
하였다. 내가 두 사또에게 아뢰니 두 사또께서는 해 온 바대로 해야
할 것이라고 하였다. 다만 우리 두 사또가 함께 절을 올릴지 아니면
각기 따로 할지의 여부와 그들의 답례 절차를 다시 물어가지고 오
라 하여 나는 총관에게 가서 이 문제를 여쭈었다. 이에 총관이 말하
기를,

"그대 사신들의 인사하는 예는 그대 사신들에게 달려 있고, 우리
의 답례 절차는 우리에게 달려 있으니 새삼스러이 물을 필요가 있
겠는가?"
라고 하였다. 이에 나는 다시 돌아와 접반사께 말하기를,

"(예를 행함에 있어) 그들의 주안점은 우리가 그들을 얼마나 공손하게 대하는지 여부를 보고자 함에 있으니, 어쩔 수 없이 총관·시위·주사 세 사람에게 각각 절하지 않을 수 없을 듯합니다"
라고 말씀드렸다.

접반사와 관찰사 두 사또 모두 공복(公服)을 갖춰 입고 차례로 들어가 총관께 절을 하니 총관은 이마 위에까지 손을 올려 답례하였다. 시위와 주사에 대해서도 이와 같이 예를 행하였다. 그리고 필첩식·장경들에 대하여는 손을 올려 읍하니 필첩식 등이 일어나 답례하였다. 그리고 나서 서쪽 벽으로 가 앉고 나에게 총관에게 가서 위로의 인사말을 전하도록 했고 그들 역시 예에 따라 응대하였다.

"나는 조선에 은혜를 입었던 사람이니 다른 칙사들과는 다릅니다. 황제 폐하께서 조선을 깊이 생각하시는 뜻이 있어 전후 여러 차례 은혜를 베푼 것이 매우 많습니다. 그러니 접반사[重臣]와 관찰사[道臣]는 마땅히 사례(謝禮)하는 거조가 있어야 할 것입니다."

"황제 폐하께서 하늘과 같은 은혜를 베풀어 주시니 저희 나라는 밤낮으로 황제 폐하의 만수무강을 기원할 뿐입니다. 또 우리 국왕께서 이미 사신을 보내어 사례하였으므로, 우리와 같은 배신(陪臣 : 신하의 신하)의 처지로는 감히 사사로이 흠차 대인에게 사례를 할 수 있겠습니까?"

"만일 국왕의 이름으로 감사하다는 말씀을 해준다면 내가 돌아가서 반드시 황제 폐하께 아뢸 것이오."

이러한 총관의 말을 듣자 두 사또는 따로 의논하기를,

"사리를 따져 말한다면 우리가 그들에게 치사(致辭)를 하는 것은 이미 부당한 일이며, 그들이 구태여 사례를 받고자 하는 것은 더욱 가소로운 일이다. 그러나 이미 그들이 생색을 내보였고, 또 귀국하면 황제에게 아뢰겠다고 하니, 한 번 이치를 들어 말한 후에 우리가 시종 고집을 피운다면 저 사람들이 반드시 자신들의 주장이 저지당한 것을 부끄럽게 여기고 성을 낼 우려가 있으니 어쩔 수 없이 저들의 말대로 할 수밖에 없겠다"

고 결정하고, 두 사또는 나아가 그들에게 사례의 감사 표시를 하였다. 이에 총관 등 3인이 자리에서 일어나서 모두 손을 모아 읍하였다. 총관이 말하기를,

"나는 반드시 귀국하여 당신들이 베푼 후의에 대하여 황제께 아뢸 것이오"

라고 하였다. 두 사또는 물러나와 자리로 돌아와 앉은 다음 이렇게 말을 전하도록 하였다.

"황제 폐하께서 비록 만리를 관찰하시는 밝은 눈을 가지셨다 하더라도 대인께서 말씀을 자세히 올려주시지 않는다면 지극히 어려운 우리 나라의 형편을 구중궁궐에 계시는 황제 폐하께서 어찌 아실 수 있겠습니까? 특별히 비상한 은전을 받았기에 우리 나라 군신들이 대인의 은혜를 기리고자 하나 그 방법을 알지 못하겠습니다."

"황제 폐하의 은택은 13성에 고루 미치는 것이지 유독 조선만이 은혜를 받고 있는 것은 아니지요. 이 어찌 내 힘으로 그렇게 된 것이겠소."

그리고 이와 같이 문답했다.

"강을 따라 난 길이 매우 험해서 갈 곳이 못 되지만 대충 길을 닦아 인마(人馬)가 근근히 다닐 수만 있게 고친다면 우리들은 그 길로 갈 것이오. 또 골짜기의 물이 얕은 곳은 임시다리를 세울 필요가 없으니 공연히 사람들을 수고롭게 하지 마시오."

"변경 지역이라 인민이 얼마 살지 않아 길과 다리를 고쳐 놓을 수가 없었습니다. 그래서 황제의 특명으로 파견되신 분들이 가시기에 너무나 험하고 고생스러울 것 같아 그야말로 일이 잘못되지 않

을까 두려워했습니다. 그런데 저희를 생각해 주시고 도와주고자 하시는 것이 여기에까지 미치니 감격스러움을 금할 수 없습니다."

그리고 다시 이와 같이 말을 이었다.

"대인께서 황제 폐하의 뜻을 받들어 이미 우리 나라 지경에 들어와 계시니 어찌 접대를 정성스럽게 하지 않을 수 있겠습니까? 그러나 대인께서 우리 나라를 아껴 주시는 마음으로 모든 것을 지나치게 간략히 하고 생략하셔서, 우리 나라에 들어오신 이후 조그마한 정성과 예의도 갖추지 못하였으니 저희들 마음이 매우 편치 못합니다."

"이번 행차를 위한 물자는 황제 폐하께서 이미 넉넉히 마련해 주셨소. 그러니 조선에 대해 폐를 끼칠 이유가 없소. 이것은 바로 황제 폐하의 뜻이오."

이에 두 사또가 인사를 하고 물러나와 다과상을 올리겠다고 청하면서 말하기를,

"감히 높은 분을 모시고 상을 마주할 수는 없기에 물러나와 다과상을 올리고자 합니다."

"이는 접반사와 관찰사의 뜻인가, 아니면 국왕의 명이 있어서 올리는 것인가?"

"국왕께서 성심성의껏 접대하라고 하교하셨으므로 접반사와 관찰사는 그러한 하교에 따라 행할 뿐입니다."

"그렇다면 어찌 받지 않으리오"

라 하며 그의 일행들과 더불어 자리에 앉았다. 다과상을 들여가서 놓고 있는데, 총관이 두 (청나라측) 통역관에게는 상을 들이지 말라고 하면서 김경문과 김만희 둘을 불러 그 상을 우리 두 사또에게 보내라고 하며 이르기를,

"함께 앉아 먹는 것이 좋을 듯하나 두 분이 예를 고집하니 억지

로 청할 수는 없는 일이다. 이 두 상은 두 분의 처소로 갖다드리는 것이 좋겠다."

"통관은 바로 손님으로 온 사신 일행 중에 들어 있는 사람들이고, 두 사또는 주인입니다. 어찌 손님의 상을 뺏어 주인에게 주는 이치가 있겠습니까?"

"내가 하는 일을 감히 네가 막겠다는 것이냐?"

고 하였다. 두 사람(김경문과 김만희)은 총관의 말에 따라 그것을 두 사또에게 가지고 왔다. 그러자 두 사또는 사리로 볼 때 그렇게 할 수는 없다는 뜻으로 장황한 이유를 붙여 돌려보냈다. 그러나 총관은 이를 듣지 않고 끝내 두 통관과 함께 앉아서 먹지 않았다. 아마도 청해관(靑海館)에서 연회(宴會)한 뜻이 이러한가 보다. 만약 그렇다면 아침 저녁 식사에서 가끔씩 같이 식사하는 것은 어떻게 된 것인가? 총관의 마음 씀씀이를 도저히 헤아릴 수가 없었다.

수행원과 갑군 등은 마당에서 각기 상을 받았다. 술잔이 세 차례 돌아간 후에 총관이 이격과 나를 불러 이르기를

"내가 물린 상은 조선 통역관에게 주고, 시위의 상은 업무를 분장한 관원들에게, 주사의 상은 우리 나라 통역관들에게, 필첩식・장경 두 사람의 상은 역졸과 짐꾼들에게 각각 내려 주라"

하며 자리를 파하였다.

이 때 예단을 올리겠다고 이격에게 말하자 이격이 말하기를,

"총관이 무슨 일 때문인지 화가 나 있어 언성과 안색이 좋지 않다. 두려워서 감히 그 앞에 들어갈 수가 없어 잠시 노기가 가라앉을 때까지 기다리고 있다"

고 하였다. 결국 해가 진 후에도 예단은 올리지 못하였다.

5월 2일 갑신   맑음

접반사는 어첩은 전했지만 아직도 예단을 올리지 못한 것을 놀라워하며 온갖 책망을 다하였다. 그래서 내가 이렇게 아뢰었다.

"감히 뒤로 미루자는 것이 아니오라 일에는 순서가 있기 때문이었습니다."

"자네는 총관과 안면이 있는 사람인데 총관에게 곧바로 가서 말하지 않고 왜 하필이면 이격에게 먼저 가서 그의 말을 듣는가? 만약 예단 올리는 것을 지체하였다고 장계에 써서 올리면 그대의 죄책이 어찌 가벼울 수 있겠는가?"

"어찌 이번 일의 중대함과 제가 처벌받을 것을 모르겠습니까? 그러나 일의 형편이 뜻대로 되지 않습니다. 부디 양해하셔서 용서하십시오."

총관이 머물고 있는 관소에 들어가 보니 총관이 시위와 더불어 앉아서 한담을 즐기고 있었다. 우리들은 지켜보고 있다가 우리 국왕께서 보낸 예단을 전하겠다 말하자 총관은 이렇게 말했다.

"비록 국왕이 주시는 예단이지만 아직 임무가 끝나기 전에 어찌 갑자기 받을 수 있겠는가? 일을 다 마친 후에 경원(慶源)에 도착하여 그 때 가서 받을지 말지를 생각해 보고 나서 결정하겠다."

나는 즉시 접반사께 이를 보고했다.

"내가 자네 보고 곧바로 청하라고 하지 않았는가? 일찍 이와 같이 하였다면 무슨 걱정이 있었겠는가? 이러한 사정을 장계로 올리는 것이 좋겠다"

라고 하였다. 총관의 처소로 가서, 신갈파진에서 점심(요기)을 먹고, 나난진(羅暖鎭)에서 묵을 수 있도록 준비할 것이며, 갈 거리는 70리가 된다고 총관에게 알려주었더니 총관은 이렇게 말했다.

"나는 그대가 말하는 중화(中火)라는 뜻을 이해할 수 없다."

"중화란 해가 중천에 있을 때 불을 땐다는 말입니다. 길을 나선

김지남의 북정록 • 79

사람이 해가 중천에 있을 때 밥을 해 점심을 먹고, 말들도 역시 죽을 먹인 후에 출발한다는 말이지요."

이 말을 듣자 총관은 웃으면서 말하였다.

"그대 나라 관례는 정말 자질구레하다고 할 만하다. 우리 대국(大國)의 사람과 말은 원래 낮에 따로 밥먹는 법이 없다. 비록 100리라도 밥 한 번 먹고 가는 거리이다. 이번에 70리를 간다고 하니 도중에 점심을 먹는 것은 지나친 일이다. 생략하도록 하는 것이 좋겠다."

"우리 나라의 관례는 몸에 배인 것이기 때문에 먹는 때를 지나친다면 사람과 말이 모두 지칠 것입니다. 하물며 황제의 사신을 모시는데 식사대접은 못한다고 하더라도 어떻게 잠시 쉬면서 차를 마시고 목을 축이는 도리가 없겠습니까? 시원한 차라도 준비하여 마시게 해주는 것이 많은 사람들의 고생을 덜어 주는 것이 될 것입니다."

"그대 나라의 말들은 한 역 구간을 지나면 반드시 지친다고 하니 반드시 먹여야 한다고 할지라도, 목을 축일 것으로는 길가에 마실 수 있는 깨끗한 물이 도처에 있으니 갈증을 푸는 일이 어렵다고 걱정할 필요가 있는가? 절대로 폐를 끼치지 않으려는 뜻이니 두 사또와 결정하여 앞으로 지나갈 곳에 공문을 보내도록 하는 것이 좋겠다."

아침 8시쯤에 세 번의 출발 나팔을 분 다음 시위가 강 양쪽의 지세(地勢)를 살피기 위하여 10명의 수행원을 데리고 마상선을 타고 강을 거슬러 올라갔다. 총관 이하 여러 차관들은 육로를 따라 출발하여 장진강(長津江)에 이르니 이 곳이 곧 어면진(魚面鎭)을 돌아서 압록강으로 물이 흘러 들어가는 곳이다. 10여 척의 마상선으로 우선 두 나라의 짐들과 의장(儀仗), 수행원들을 실어 건넸다.

내가 과섭차사원(過涉差使員 : 渡江 담당자)인 신갈파 첨사 이여회에게 강을 건너는 일을 지휘해 달라고 하였더니, 큰소리로 다그치며 감독하는 모습이 성실한 관리의 풍모가 있었다. (이 모습을 본) 총관은 자못 웃으면서 말하기를,

"이 사람은 가히 그 책임을 다하는 자라고 할 수 있군"

하였다. 어면진을 돌아 첨사의 진(鎭)에 이르러 동헌(東軒)에서 휴식을 취하면서, 말에게 꼴 먹이는 일을 빨리 하도록 하였다.

이 때 관찰사가 사람을 보내 전달하기를,

"미리 준비한 약간의 술과 안주와 냉차를 헛되이 버릴 수 없으니 말을 잘 해서 그들에게 갖다 주는 것이 좋겠다"

라고 하였다. 내가 총관 앞에 나아가서 미처 말을 꺼내기 전에 총관은 내가 할 말의 내용을 짐작하고 재빨리 말했다.

"김 동지(同知), 그대는 노인이니 적당한 곳을 찾아가 푹 쉬는 것이 좋을 듯한데 무슨 일로 동분서주하며 쉬지도 못하고 있는가?"

이에 내가 고개를 숙이고 말하기를,

"아침에 이미 말씀은 하셨지만, 미리 준비해 온 물건을 헛되이 버릴 수 없으니 저 갑군과 하인배들에게 나누어 주는 것이 어떻겠습니까?"

하니, 총관은 이르길,

"내가 받지 않겠다는 것은 황제 폐하의 뜻을 받들고자 함이거늘 어찌 감히 고칠 수가 있겠는가?"

라고 말하고는 곧바로 일어나서 말을 불러 타고 행차를 출발시켰다.

감장(甘長)·오감(五甘)과 같은 낭떠러지 길에 닿았는데 비탈이 너무 심하여 위험하기가 이루 말할 수 없었다. 시위가 이 곳으로 배를 가지고 와서 총관을 실어 건네 주었고, 여러 차관들도 모두 시위의 배를 이용해서 건너갔다. 나는 어쩔 수 없이 말에서 내려 걸어서

지나갔는데, 4, 5명의 수행원들이 나를 붙잡아 넘어가게 해주었다. 갈 때는 내가 어떻게 건넜는지 모르겠다.

소농보(小農堡)를 지나 40리쯤 가서 나난진(羅暖鎭)에 도착하여 잤다. 이 날은 총 70리를 갔다. 장계를 올리는 편에 집에 편지를 써서 부쳤다. 도차사원인 홍원 현감 이진상이 병이 나서 삼수 부사 장세익으로 바꾸었다. 조금 있다가 시위의 배가 나루터에 들어왔다. 곧바로 호군과 의장을 보내어 의례를 갖추어 맞아들였다. 배가 들어올 때면 매번 이와 같이 하였다.

5월 3일 을유 맑음

새벽 6시쯤에 출발하여 장령(長嶺)을 넘었는데 고갯길은 험준하지 않았지만 길이 울퉁불퉁하여 그 험하기가 충천령보다 뒤떨어지지 않았다. 고갯마루에 올라서니 백두산과 서로 마주 바라보고 있어서 그 높이를 가히 짐작할 수 있었다.

총관 이하 모두 말에서 내려 천리경(千里鏡 : 망원경)을 가지고 백두산을 살펴보면서 우리 일행에게 물었다.

"여기서부터 거리가 얼마나 되는가?"

"산들이 겹겹이 싸고 있으니 알 수 없습니다."

"불과 300리밖에 되지 않겠다"

라고 하고는 곧 출발하였다.

인차외진(仁遮外鎭)에 도착하여 그 곳 객사에 머물렀다. 그런데 관사가 좁아서 두루 방을 줄 수가 없었다. 그래서 장경 이하 사람들은 천막을 치고 노숙하였다. 이 곳은 곧 갑산의 땅이다. 이 날 총 40리를 갔다.

총관이 자기가 가지고 온 서화(書畵) 3권과 과자 4접시를 꺼내 놓고 나를 불렀다.

"이 물건과 먹을 것은 비록 대수로운 것은 아니지만 모두 이국(異國)의 물품들이다. 그림 한 권과 과자 한 접시씩은 각각 두 사또와 김 동지가 갖도록 하고, 남은 과자 한 접시는 여러 차사원들에게 주어 나의 작은 정성을 나타내 주도록 하라."

총관이 나에게 무슨 장점이 있다고 이러는 것일까. 생각건대 작년의 수고를 잊지 않아서 이와 같이 관대히 대해주는 것 같았다. 어찌 마음 속에 감격스럽지 않겠는가?

저녁 때 비가 왔다. 이 곳 진(鎭)의 만호(萬戶) 이항(李項)이 접반사의 지시에 따라 압록강의 발원지를 찾아 백두산으로 올라갔는데 이 때까지도 오지 않았다.

5월 4일 병술   큰 비

아침 8시쯤 나팔을 세 번 분 다음 비를 무릅쓰고 출발했다. 빗줄기가 점점 더 강해졌다. 강을 끼고 있는 벼랑길은 곳곳이 위태롭고 험하며 가끔 길이 평탄한 곳이 나타나도 진창이 너무 많아서, 사람과 말이 지나가기가 고갯길을 가는 것보다도 더 힘들었다.

배를 타고 허천강(虛川江)을 건넜다. 이 강은 갑산의 관아를 끼고 돌아서 압록강으로 들어간다. 오후에 혜산령(惠山嶺)에 이르렀는데 이 곳 역시 갑산 땅이다. 도중에 문위사(問慰使)인 영흥 부사(永興府使) 홍표(洪彪)가 호조 참의(戶曹參議)의 임시 직함을 가지고 어첩과 예단을 받들고 와서 기다리고 있었다.

이 날 40리를 갔다. 이 진(鎭)의 첨사는 정사의(鄭思義)였다.

5월 5일 정해   흐리고 비

아침 일찍 접반사를 뵙고 (하루 일정을) 의논하여 결정한 다음 총관의 처소로 들어가서 관례대로 인사를 드리고 총관에게 말하기를,

"대인께서 우리 나라를 각별히 생각해서 황제에게 아뢰어 특별한

은전을 베풀게 해주셔서 우리 임금께서 이를 항상 감사히 여기고
계십니다. 그러므로 이번 행차에 따로 시랑(侍郞)을 파견하여 안부
를 물으시고 또 예단을 보내셨는데 이는 전에 없던 일입니다"
라고 말하고 이어서 어첩과 예단 단자(單字)를 올렸다. 여러 차관들
이 모두 서로 웃으면서 전례(前例)에 따라 공경히 받았다. 또 문위사
의 명함을 올리니 바로 들어오라고 하여서 한 번 절하고 자리를 잡
고 앉았다.

　총관 이하는 다시 자리에서 일어서서 임금의 안부를 물으면서 말
하였다.

　"국왕이 특별히 문위사(問慰使)를 보내주신 것은 너무나 감사할
일입니다. 정해진 규례 외에도 예단이 풍성하고 특별히 생각해주시
는 뜻을 더욱 잘 알겠소. 그러나 보내주시는 물건은 받지 않기로 이
미 마음을 정했으니 지금 이 예단은 비록 받지 않아도 받은 것이나
다름없으니 이 뜻을 돌아가 전해주시오."

　내가 또 문위사가 임금의 뜻을 받들어 별도로 다과상을 마련했다
고 전하자 총관은 다음과 같이 말하고 거절하였다.

　"이는 으레 형식적으로 하는 대접과는 다르므로 받지 않을 수 없
다. 하지만 문위사 역시 반드시 피곤할 터이니 물러가서 쉬도록 하
고, 좀더 있다가 다과상을 올리는 것이 옳겠다."

　오후에 다시 한 번 다과상을 올리겠다고 하자, 총관이 말하기를,

　"지금의 연회는 지난번과는 다르다. 문위사는 같이 참석해서 함
께 (잔을) 권할 수가 있으니, 탁자를 마주하여 직접 (술)잔을 주고받
는 예법을 그대도 아는가? 문위사와 의논하여 같이 오도록 하라"
고 하여 나는 접반사에게 가서 총관의 말을 전했다. 이에 접반사는
내게 이렇게 당부했다.

　"그가 하는 말을 어찌 그대로 하지 않을 수 있겠는가? 그러나 문

위사는 늙고 쇠약해서 그 응대하는 모든 예절을 어찌 다 알 수 있겠는가? 자네가 가운데에 끼어서 아무쪼록 잘 주선해 문위사가 웃음거리가 되지 않도록 하라."

이에 총관의 처소로 다시 가서 문위사와 함께 들어가 절하고 자리를 잡았다. 상이 들어오자 안내하여 들이고, 또 술 따르는 곳에 가서 술을 알맞게 따라 올리는 것 등을 도왔다. 총관이 웃으면서 말했다.

"문위사가 나이가 많으니 끝까지 직접 예식을 주관할 필요는 없겠소. 김 동지! 그대들도 모두 국왕의 차사원들이므로 지금부터는 그대들 통역관들이 대신해서 잔을 올리는 예를 진행시켜도 좋을 것 같네."

술잔이 세 번 돌아간 후에 그쳤다. 총관은 문위사의 노고를 간곡하게 치하했다. 자리를 파하고 일어나면서 총관이 말하였다.

"지금 우리의 이 행차는 황제 폐하께서 오로지 그대들 나라를 염려하시어서, 피차의 경계를 조사하여 나쁜 자들이 국경을 범하는 폐단을 막고자 한 것입니다. 우리들은 조선 국왕의 따뜻한 보살핌을 입어 조선 땅에 들어온 이래로 순조롭게 일을 해 나갈 수 있었고, 앞으로 가야 할 길이 얼마 남지 않았으니 무사히 돌아갈 수 있을 것입니다. 이러한 뜻을 돌아가 보고하시오. 문위사께서는 나이가 많으시니 몸을 아끼어 잘 돌아가시기를 바랍니다."

그리고는 그림 한 장을 가져와 건네주면서 말하였다.

"이것은 비록 하찮은 물건이나 오로지 자그마한 정성을 나타내고자 하는 것입니다."

연회를 마친 다음에 상(床)을 나누어 주는 것은 지난번과 똑같이 해서, 이번에도 두 통역관에게는 상을 주지 않았다. 그 두 상을 두 사또에게 보내면서 총관은 이렇게 말했다.

"오늘의 음식은 바로 그대들 국왕이 별도로 나에게 주시는 음식이오. 그러한즉, 이것들은 곧 우리의 음식이오. 사신이 마련한 것이 아니니 사신은 사양하여 물리치지 말고 마음놓고 받는 것이 좋지 않겠소?"

아침에 이격이 총관의 뜻이라고 하면서 나에게 말했다.

"오늘은 단양절(端陽節 : 단오)이오. 비록 행차중에 있으나 그냥 보낼 수 없으니 우리 취사장에서 음식을 조금 장만하여 두 나라 사람들에게 잔치를 베풀고 싶소. 그래서 생돼지 2마리와 닭 10마리, 참기름 3되를 구입했으면 하오."

내가 접반사에게 알리고 요구한 물품들을 보냈더니, 작은 모자 3승 등의 물건으로 값을 쳐서 보내왔다. 또 소 세 마리를 따로 가지고 와서는 건네주면서 이격이 말하기를,

"우리 일행을 접대하느라고 수고하시는 사신들 일행께서는 이것으로 요리하여 나누어 드십시오"

라고 하였다. 접반사는 이에 대해 의논하면서 이와 같이 말했다.

"우리들이 보낸 물품은 끝까지 고집하고 받지 않으면서 그들이 보내 온 물품은 왜 이리 많은가? 사양하면서 받지 않는 것이 일의 도리로 볼 때 옳을 듯하다. 그러나 호의의 뜻으로 보낸 것들이니 만일 끝내 안 받는다고 하면 그들의 뜻을 거스르게 되어 앞일이 걱정된다. 그러니 앞으로 함경도의 소를 가지고 받은 수효대로 돌려보내는 것도 좋겠다."

접반사는 도차사원에게 명령해서 요리준비를 감독하고 역졸과 여러 고을에서 파견되어 온 관인들과 수행원들을 먹이도록 하였다.

오후 늦게 주방에서 요리가 끝나 음식을 내겠다고 했다. 차려진 것들은 점전미(粘田米 : 찹쌀떡), 당두도(糖豆餡 : 경단) 두 가지, 유전고(油煎糕 : 기름에 지진 떡), 돼지고기 구운 것과 삶은 닭, 약소주 등

이었다. 먼저 두 사또에게 몇 그릇 올려 보냈다.

총관은 시위·주사와 함께 (처소인) 관아 마루 위에 앉아 먹었고, 장경·필첩식도 자리를 함께 했다. 또 별도로 관아 다른 곳에 자리를 마련하여 나를 비롯해서 여러 차사원들과 두 사또의 비장을 부른 다음 홍이격, 오옥주로 하여금 접대케 하였다. 사람들이 모두 맛있는 음식을 배불리 먹고 취한 후 잔치를 파하였다. 사후(伺候 : 관측병)·장교(將校)들에 이르기까지 두루 함께 먹었으나, 그들의 하인배 가운데는 먹지 못한 자들도 있었다.

접반사가 선자(扇子 : 부채)·탕약(湯藥)·화철(火鐵 : 부시쇠)·연죽(煉竹 : 담뱃대) 등을, 그리고 관찰사가 건어(乾魚)·두을죽(豆乙粥) 등 약간의 예물을 보내서 답례하고자 했다. 이 일로 총관과 말을 나누었다.

"내 마음이 이미 정해졌다는 뜻을 자네 상관에게 아직도 말하지 않았는가? 어째서 이처럼 번거롭게 물건을 보내오는 일이 그치지 않는가?"

"대인께서 우리 나라에 들어오신 이후로 접대 의례를 지나치게 줄이고 없애셨습니다. 우리 두 사또께서는 총관 어른을 모시고자 하는 성의를 아직까지 조금도 드러내지 못했기 때문에 마음이 지극히 섭섭해하고 있습니다. (이번 예물도) 돌려보내 버리면 정말로 송구스럽게 생각할 것입니다."

이 말을 들은 총관은 부채와 두을죽, 건어 약간만 받아들이고 나머지는 모두 돌려보냈다.

날이 저문 후에 총관이 나를 불렀다.

"우리들의 이번 행차는 전적으로 양국의 변경을 조사하러 왔을 뿐이네. 비록 하늘로 올라가고 땅으로 들어가게 되더라도 우리는 그대들의 말에 따라갈 수밖에 없지 않은가? 지금 이 곳 변경에 대해 자네가 분명하게 설명해 주는 것이 어떻겠는가?"

"장백산 꼭대기 큰 호수 남쪽이 바로 우리 나라의 경계입니다. 이것은 처음부터 말씀드린 바인데 지금 어찌 말을 고칠 수 있겠습니까?"

"그렇다면 산에 직접 올라가 보지 않을 수 없구나."

이러면서 총관은 길 안내인 김애순(金愛順)을 불러들였다. 나는 다시 말을 계속했다.

"들으니 산길이 너무나 험하여 발디딜 틈도 없다고 하는데 여러 대인들께서는 어떻게 올라가려 하십니까?"

"황제 폐하의 명령에 따른 것이다. 길이 험한 것을 말할 필요가 있겠는가? 비록 다리를 싸매고 가게 되더라도 가서 보아야만 한다."

그리고는 김애순에게 물었다.

"너희들처럼 몰래 들어가 인삼을 캐는 자들이 이전에 국경을 범했다고 하더라도 그 죄를 묻지 않으려고 한다. 그러니 다닐 수 있는 길이 있으면 조금도 숨기지 말고 확실히 설명하라."

"압록강의 근원은 산 정상의 큰 호수에서 나옵니다. 물을 따라 올라가다가 말을 버리고 걸어가면, 한덕립지당(韓德立支堂)에 닿습니다. 여기에서 산 꼭대기까지는 길이 너무 험해서 기어오르다시피 해야 겨우 갈 수 있습니다. 산 꼭대기에서 두강(豆江 : 두만강)이 시작하는 데까지의 길도 마찬가지로 험합니다."

"이 쪽(조선쪽) 강변으로 따라 가는 길이 그토록 험하다면 건너편(越邊 : 청나라쪽) 강쪽에는 사람이 다닐 만한 길이 있느냐?"

"그것은 모르겠습니다."

"저자가 어찌 모르겠느냐. 거짓말이 아닌 것이 없다. 길 험한 것을 따지고 있을 여유가 없다. 내일 바로 출발하겠다. 너희 나라 사람으로 같이 갈 사람들은 몇 사람이냐? 이름들을 써서 가져오라."

고 하여 내가 말하기를,

"대인의 일행이 되돌아 건너편에서 가신다면(還爲越去 : 청나라쪽
강변 길로 가는 것) 모르겠습니다만, 우리 나라쪽으로 가신다면 두 사
또와 차사원, 통역관들 가운데 어느 한 사람인들 빠질 사람이 있겠
습니까? 그리고 지금 비도 개이지 않았는데 어찌 그렇게 급히 가려
하십니까?"

하니, 총관이 웃으면서 말했다.

"우리들은 모두 산길에 익숙하기 때문에 걸어가는 일을 피하지
않는다. 그러나 그대 나라 대인들이 어찌 걸어갈 수 있겠는가? 나는
그들이 불가능함을 알고 있다. 출발은 날이 개이기를 기다렸다가
할 것이다."

이 문제로 왈가왈부하는 사이에 밤이 깊어 버렸다. 불을 켜들고
물러나와서는 문답한 내용 전부를 두 사또에게 아뢰었다.

5월 6일 무자　비

비가 그치지 않아 그대로 머물러 있었다. 아침에 총관의 처소에
갔다. 나는 여러 대인(大人)들이 결단코 출발하겠다고 하면서 접반
사 이하 우리 나라 대소 관인(官人)들은 이미 임금의 명령을 받았으
므로 설령 도중에 엎어지고 자빠지더라도 결코 뒤에 남을 뜻이 없
다는 것을 총관에게 누누이 설명하였다. 총관은,

"시위대인과 주사·장경·차통관은 아랫길을 따라 곧바로 직행
하여 무산(茂山)으로 향할 것이니 그대 두 사또는 시위를 따라서 가
도록 하라. 나는 필첩식·대통관과 더불어 수행원 20명을 이끌고
강을 따라 올라가 장백산을 살펴보고 이어서 두만강 원류를 본 다
음 동쪽으로 내려올 것이다. 그대 나라는 따라갈 수 있는 인원과 부
마(夫馬)의 총수를 빨리 결정하도록 하라"

고 하였다.

나는 돌아와서 이러한 사실을 접반사에게 알렸다. 그러나 두 사또는 끝까지 낙후될 수 없다는 뜻을 여러 차례 설왕설래 하였지만 끝내 총관은 이를 허락하지 않았다. 그리고 총관은 시위와 함께 크게 웃으면서,

"절대로 못 올 것을 알고 있는데, 가다가 중간에 돌아오게 된다면 낭패가 아닌가. 애초에 함께 가지 않는 것이 나을텐데 그러는구만" 하니 이를 다시 접반사께 가서 전하였다. 그래서 (총관을 따라갈 인원으로) 단지 도차사원인 삼수 부사 장세익, 부마차사원(夫馬差使員) 거산 찰방 허량, 접반사의 군관 이의복, 관찰사의 군관 조태상, 수석 통역관 김지남, 부통역관 김응헌·김경문과 잡무담당 장교 3인, 길 안내인 3명, 나무를 베며 길을 만들 인부 10명과 그 외에 역졸 등등의 이름을 기록하여 들어갔다. 총관은 명단에서 장세익과 나의 이름을 삭제하면서 이르기를,

"이 두 사람은 모두 나이가 많으니 어찌 걸을 수 있겠는가? 또 수행원으로는 나는 3명이면 되고, 필첩식과 통역관은 각 1명씩을 데리고 간다. 그대들 관인(官人)들도 필첩식의 경우를 따라 하라. 그리고 각 사람마다 15일치의 양식을 가져가면 될 것이다."

나는 다시 일어서면서 말했다.

"제가 비록 나이가 많고 몸이 약하지만 이미 왕명을 받은 몸이고, 또 대인의 큰 은혜를 입은 사람이니, 정으로 보나 의리로 보나 대열에서 빠지는 것은 부당합니다. 비록 산골짜기에서 자빠지고 넘어지더라도 오로지 모시고 따라가서 작은 성의나마 다하고자 합니다."

나의 말에 총관은 웃으며 말했다.

"내가 자네를 싫어해서 그런 것이 아니네. 노인의 몸으로 만약 병이라도 나면 차마 버리고 갈 수는 없지 않은가? 중도에서 돌아올

수도 없으니 어찌 곤란한 일이 아니겠는가? 그대 아들 경문이 충분히 자네의 임무를 다할 것이니 그대는 아무쪼록 마음을 놓도록 하게."

나는 접반사를 찾아가 총관이 도무지 말을 들으려 하지 않는다는 사실을 아뢰었다.

따라갈 부마의 수를 헤아리니, 저들 일행은 총관부터 수행인까지 모두 23명에, 마두(馬頭 : 마부의 우두머리), 마부(馬夫)를 합쳐 41명, 짐말과 사람이 탈 말들이 38필이었다. 우리측 인원은 차원 이하 관인 총 6명에, 장교와 길 만들 인부까지 포함해서 총 16명, 마부·마두 47명, 짐 실을 말과 사람이 탈 말이 41필이었다. 그러므로 양측의 총인원은 133인에 말이 79필이었다. 이외에 더 데리고 간 인원이 없지 않았고 또한 나중에 추가로 더 따라가기도 했는데 그 숫자를 여기에 모두 기록할 수가 없다.

짐말 1필이 싣는 양이 곡식 7두를 넘지 못하였다. 따라서 사람 하나가 더 갈 때마다 짐 실을 말의 수는 더 많이 늘었다. 총관이 인원을 줄이려고 애썼던 이유는 바로 이 때문이었다.

서울에서 온 공문 가운데 집으로부터 온 편지가 있었다.

나는 이격에게 물었다.

"두 길로 나누어 가는 것이 정해졌으니 마상선으로 싣고 온 짐들은 이제부터 육로로 옮겨야 할 것입니다. 수량을 알아야 말들을 준비할 수 있을 것입니다."

"내가 마땅히 여러 대인들에게 여쭈어 그 실제 숫자를 알아보고 그대에게 알려 주겠소."

조금 있다가 나와서 이격이 말하기를,

"대인 이하의 일행은 보따리가 68개이니 이를 기준하여 짐말을 준비하면 될 것이오"

라고 하였다. 이에 곧 부마차사원을 불러 짐말 34필을 준비시켜 놓도록 분부하였다.

5월 7일 기축　맑음

아침에 총관이 나에게 말하였다.

"우리가 육로로 간 이후에는 타고 온 마상선 10척을 사용할 곳이 없으니, 강변의 진보(鎭堡)에 사는 백성들에게 나누어 주어서 고기잡이나 나룻배로 사용하도록 하는 것이 좋겠다."

"강변의 백성들이 국경을 넘나드는 것은 엄격히 금지하고 있기 때문에 그들에게 그 배를 사용하게 할 수는 없습니다."

이 사실을 접반사에게 보고하자, 접반사는 '이는 우리가 마음대로 정할 수 있는 일이 아니다. 마땅히 임금님께 품의하여 거행해야 할 것이다'라고 하면서 혜산 첨사로 하여금 몇 척이나 되는지 확인해서 접수해 두고 분부를 기다리라고 지시하였다.

식사를 마친 후 출발 나팔을 세 번 불고 나서, 일행은 혜산진(惠山鎭)으로부터 오시천(五是川)을 지나 백덕령(百德嶺)으로 올라갔다. 이번 행차를 위해 새로 닦은 길이 여기에서부터 시작되었다. 잣나무와 삼나무가 울창하게 우거져 있어, 종일토록 걸어가도 하늘의 해를 볼 수 없었다. 그 닦아 놓았다는 길이란 것도 겨우 수목들을 베어 놓은 것에 지나지 않았고, 특별히 공사를 벌여 제대로 닦은 것은 아니었다. 따라서 나무뿌리가 땅 위로 울퉁불퉁 드러나 있는 것이 마치 마름쇠(蒺藜 : 적을 막기 위하여 진입로에 박아놓는 마름 모양의 무쇠 장애물)를 깔아 놓은 것 같았다. 더구나 비가 온 뒤라 진창이 극심하여 사람과 말이 발을 디디기가 매우 어려웠다. 열 걸음을 가면 아홉 번은 넘어지면서, 한치 두치 나아갔다.

70리를 전진해 가서 오후 늦은 무렵에 검천(劍川) 물가의 천막 친

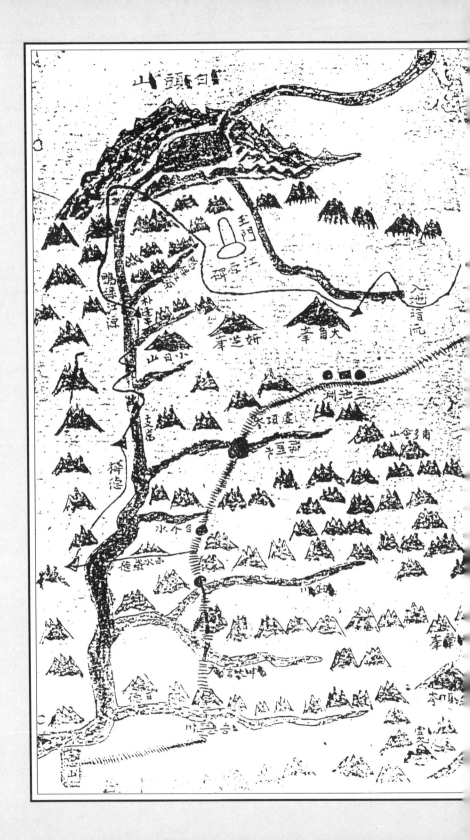

목극등이 정계시 그린 백두산 지도 모사본(규장각 소장)

곳에 도달하였다. 이 곳도 역시 갑산 땅인데, 부사 유구징이 임시 숙소를 지어 기다리고 있었다.

숙소에 도착한 후, 접반사는 '산길이 극도로 험하여 사람들이 전복되는 사고를 초래할 수 있고, 백두산은 한여름에도 얼음과 눈이 녹지 않으므로 만약 풍우를 만나면 사람과 가축이 많이 죽거나 부상하는 염려가 있겠다'는 점과 또 '두 사또 가운데 한 사람이라도 결코 뒤에 남게 할 수 없다'는 일로 다시 내게 명하여 설득해 보라고 하였다. 그래서 내가 먼저 이격에게 말하여 잘 선처해 보도록 부탁하였더니, 그가 말하기를,

"이는 문서로 작성하여 보낸 후 그 답서를 받아보는 편이 좋겠소"

하였다.

"문서로 하는 것이 말로 하는 것보다 낫겠다는 것입니까?"

"그대가 잘 생각하여 가서 의논해 보시지요."

나는 접반사에게 가 전하니 접반사는 '만약 이 때문에 행차를 멈추는 기미가 있다면, 곧장 문서를 작성해 보내는 것도 불가할 것이 없겠다' 하고 두 사또가 연명으로 문서를 작성하였다. 그 문서의 내용은 아래와 같다.

"조선국 접반사 의정부 우참찬 박권과 함경도 관찰사 이선부는 삼가 재배하여 흠차대인 오라 총독 귀하게 말씀드립니다. 엎드려 생각건대 대인께서는 공순히 황제 폐하의 명을 받들어 욕되이 먼 나라까지 오셔서 직접 산천을 다니면서 온갖 고난을 맛보면서도 뜻을 더욱 굳세게 하여 용감히 나아가고 나태하지 않아 그 최선을 다하는 의리와 충성이 사람들로 하여금 존경심을 일으키고 감탄을 자아내게 합니다. 저희들은 외람되게도 접반사의 직책을 맡아 황제의 사신을 안내하면서, 성의와 진심을 다해 우리 임금께서 존경하시는

뜻을 실현코자 하지 않음이 없습니다. 그러나 (우리) 변경의 군읍은 물자가 넉넉지 못하여 접대하는 예우가 제대로 모양을 갖추지 못하니, 자나깨나 두려워하며 오직 손님들을 접대함에 어그러짐이 있을까 이에 걱정하고 있었습니다. 그런데 뜻밖에도 귀하께서 곡진히 돌보아주셔서, 모든 예우와 비용을 절약하고 줄이시고, 음식물을 모두 가져오신 물자로 충당하고 티끌만큼도 우리 나라에 폐를 끼치지 않으시니, 감축한 나머지 부끄럽기가 그지없습니다.

들건대 귀하께서 두 강의 발원지를 살피기 위하여 장차 장백산 꼭대기로 행차하신다 하니, 저희들은 이 점에 대하여 지극히 우려를 금할 수 없습니다. 대체로 산 정상의 큰 못의 물이 흘러 넘쳐서 서쪽으로 내려온 것이 압록강 상류가 되는데, 산 아래에서부터 정상에 이르기까지는 그 거리가 수백 리가 되고, 모두가 깎아지른 절벽을 이루고 있습니다. 그 절벽과 깊은 골짜기에는 사냥꾼들도 겨우 붙잡고 올라가거나 구멍을 뚫고 지나가는데, 험하기로 유명한 촉나라(중국 사천성)의 산길이라도 그 험난함을 비유할 수 없습니다. 지금 귀하께서 천금같이 귀하신 몸으로 예측할 수 없는 곳을 가벼이 건너가시다가, 비록 신명의 보호하심이 있더라도 혹시 길에서 쓰러지는 사고라도 난다면 이는 저희들이 참으로 걱정하는 일입니다.

저희들이 생각건대, 이번 양국의 국경을 살펴보는 일은 실로 황제께서 우리 나라를 진념하시는 데에서 나온 것이나 간사한 백성들이 국경을 넘어 문제를 일으키는 폐단을 막으려는 것이므로, 대인께서 반드시 몸소 살펴보시려는 것은 또한 직분상 당연한 일입니다. 다만 산길이 험하기가 이와 같으니 귀한 몸으로 거동하심은 너무나 어려운 일입니다. 국가에서 부여한 사명을 실천하려는 성의는 비록 절실하지만, 위험을 경계하는 것도 또한 큰 문제이므로 귀하께서는 이 점에 대하여 깊이 생각하여 신중히 처신하는 도리가 없겠습니까?

　한 가지 말씀드릴 일이 있는바, 지극히 외람되어 죄를 피할 수가 없기는 하지만, 너그러우심을 믿고 감히 말씀드립니다. 지금 귀하의 행차에는 다만 필첩식과 대통관 각 한 명씩과 갑군 20명만을 대동하고 계신데, 그 간소함이 가히 지극하다고 하겠습니다. 그러나 사람이 타고 양식을 운반하는 말이 모두 38필인데 모두 마부들이 있으며, 우리 나라의 관원들로 함께 가는 사람도 또한 5, 6명이나 되고, 각기 말을 타고 말을 끄는 사람과 길 안내인 및 길 닦는 인부들을 합하여 계산하면, 그 수가 대략 70여 명이 됩니다. 그런데 사람마다 각기 15일치의 양식을 가지고 가게 되면 길은 험하고 말은 약하여 무겁게 실을 수 없고, 만약 말이 나아가지 못하게 되면 사람들이 짊어지고 가야 하는데, 이러할 경우 마땅히 데리고 가야 할 말은 80여 필이요, 사람은 130여 명입니다.

　장백산이 높고 크기로는 해내(海內)에서도 으뜸입니다. 비록 한여름에도 얼음과 눈이 녹지 않으니 하물며 지금 비가 여러 날 퍼부어 이미 장마의 조짐이 있습니다. 만약 산골짜기에서 졸지에 맹렬한 바람과 큰 비를 만나게 되면, 허다한 사람과 가축이 죽고 부상하는 환난을 면치 못할 것입니다. 생각건대, 귀하께서는 연로를 지나오면서 인자하신 명성을 널리 알리시었습니다. 오로지 한 가지라도 폐단을 끼칠까, 또 한 사람이라도 다치게 될까 염려하신 것은 황제께서 인명을 보호하시는 덕성을 실천하시고자 그러한 것인 줄 압니다. 지금 만약 불행한 일이 있게 되면, 비단 귀하의 백성을 측은히 여기시는 마음으로도 차마 할 수 없는 바가 있을 뿐만 아니라, 황제의 백성을 사랑하시는 어진 정치에도 어찌 해가 되지 않겠습니까?

　저희들의 어리석은 생각으로는 하나의 방책이 있습니다. 압록강은 산정의 큰 못에서 발원하여 물줄기가 계속 이어지고 물과 골짜기가 분명하니, 특별히 명석한 사람이 아니라도 한 번 보면 알 수 있습니다. 만약 귀하의 수행인 중에서 민첩하고 똑똑한 사람 몇 명을 뽑아 우리 나라의 역관과 길 안내인들과 함께 가서 살펴보게 하고, 또 화원들을 시켜 그림을 그려 오게 하신다면 강의 근원과 산길을 눈으로 본 것처럼 밝게 알 수 있습니다. 이것을 가지고 황제께 보고하면 불가할 것이 없을 줄 압니다. 귀하께서는 어떻게 생각하시는지요?

또 듣건대 귀하께서는 저희들로 하여금 수행하지 말고 먼저 무산으로 가서 기다리라고 하시는데, 이는 필시 귀하께서 저희들이 노쇠하고 피로한 모양을 보고 딱하게 여기셔서 이와 같은 곡진한 하교를 내리셨습니다만 저희들은 이미 임금의 명을 받아 황제의 칙사 일행을 접대하는 일을 보고 있습니다. 그런데 저희들만 편안한 곳에 머물면서 귀하만 홀로 험난한 길을 가게 한다면 이는 실로 의리와 명분에 있을 수 없는 일입니다. 원컨대 귀하께서는 살펴주셔서 저희들 중에서 한 사람만이라도 행차를 모시고 가도록 허락해 주신다면 천만 다행이겠습니다."

총관이 이를 다 읽고 나에게 말했다.

"자네는 돌아가서 대인에게 보고하게. 말씀하신 것이 진실로 옳은 줄 모르는 것은 아니지만, 다만 황제 폐하의 뜻에 따른 것이므로 부득이 나는 몸소 가지 않을 수 없다. 접반사와 관찰사께서는 모두 나이가 많으신 분들이므로 결코 나를 수행할 수 없을 것이다. 답서는 천천히 써서 보내겠다."

날이 저문 후에 총관이 나를 불러 말하였다.

"우리를 영접하러 오는 인마가 현재 경원 건너편 후춘(厚春)에서 기다리고 있네. 내일 아침에 일을 잘 아는 장교 2인으로 하여금 나의 패자(牌字 : 명령서)를 가지고 후춘으로 빨리 달려가 전달하고, 그 곳에서 기다리고 있는 사람들로 하여금 대여섯 사람을 뽑아 잘 달리는 말 10필과 함께 회령으로 가서 머물며 기다리도록 하겠다. 우리가 백두산에 가서 경계를 살피고 무산으로 내려온 후에, 즉시 황제께 상주하는 보고서를 부칠 터이니, 회령에서부터 직접 건네보내면 거리가 크게 줄 것이다. 이러한 뜻을 자네의 대인에게 알리도록 하게."

"이 일은 받들어 거행할 수 없습니다. 우리 나라의 국법은 극히 엄하여 임금의 명령이 있기 전에는 비록 관찰사라고 하더라도 감히 자기 마음대로 대국(大國)의 인마를 우리 땅에 머무르게 할 수 없습니다. 부득이하다면, 조정에 품의한 후에 시행할 수 있겠습니다만, 거리가 워낙 멀어 한 번 갔다 오려면 필시 기한이 지나버릴 것입니다."

"이는 다른 뜻이 있는 것이 아니라, 가까운 곳에서부터 빨리 보내려고 하는 것이야. 자네는 가서 상의하고 다시 오도록 하게."

그래서 이 문제를 접반사에게 보고하니, 접반사가 말하기를,

"자네가 답변한 것이 참으로 옳은 것이네. 어찌 품의하지 않고 거행하겠는가? 우리 나라의 역마라면 뽑아서 가게 할 수 있지만, 후춘에서 말을 가지고 온다거나 저 나라 사람들을 회령에 대기시키는 것은 결코 할 수 없는 일이다. 말을 잘 만들어 회답하는 것이 좋겠다"

하였다. 내가 돌아가 총관에게 보고하여 말하였다.

"대인께서 하교하신 것은 관찰사가 재량으로 할 수 있는 일이라면 어찌 감히 거행하지 않겠습니까? 그러나 조정에 품의해야 하는 일은 함부로 할 수 없는 것이 관례입니다. 진실로 매우 황공합니다."

그랬더니 총관은 묵묵히 듣고 답변이 없었다.

5월 8일 경인 맑음

이른 아침에 총관이 우리들을 불러 접반사에게 보내는 답서를 내어 주었다. 그 답서의 내용은 아래와 같다.

"저번에 보내온 서신은 잘 보았소. 장백산이 험준하고 오르기 어려우며 걸어서 갔다 오기 곤란한 형편을 두루 설명하시니, 우리들을 위한 계책이 가히 상세하다고 하겠소. 접반사의 참된 성의가 아니라면 어찌 이와 같이 친절하게 가르쳐 주시겠소? 다만 나는 황제의 명령을 받들었으니, 비록 죽는다 하더라도 이 일은 사양할 수 없는 일이요. 어찌 어려운 것을 피하고 쉬운 데로만 나아갈 수 있겠소? 하물며 황제께서는 하늘이 돌보시는 천자이시니, 하늘이 반드시 묵묵히 도우실 것이요. 걱정하지 않는 것이 좋을 듯하오.

또 서신의 뜻을 살펴보건대, 접반사 두 분께서 한 사람만은 동행하기를 간절히 바라시니, 이는 참으로 임금의 명을 욕되게 하지 않는 의리로서 매우 훌륭하고 아름다운 일입니다. 다만 산길이 지극히 험난하여 모두 각각 걸어서 올라가야 하는데, 이는 나이가 많고 늙으신 분들은 만에 하나라도 동행할 수 없는 곳입니다. 만약 함께 가신다면 반드시 공사(公事)를 그르치게 될 것이요. 결코 함께 동행치 않을 것이니, 다시는 청하지 않도록 하시오."

총관이 또 나에게 말하였다.

"시위 대인은 산에 도착하여 하루 이틀 머문 후 강변으로 돌아와 마상선 만드는 일을 감독하여서 우리 일행을 맞이할 예정이네. 건장한 목수 10명을 뽑아 보내서 이 일을 돕도록 두 사또에게 전하는 것이 좋겠다."

내가 이를 접반사에게 보고한 후, 그대로 시행하겠다고 통보하였다. 내가 또 총관이 있는 곳으로 가니, 총관이 시위와 함께 한담을 하고 있다가 나를 가리키며 시위에게 말하였다.

"저 김 동지(同知)는 나이든 통역관으로, 예전에 이산(理山)에서 나를 맞이하여 임토(林土)와 옥동(玉洞)까지 수행하였고, 또 의주(義州)로 돌아올 때까지 나를 따라다니기를 몇 달이나 하였지만 한 번도 실수가 없었소. 한마음 봉공하였으니 단지 이는 참으로 순수하고 충후할 뿐이요, 다른 뜻이 없는 사람이오. 바라건대 대인도 모름지기 아끼고 보살펴주기 바라오."

그러자 시위는 사례하여 답하기를,

"사람이 노숙하고 성실하다면 자연히 아끼고 대우하게 될 터인데, 하물며 지금 대인께서 이와 같이 부탁하시니 가히 경애하지 않을 수 있겠습니까?"

하고, 이어서 나에게 말하기를,

"총관 대인께서 그대를 공경하시기가 일 푼이라면, 나는 공경하기를 열 푼이나 하겠네"

하였다. 이 말에 모든 사람들이 크게 웃었다. 이른바 시위라는 사람은 항상 농담하는 말을 잘하여, 동행하면서 나에게 하는 말들이 대부분 이와 같았다.

아침 8시쯤에 출발하여 서수라덕(西水羅德)을 지나니, 도로의 진창과 나무 뿌리의 장애가 백덕(栢德)보다 두 배나 되어 한 걸음 가서 넘어지고 또 한 걸음 가서 자빠지면서 근근히 나아가, 20리쯤 간 후에 가장 높은 곳에 도착하였다. 총관 이하가 자리를 잡고 휴식을 취하면서 천리경으로 백두산을 바라보았다. 또 10여 리를 가서 곤장우(棍杖隅)에 도착하니 이 곳은 곧 백두산과 허항령(虛項嶺)으로 갈라지는 곳이다.

일행이 잠깐 길가에서 머물렀을 때, 총관이 우리 나라 관원들이 먼저 길을 열고 가도록 시키고자 하기에, 나난(羅暖) 만호(萬戶) 박도상(朴道常)을 도로차사원(道路差使員 : 도로담당관)에 임명하여 도끼든 인부 10명을 인솔하여 선도하면서 나무를 치게 했다. 총관은 그 뒤를 따라갔다.

백두산 가는 일행(총관 일행)과 허항령 가는 일행(시위·접반사 일행)은 서로 조심하라고 하면서 헤어졌다. 아들 경문 또한 좇아가니 작별 인사를 하였다. 마음의 심란함이 전일과 달랐다. 시위 일행과 두 사또의 일행은 모두 자포수(自浦水) 가에 도착하여 장막을 설치하여 머물러 잤다. 이 곳 역시 갑산 땅이다. 이 날의 여정은 비록 60리였으나, 사람과 말이 피로한 것이나 길이 힘들고 먼 것으로 말하자면 백리 길만 못하지 않았다.

무릇 이번 행차의 목적은 오로지 국경을 정하는 한 가지 일이었는데, 만약에 한 점이라도 미흡한 것이 있게 되면 반드시 삽목연지(揷木軟地 : 무른 땅에 꺾꽂이한 것처럼 불안함)의 처지에 이르게 될 것이므로, 임무를 맡은 이래 밤낮으로 걱정하였다. 하지만 다행히 총관과 같이 너그러운 사람을 만나, 환대와 친절한 말을 들었고 시비를 따지는 것을 보지 못하였으나, 고민되고 걱정스러운 것은 배나 더하였다. 지금 헤어지는 마당에 끝내 위태로울까 의심하고 머뭇거리기만 한다면 (저들에게서) 어떻게 명확한 언질을 받아 낼 수 있겠는가? 바쁘게 왔다 갔다 하는 사이에 나는 거연히 나아가 무릎을 꿇고 청하였다.

"소관이 절실히 우러러 청할 것이 있으나, 황송하여 감히 말씀드리지 못하고 지금까지 왔습니다."

"자네가 나에게 무슨 말하기 어려운 것이 있겠는가?"

내가 일어나 말하였다.

"소관(小官)은 조선의 백성이요, 백두산 또한 조선의 땅인데, 우리나라의 명산이라고 전해져 오고 있으므로, 원컨대 한 번 올라가 보는 것이 평생의 소원이었지만 길이 너무 멀어 이를 이룰 수 없었습니다. 이번 행차에 대인께서 소관의 늙고 병든 것을 불쌍히 여겨 동행을 허락지 않으시니, 백두산의 진면목을 한 번 보려는 소원이 허사로 돌아가게 되었습니다. 대인께서는 반드시 유윤길(劉允吉) 화사원(畵師員)으로 하여금 산의 형세를 그림으로 그리게 하여 한 폭을 내려 주신다면, 소관의 평생 소원을 대신할 수 있겠습니다. 그렇게 해주신다면 대인의 은덕을 어찌 다 헤아리겠습니까?"

"대국의 산천은 그림으로 그려줄 수 없지만, 백두산은 이미 그대들 나라 땅이니 그림 한 폭 그려주는 것이 어찌 어렵겠는가?"

"만약에 그것이 대국의 산이라면 어찌 감히 부탁할 마음이 생겼겠습니까?"

"잘 알았네."

나는 너무나 기쁘고 다행스러워서 어쩔 줄 모르고 물러나왔다. 숙소에 돌아와 두 사또에게 나아가 보고하였다.

"오늘에야 비로소 좋은 소식을 들었습니다."

"무슨 말인가?"

내가 총관을 만나 주고받은 말을 아뢰자,

"조정에서 염려하던 것이 오로지 그것이었는데, 총관이 '백두산은 그대들의 땅'이라는 말을 하였으니 어찌 다행한 일이 아니겠는가? 그대가 계책을 써서 그들의 뜻을 탐색하고, 겉과 속을 꿰뚫어 보니 참으로 일을 잘 한다고 하겠네."

즉시 이상의 내용으로써 장계를 작성하여 보내고, 집에도 편지를 부쳤다.

5월 9일 신묘

이른 아침에 총관 수행 차사원인 나난 만호 박도상이 장계를 보내왔다.

"총관이 곤장우(棍杖隅)로부터 15리쯤 가서 압록강 상류 동돌천 (東乭川) 강변에 도착하였습니다. 석벽에 도저히 발을 디딜 수가 없어서, 총관이 먼저 강을 건너 장막을 설치한 후에 우리 나라 사람들을 불러 머물러 잤습니다. 대통관으로 하여금 도끼꾼들을 거느리고 가서 길을 닦기 위해 먼저 가라고 하였습니다."

이 행차는 아침 8시쯤 출발하여 자포령(自浦嶺)을 넘어갔는데, 길이 험하고 진창이 많으며 삼나무가 우거져 그늘을 이룬 것이 지나온 길과 다르지 않았다. 60리를 가서 임연수(臨淵水) 천변에 장막을 설치한 곳에 도착하였다. 이 곳도 역시 갑산 땅이다. 숙소에 도착하기 5리쯤 못 미쳐서 우박이 퍼붓고 사나운 바람이 불어, 일행 중에 젖지 않은 사람이 한 사람도 없었다.

5월 10일 임진

아침 8시쯤에 출발하여 20리를 가서 허항령(虛項嶺)을 넘었다. 이곳은 백두산에서 뻗어나온 줄기로 무산과 갑산의 경계가 교차하는 곳이다.

함경도 도차사원인 부령(富寧) 부사 구후익(具後翼), 지방관인 무산(茂山) 부사 이찬원(李纘源), 잡물차사원인 경성 판관 한재원(韓在垣), 부마차사원 수성(輸城) 찰방 박규상(朴奎祥), 도로차사원 볼하(乶下) 첨사 김성징(金聲澄) 등이 이 곳에 와서 기다리고 있었다.

또 몇 리쯤 가자 길 왼쪽에 삼지연(三池淵)이 있었다. 그 너비가 각기 백여 보쯤 되었고, 그 중에서 가운데 못은 약간 크고 조그만 섬이 있었다. 그 경치는 참으로 바라보기 좋았다.

"흰 파도 푸른 산 자락
그림자 물 위에 출렁이고,
꽃 피어 있는 섬에

오리들이 그림처럼 아스라히 다니네"

이것은 이 아름다운 경치를 대략 읊은 것이다.

시위 이하가 모두 못가에 앉아 쉬었다. 어떤 사람은 물을 손으로 떠 마시고, 어떤 사람은 돌을 던져 새들을 놀라게 하였다. 그 모래와 돌은 모두 수말석(水沫石 : 거품돌)이었다. 오른쪽으로 보다회산(甫多會山)을 바라보니, 사태봉(沙汰峯)을 앞으로 하고 입모봉(笠冒峯)을 뒤로 하여 지름길이 나 있었다. 20리쯤 가자 길에서 큰 비를 만났다. 역졸들이 모두 말하기를,

"옛부터 삼지연이 극히 영험하다는 말이 전해 내려오는데, 못 근처에 사람이 가면 반드시 풍우가 일어난다 하더니 과연 그렇구나"

하였다. 이 때문에 비옷을 입고 가다가 장파(長坡)에 도착하였다. 이곳은 무산 땅이다.

임시 숙소가 설치되어 있었으나 형색이 말이 아니었고, 대기하고 있어야 할 향리나 군졸들이 한 명도 나와 맞이하지 않았다. 시위가 말에서 내려 담배를 피우고자 하였으나, 불을 붙여주는 사람도 없었다. 나머지 일들은 이를 미루어 보면 알 만하였다.

관찰사가 이 곳의 수령을 불러 면전에서 크게 질책하고, 담당 향리들을 찾아내어 엄중하게 곤장을 때린 다음에야, 일이 제대로 돌아가는 기미가 있었으나 역시 성의가 없었다. 인심이 불량하고 기강이 해이한 것이 가히 통탄스러웠다. 이 날은 60리를 갔다.

혜산을 지나온 후에는 낮에는 진창과 험난한 길을 가고, 밤에는 사람이 살지 않는 산골짜기에서 잠을 자고 보니 행중의 인마가 모두 피로한 가운데 연일 비가 내리고 또 바람과 우박이 엄습하는데도 덮을 만한 물건이 없어 대부분 무릎을 달달 떨고 있어 보기에도 지극히 불쌍하였다. 여기서부터 무산까지는 아직도 5일의 여정이 있는데, 비오는 모양새가 개일 것 같지 않아 반드시 많은 인마가 죽

거나 병들 걱정을 면할 수가 없었다. 어찌 민망하고 염려스러움이 심하지 않았겠는가? 하물며 백두산으로 간 일행은 산 정상으로 올라갈수록 바람의 형세가 더욱 차질 것이니, 그 어려움은 갑절이나 될 것이다. 돌아 내려올 기한도 또한 알 수 없으니, 어떻게 견디어 내고 있는지 생각하면 진실로 근심이 한두 가지가 아니었다.

5월 11일 계사

이른 아침에 총관 수행차사원인 거산 찰방 허량이 보낸 급보에 이르기를,

"일행이 출발 첫날, 저쪽 청나라 국경으로 건너가 머물러 자고, 다음 날 화피덕(樺皮德)을 경유하여 80리를 가서 다시 강을 건너와 머물러 잤는데, 거느리고 온 인마는 아직까지는 무사합니다. 내일은 동돌천(東乭川) 상류를 건너가 한덕립지당(韓德立支當)에 가서 머물러 잘 예정입니다. 11일에는 백두산의 수원을 가서 살필 작정을 하고 있는데, 오늘 뇌우가 이와 같이 크게 일어나니 내일 길을 갈 수 있을지 기약할 수 없습니다. 총관이 큰 소 한 마리와 재물로 쓸 소 반마리를 차사원에게 지급하여 일행 상하 모두에게 먹이라고 하였습니다"

하였다.

우리 행차는 아침 8시쯤에 출발하여 증산(甑山)을 지나 노은동산(魯隱東山)에 도착하여 머물러 잤다. 이 곳 역시 무산 땅으로, 역참에 임시 숙소를 만들어 놓은 것이 장파(長坡)보다는 조금 나았다. 어제 엄하게 다스린 효험이 아니겠는가? 역참에 몇 리 못 미쳐서 또 소나기를 만났다. 이 날은 70리를 갔다.

5월 12일 갑오   맑음

오전 10시쯤에 출발하여 소홍단수(小紅丹水)를 건너 대홍단수(大

紅丹水) 물가에 도착하였다. 무산에서 설치한 장막에서 머물러 잤다. 이 날은 50리를 갔다.

이른바 홍단수의 수원은 사태봉(沙汰峯) 밑에서 나와 굽이치고 돌고돌아 두만강으로 들어가는 지류이다. 오늘의 행군에서만 같은 물줄기를 세 번이나 건너왔다. 물 흐름이 하류로 갈수록 점점 커졌으므로 소·중·대의 명칭이 있게 되었다.

아침에 노은참(魯隱站)에서 출발할 무렵 집에서 보내온 편지가 공문과 함께 왔다. 친척 손자뻘인 평양의 선전관(宣傳官) 김명우(金命祐)가 4월 27일에 갑자기 죽었다는 소식이었다. 놀랍고 슬픈 마음을 금할 수 없었고, 그의 노모가 슬퍼할 모습을 생각하니 나도 모르게 눈물이 나왔다.

저녁에 접반사가 우리 일행은 임강대(臨江臺) 근처에 머물러 총관의 행차를 기다리고, 관찰사와 시위 일행은 무산으로 나아간다는 뜻을 보고서로 작성하여 서울로 보냈다. 그 편에 집으로 편지를 부쳤다.

시위가 나를 불러서 자기는 무산에 도착한 다음 날 강변으로 가서 마상선 만드는 것을 감독할 것이니, 재목이 있는 곳을 우리 나라 사람들이 가르쳐 주면 자기네 사람들도 함께 가서 보겠다고 말했다. 내가 두 사또에게 이 일을 보고하였다. 지토인(知土人 : 현지 관리인)은 근처에는 쓸 만한 큰 나무가 없고, 어윤강(魚潤江) 위아래에는 혹시 있을지 모르겠다고 하였다.

이 때문에 무산의 장교 2명과 소통사 1명과 청나라 사람 3명에게 양식을 주어 먼저 어윤강으로 보내어 찾아 보게 한 후에 전참(前站)에 와서 보고하도록 하였다.

5월 13일 을미   흐림

아침 식사 후 출발하였다. 가파른 언덕을 몇 개 넘어 40리를 가어윤강이 두만강과 합류하는 곳에 설치한 참(站)에 도착하여 유숙하였다. 이 곳은 길주(吉州)에서 관할하는 서북진(西北鎭)의 뒤를 돌아서 아래로 흐르는 곳이다. 배를 만들 재목을 보러 간 사람들이 와서 보고하였는데, 비록 큰 나무들이 있기는 하지만 배를 만들기에 적합한 것은 절대 없다고 하였다. 다시 그들에게 분부하여 원근을 막론하고 반드시 구해 보도록 지시하고 돌려보냈다. 또 장경에게 갑군 2명과 장교 1명을 대동하고 5일분의 식량을 가지고 가서 총관이 오는 길에서 맞이하도록 하였다.

5월 14일 병신 맑음

이른 아침에 접반사가 먼저 출발하여 여기에서 5리 떨어진, 임강대(臨江臺)의 촌사(村舍)에서 머물렀다. 시위 일행은 아침 8시쯤 출발하여 여기서부터 또 두만강을 끼고 나아가 임강대 앞에 도착하였다. 접반사가 김만회로 하여금 길에서 시위와 주사의 안부를 묻게 하였다. 나와 이세만은 잠시 접반사가 머무르는 곳에 들어가 말씀을 드리고, 홍선장(洪善長)과 작별한 후에 따라갔다.

혜산을 떠난 지 8일 만에 지금 다시 사람이 사는 집과 논밭을 보니 기뻤다. 30리를 가서 박하천(朴下川)에 도착하였다. 이 곳 또한 길주 산간에서 나와 두만강으로 흘러 들어가는 큰 냇물이다. 관찰사의 뜻을 시위에게 전달하여, 잠시 냇가에 머물면서 쌀밥과 약과를 일행에게 나누어 주고 역마에게도 죽을 먹인 후 출발하였다. 산양애로(山羊崖路)를 지나 산양령(山羊嶺) 독소(篤所)에 도착하였다. 여기에는 논이 있었는데 토양도 역시 좋다고 한다. 함께 60리를 가서 무산부(茂山府)에 이르렀다. 관아 건물이 넓어, 손님들과 접반사 일행이 많기는 하였지만 충분히 나누어 유숙할 수 있었다. 그러나 건물은 한결같이 텅 비어 대기하는 사람이 없었다. 도차원 구령(具令)이 마음 속으로 매우 괘씸하게 생각하여, 그가 거느리고 온 나졸들로 하여금 본부의 중군(中軍)과 향소(鄕所) 담당자를 수색하여 잡아오게 하여 위엄을 보이려 하였으나, 내가 권하여 분을 풀도록 하며 말하기를,

"변경의 무식한 자들이 처음 타국의 사신 일행들을 맞이하여, 다만 두려운 마음만 가지고 접대할 조치를 생각하지 못하였으니, 책망하고 타이를 뿐이지 위엄을 보일 일은 아닙니다"

하며 잘 알아듣도록 절실히 타이르자 중군은 장교들을 시켜, 향소의 여러 아전들을 불러오게 하였다. 이에 구후익이 지휘하여 각 방(房)의 담당자들을 정하고 있을 때 관찰사가 도착하였다. 나에게 사람을 보내어 불렀으나, 그 때 마침 관아에서 조치할 일이 있어 즉시 나아가지 못하였다. 조금 있다가 나아가 뵈니 나무라는 말이 있었지만, 지금까지 있었던 일을 보고하자 곧 노여움을 풀었다. 나는 황공함을 이길 수 없었다.

저녁에 배를 만들 재목을 보러 간 사람들이 돌아와 말하기를, 관아의 남쪽 30리 떨어진 곳에 있는 이화동(梨花洞)에 큰 재목들이 있어 배를 만드는 데 적합하겠다고 하였다. 시위가

"또 배를 만들어 떠내려 보낼 개울물이 있느냐?"

하고 묻자 그들은 개울은 있지만, 돌이 많고 물이 얕아 반드시 인력을 많이 동원하여야 아래로 운송할 수 있겠다고 대답했다. 시위가 말하기를,

"내가 내일 직접 가서 보아야겠다. 같이 갈 사람은 우리쪽 사람 10명과 장교 2명, 그리고 하급 통역관 1명이면 되겠다. 장막과 돗자리와 음식물과 조리 기구들은 2마리의 말에 실을 것이니, 이로써 짐 실을 말을 대기시키는 것이 좋겠다"

하여, 내가

"대인의 행차에 저와 도차원이 어찌 모시고 가지 않을 수 있겠습니까?"

하였더니

"소통사 1명이면 족히 통역을 할 수 있을 것이요, 군인들에게 일을 시키는 것은 내가 능히 지휘할 수 있소. 노인에게 수고를 끼치는 것은 내 뜻이 아니오. 또 관아에 머물러 있는 주사 이하의 사람들은 누가 접대할 것이오?"

하였다. 이를 관찰사에게 보고하자 관찰사는 말하기를,

"저들의 말이 비록 그러하더라도, 어떻게 그들만 보내서 마음대로 돌아다니도록 하겠는가? 도차원과 이세만은 반드시 따라가도록 해야 하겠다"

하였다.

5월 15일 정유   맑음

무산부에서 머물렀다. 지난밤에 총관을 따라갔던 접반사 군관인 선전관 이의복에게서 급보가 왔다.

"11일에 총관이 백두산 정상에 올랐습니다. 압록강의 근원이 과연 산 중턱 남쪽 가장자리에서 나오는 까닭에 이쪽은 이미 경계를 정하였습니다. 그러나 토문강의 근원은 백두산 동쪽 가의 가장 아래에 하나의 작은 물줄기가 동쪽으로 흐르는 것이 있어 총관이 이것을 두만강의 근원으로 삼았습니다. 두 물줄기 사이에 있는 고갯마루 위에 비석 하나를 세워 경계를 확정하려고 합니다. 비를 세워 경계를 정하는 것은 황제의 지시에 따른 것이기 때문에, 접반사와 관찰사도 역시 비석에 이름을 새겨야 할 것 같은데 가부를 묻고자 합니다. 운운"

또 비문을 베껴 보내왔는데, 거기에는 다음 같이 기록되었다.

"오라 총관 목극등은 황제의 명을 받들어 변경을 조사하고자 여기까지 와서 살폈다. 서쪽 지류가 압록강이 되고 동쪽 지류가 토문강이 되니, 분수령 위에 돌을 새겨 기록한다."

보고서에는 또 총관이 장차 개울 언덕을 따라 살피며 내려갈 것이라고 말하였다. 접반사가 즉시 문서로 전령하였다.

"접반사와 관찰사는 총관이 남아 있으라고 하여 함께 가지 못하였기 때문에 비석에 이름을 새기는 것은 성실한 일이 아닐 것이다. 차원, 군관, 역관 6인의 이름을 함께 돌에 새긴다면 가히 후일의 명백한 증거가 될 것이다. 총관이 저희 둘의 성명을 반드시 함께 새기겠다고 한다면 또한 구태여 다툴 것은 없다"

하고, 걸음이 날쌘 역졸을 특별히 뽑아서 보내도록 하였다. 후에 김경문 등의 편지가 도착하였다. 그 내용을 요약하면 다음과 같다.

"총관이 비를 세워 경계를 정하고자 하여, 동쪽으로 흐르는 물을 그쪽 대통관과 우리 나라 군관 조태상 및 역관 김응헌으로 하여금 길 안내인들을 데리고 60여 리를 가 보게 하니, 확실히 물길이 있어 의심스러울 것이 없는 것 같습니다."

식사 후 시위가 이화동을 향하여 출발하였다. 주사, 통관 그리고 우리들은 모두 남문 밖 5리 길에서 전송하였는데, 시위는 자신의 기치(旗幟)와 연봉(延鋒)과 의장[威儀]을 모두 남겨 두고, 다만 말 한 필만 끌고 갔다. 도차원 구령과 판관 이세만이 뒤따라 수행하였다.

약천(藥泉) 남구만(南九萬) 정승이 함경도 관찰사로 있을 때 시행한 조치들 가운데 은혜로운 것들이 많았는데, 그러한 혜택이 이 곳에는 더욱 많이 미쳤으므로 이 곳 사람들이 고을에 생사당을 건립하여 제사하였고, 신묘년(1711, 숙종 37)에 이르러 정승이 돌아가신 후에는 또 향교 곁에 사당을 세웠다. 나 역시 남 정승으로부터 직접 가르침을 받은 친분이 있었으므로, 지금 이 곳에 도착하고 보니 사모하는 마음이 구름처럼 피어났다. 참배하여 공경하는 뜻을 표하고자 생각하고 있던 참에 이 고을에 사는 전직 효릉(孝陵) 참봉 채우주(蔡宇柱)가 나의 숙소로 방문하였다. 그가 남 정승에게서 학문을 배운 일과 사당 창건을 주관하던 연유를 대략 이야기하였다. 즉시 그와 함께 같이 가 보았다. 새로 지은 사당은 객사(客舍) 북쪽 수십 보 떨어진 곳에 있었는데, 향교의 동남쪽 모서리에 해당하는 곳이었다. 사당은 규모가 장려하지는 않으나 매우 정결하였다. 우러러보며 절하고 위패를 봉심(奉審)하니, 추모하는 정이 갑절이나 절실하고 비감한 회포를 금할 수 없었다.

5월 16일 무술 맑음

무산부에 머물렀다. 이른 아침에 도차원이 이화동에서 보고서를 보내왔다.

"시위가 이 곳에 도착한 후에, 네 아름쯤 되는 큰 나무 다섯 그루를 베어 즉시 작업에 착수하였습니다. 당일에 마상선 1척을 완성하였고, 또 1척을 만드는 작업이 이미 반쯤 끝났습니다. 오늘 종일토록 작업하면 능히 3척의 마상선을 완성할 수 있을 것입니다. 내일은 작업을 마치고 돌아갈 수 있을 것입니다."

대략 임강대 소식을 들으니, 어제 접반사가 머물렀던 집 주인인 전직 권관 원익성(元益成)이란 사람이 접반사에게 이렇게 말하였다.

"북병사(北兵使)의 지도에 그려져 있는 이른바 두만강이란 것은 바로 이 대홍단수입니다. 그러나 이 밖에 또 백두산 동쪽에서 발원한 물이 있습니다. 흐르기도 하고 끊어지기도 하면서 어윤강(魚潤江)과 합쳐지는데, 대홍단수에 몇 리 위에서 합류하는 것이 진짜 두만강입니다. 저는 아직 멀리 가보지 못하였으나, 무산의 절충장군(折

衝將軍) 채진귀(蔡震龜)와 한량(閑良) 한치익(韓致益)이 상세히 알고
있다고 합니다."

접반사가 채진귀와 한치익 두 사람을 불러 물어본즉, 그들의 말
이 똑같았으므로 이것을 가지고 조정에 올리는 보고서를 작성하고,
채·한 두 사람에게는 양식을 주어 보내어 다시 상세히 살펴보고
오도록 하였다고 한다. 이것이 만약 진실한 말이라면 좋겠지만, 만
약 허망한 말이라면 그것을 지레 조정에 보고한 것은 일을 그르칠
우려가 없지 않았다. 우선 두 사람이 자세히 관찰하여 오기를 기다
려 보는 것도 늦지 않을 듯하였다.

5월 17일 기해　흐리고 비

아침에는 흐렸고, 저녁에는 비가 왔다. 무산부에서 계속 머물렀
다. 이른 아침에 도차원의 보고서가 도착하였다. 4척의 마상선 제작
을 마쳤으니, 배를 운송할 군인 사오십 명을 보내 주면 즉시 배를
띄울 수 있고, 또 시위의 행차는 아침 전에 관아에 도착한다는 내용
이었다. 관찰사가 본 고을 수령에게 분부하여 책임자를 정하여 배
의 운행을 감독하도록 하였다. 아침 8시쯤에 나와 유관차사원(留官
差使員 : 관소 담당관) 박규상이 10리 밖에 나가 대기하고 있다가 시
위를 맞이하였다.

그는 즐거운 안색을 띠며 대응하는 것이 매우 은근하였다. 주사
와 통관이 기치와 의장을 거느리고 5리 앞에 나가서 마중하여 숙소
로 돌아왔다. 날이 저물 무렵 큰 비가 오는 가운데 필첩식 소이선이
종자 3명을 데리고 총관의 보고서를 가지고 백두산에서부터 말을
달려왔다. 아들 경문도 역시 그들을 수행하여 왔다. 내가 필첩식에
게 묻기를,

"보고서의 내용은 과연 어떠한 것인가요?"

했더니, 필첩식은

"귀하도 이미 모두 알고 있겠지만, 대개의 내용은 장백산을 살펴보고 경계를 정한 상황과 접반사와 관찰사가 와서 행차를 지원한 일 및 국왕이 특별히 보낸 호조의 관원이 연회를 베풀어 환대한 일 등이 포함되어 있습니다"

하였다. 공적으로 말하면 우리 조정에서 걱정하던 일이 이제 말끔히 해결되었고, 사적으로 말하면 우리 집 아이가 위험을 무릅쓰고 건강하게 일을 마치고 돌아오니 공적으로나 사적으로나 그 기쁜 것을 말할 수 없었다. 필첩식이 말하기를,

"지금은 공문서 보내는 일이 긴급합니다. 여기서부터 후춘으로 달려가 3일 안으로 국경을 넘어가고자 하니, 사람이 타고 짐을 운반할 인부와 말들을 신속히 준비하여 대기시켜야 합니다. 제가 오는 길에 접반사에게 이야기하였으니, 이미 각 읍에 지시하였겠지만, 조금도 차질 없이 할 뜻을 관찰사 또한 부하들에게 엄명을 내려두는 것이 좋겠습니다"

하기에,

"분부하신 말씀은 관찰사에게 보고하여 그대로 시행하도록 하겠습니다. 그러나 폭우가 쏟아지는 것이 이렇게 심하고 또 지금은 밤이 늦었으니, 어찌 출발할 수 있겠습니까? 여기서 머물러 휴식하고 내일 아침 일찍 떠나도 늦지 않을 것입니다"

라고 내가 만류하므로,

"시위 대인도 또한 내일 아침에 출발하는 것이 좋겠다고 하시니, 형편상 머물기는 하겠으나, 이 통역관은 경원까지 함께 가기로 접반사와 결정하였습니다"

하였다. 내가 즉시 이 사실을 관찰사에게 보고하니, 관찰사가 말하기를,

"이와 같이 긴급한 일을 어찌 저 사람의 말을 기다려 하겠는가? 벌써 공문을 발송하였다. 이세만은 비록 이미 보내기로 결정하였지만, 하급 통역관 1명도 후춘에 함께 가서 인부와 말을 거느리고 돌아오게 하라"
하였다.

숙소로 돌아와 아들 경문과 함께 조용히 그 험한 여정에서 겪은 온갖 고생한 일들을 들었으나, 그것이 나라를 위한 일이었으므로 감히 고생했다고 말하지는 못하였다. 총관은 인품이 너그러우며 마음가짐이 소박하였으나, 공무를 수행하는 데 있어서는 성의를 다하였고, 일 처리가 명확하여 족히 후세에 칭찬받을 만했다. 자기 위세를 믿고 호통만 치는 사람들과 같이 평할 수 있겠는가? 이에 그와 함께 백두산을 따라갔다 온 자의 기록을 아래에 별도로 수록하여 후일의 참고 자료로 삼는다.

5월 18일 경자   맑음

먼동이 틀 무렵에 필첩식이 수행원 2명과 함께 출발하였다. 작별할 때, 내가 담뱃대 3개, 부싯쇠 3개, 왜섭자(倭攝子) 2대, 청심환 5알을 선물로 주고 좋은 말로 위로하였더니 필첩식은 사례하여 마지않고 떠났다. 판관 이세만도 그를 수행하여 출발하였는데, 내가 그에게 당부하기를,

"함경도는 원래 인심이 좋지 않다고 하니, 그대가 차사원 일을 하는 데도 역시 등한히 하지 말라. 마음을 다하고 근신하여 사람들의 입에 오르지 않도록 하라. 이것이 그대에게 바라는 바이다"
라 하고 보냈다. 이른 아침에 선전관 이의복에게서 보고서가 왔다.

"총관이 두만강 원류에 혹시 물줄기가 끊기는 곳이 있는지 명백하게 살펴보는 것이 좋겠다고 합니다. 현재 물줄기를 따라 아래로

내려가고 있습니다. 운운"

또 임강대에서 소식이 왔다. 어제 접반사가 이 보고서를 보고 채진귀가 말한 두만강 합류처로 출발하여 강을 따라 거슬러 올라가 총관을 영접할 계획이었다. 그리하여 수십 리를 가다가 장경과 채진귀 등을 만났는데, 그들로부터 산길이 너무나 험하여 결코 전진할 수 없다는 말을 듣고, 되돌아와 임강대의 숙소에 머무르고 있다고 하였다. 정오에 장경이 돌아와서 말하였다.

"도로의 험악함이 갈수록 더욱 심하여, 3일간 행군하였으나 겨우 100여 리를 갔습니다. 또 큰 비를 만나 곳곳에 물이 넘쳐 전진할 방법이 도무지 없었고, 양식도 다 떨어져 부득이 돌아왔습니다."

서울로 장계를 올리는 편에 집으로 편지를 부쳤다.

5월 19일 신축   맑음

이른 아침에 백두산으로 갔던 차원과 군관 등에게서 보고서가 왔다.

"총관이 반드시 연강(沿江)을 시찰하고자 하여 이미 출발하였습니다. 길이 얼마나 멀고 가까운지, 행군에 얼마나 시간이 걸릴지 잘 알 수는 없으나 일행의 양식이 지금 이미 바닥이 났습니다. 속히 운송하여 이 곤경을 구해 주시기 바랍니다."

즉시 특별히 장교를 뽑아 연강의 길로 양식을 운반하도록 하였다. 그러나 마침 큰 비가 내린 후인지라 분명히 산골짜기의 물은 불어 넘치고 있을 것이다. 비록 관찰사가 엄하게 지시하기는 하였지만, 어떻게 날아가듯이 도달할 수 있겠는가? 많은 사람들과 말들이 장차 굶주림을 면치 못할 상황이 올 것을 극히 염려하였다. 오후에 시위가 말하였다.

"객관에서 한가히 앉아 낮잠이나 일삼느니 차라리 사냥이나 하면서 걱정을 털어버리는 것이 낫겠다"

하고는, 수삼 명의 포수와 궁수 및 수행원들을 데리고 마상선을 타고 강을 건너갔다. 그러나 해어름이 되도록 한 마리의 짐승도 잡지 못하고 돌아왔다. 아들 경문은 약천 선생의 사당을 배알하고 돌아왔다.

시위가 또 말하기를,

"총관 대인이 15일에 비석 세우는 일을 마치고 16일에 이미 길을 떠났으니, 노정을 헤아려 보건대 지금쯤 소식이 있을 법한데, 시한이 지나도록 전혀 소식이 없으니 매우 이상하지 않은가? 내일은 내가 연강의 길로 출발하여 총관의 행차를 마중해야겠다. 짐꾼과 말을 준비하여 대기하도록 포정사(布政事 : 관찰사)에게 보고하라"

하므로,

"날짜를 헤아려 보면 대인의 말씀이 옳습니다. 그러나 전령을 보지 않고 지레 출발했다가 혹시 중도에서 헤매게 되면, 인부와 말이 고생하는 것은 그렇다 치더라도 대인의 존체에 손상이 오면 어찌하겠습니까? 재삼 고려하셔서 소식을 기다려 보는 것이 좋을 듯합니다"

라고 대답하였다. 이를 관찰사에게 보고하였다.

"전령을 보지 않고 미리 출발한다면, 여러 가지 폐단이 생길 것이다. 잘 타일러 만류하도록 하는 것이 현재로서는 유일한 수단이다. 다만 내가 접반사와 만나 직접 의논할 일이 있으니, 내일 아침에 임강대로 떠났다가 즉시 돌아올 것이다. 칙사가 어디로 갔느냐고 묻거든, 백성의 송사를 처리할 일로 여기서부터 남쪽 10여 리 되는 곳으로 갔다고 말하고 임강대로 갔다는 것을 누설하지 않도록 하라."

관사로 가서 시위에게 흩어져서는 안 된다는 뜻으로 설득했더니 그가 말하기를,

"그대의 말에도 이치가 있는 듯하다. 나는 여기서 잠시 머무를 것이지만, 장경을 맞이하러 보낼 것이니 인부와 말을 준비해 보내도록 즉시 차사원에게 분부하여 대기하도록 하라"

하였다. 저녁에 관찰사가 백두산으로 간 일행에게 보낸 양식이 혹시나 도착하지 못했을까 걱정하여, 또다시 따로 장교를 정하여 두 바리의 양식과 반찬거리를 싣고 풍산(豊山) 만호(萬戶) 한세흠(韓世欽)으로 하여금 인솔하여 보냈다. 한세흠이 가는 길에 접반사를 배알하자, 접반사가 또 김만희를 아울러 보냈다고 한다. 서울에서 오는 파발편에 집에서 부친 편지를 받아 보았다.

5월 20일 임인   맑음

동틀 무렵에 장경이 수행인 세 사람을 거느리고 출발하였다. 장교 2명과 하급 통역관 1명을 딸려 보냈다. 8시쯤에 관찰사가 의장행렬을 생략하고 수행인들을 간략히 하여 임강대(臨江臺)로 출발하였다. 아들 경문도 역시 그를 수행하여 갔다. 식사 후에 시위가 포수 2인과 궁수 2인을 거느리고 또다시 사냥하러 강을 건너 저들 지역으로 갔다. 오후 늦게 큰 사슴 한 마리와 작은 노루 한 마리를 잡아서 돌아왔다. 내가 도차원과 더불어 서헌(西軒)에 문안드리러 갔다. 주사와 통역관도 역시 와서 함께 모였다. 한참 있다가 인사를 드리고 물러나 돌아오고자 하니 시위가 말하였다.

"내가 할 말이 있다. 김 동지는 머물러 있다가 나중에 별도로 가시오"

라고 하였다. 두 나라 사람들이 모두 흩어져 돌아간 후에 시위가 나에게 말하였다.

"너희 나라 관리와 백성들의 나쁜 짓이 심하다. 금법을 두려워하지 않음이 어찌 이렇게 심한가?"

"대개 이 곳 무산 고을은 처음에는 내지에 있었는데 파수를 위하여 강변으로 옮기고 이주한 백성들은 거주지가 안정되지 않았습니다. 하물며 지방관이 재임한 지 얼마 되지 않아 백성을 다스리는 행정과 사신을 접대하는 도리가 볼 만한 것이 하나도 없습니다. 그러므로 관찰사가 날마다 걱정하여 오직 죄를 얻을까 두려워하는 것도 이 때문입니다."

"그것을 말하는 것이 아니다. 내가 사냥하러 강을 건너가 살펴본즉 중국영토의 수목이 무수히 남벌되어 있고 수레로 실어 나른 흔적이 뚜렷하며 이 곳의 건축물에 사용한 것이 모두 중국의 재목을 쓴 것이다. 조금이라도 꺼리고 조심하는 마음이 있다면 어찌 이와 같이 할 수 있겠는가? 우리가 이번 행차한 것은 오로지 경계를 정하기 위하여 왔으니 변경의 허술함을 목격하고도 아무말도 하지 않을 수 있겠는가?"

내가 국가의 명을 받든 이래로 마치 바늘방석에 앉아 있는 것 같아서 늘 삼가고 두려워하는 마음가짐이 있었는데 갑자기 뜻밖의 놀라운 얘기를 들으니 심장이 얼어붙고 간담이 떨어지는 것 같아서 어찌할 바를 몰랐다. 벌목이 일을 일으킬 것이라는 걱정을 일찍부터 하여 왔지만, 그 결과가 어떠할지 생각하면 나도 모르게 눈물이 흘러내렸다.

시위가 나를 보고 위로하여 말하기를,

"김 동지, 그대는 왜 그렇게 상심하는가?"

하므로, 나는 안색을 고치며 말했다.

"이 곳은 곧 우리 나라의 극히 멀리 떨어진 변방지역으로 임금의 교화가 미치지 못하는 황폐한 곳입니다. 어리석은 백성들이 무식하여 이와 같이 놀라운 일을 저질렀습니다. 이와 같은 범죄를 저지른 죄인들은 그에 마땅한 극형에 처하여도 애석할 것이 없지만, 이 일이 한 번 드러나기만 하면 죄없이 죽음을 당할 자가 수없이 많을 것이고 저도 또한 죄를 면할 수 없을 것입니다. 어찌 상심하고 가슴 아프지 않겠습니까? 제가 행차를 수행한 지가 이미 수십 일이 지났지만 지나는 길마다 대인께서 우리 나라에서 매번 한 가지라도 폐를 끼칠까 염려하고 한 사람이라도 다칠까 염려하는 말씀이 있었으니, 우리 나라에 위아래 사람들이 누가 대인의 크고 어진 덕을 고마워하지 않겠습니까? 대인의 측은하신 마음으로 어찌 차마 이러한 시끄러운 사단을 일으키려고 하겠습니까?"

"그대의 말이 이와 같으니 내 마땅히 그대의 얼굴을 보아 입을 다물고 말하지 않겠다"

고 하였다. 내가 백 번 머리를 조아리고 사례하여 말하였다.

"대인의 말씀이 이와 같으니 진실로 생사간에 뼈에 사무치는 은혜입니다. 그러나 총관대인께서는 행정을 처리하심이 지나치게 엄격하시니, 만약 이러한 기미를 아시게 되면 반드시 용서하지 않을 것입니다. 어찌하면 좋겠습니까?"

"그 문제에 대해 너는 염려하지 말라. 내가 입을 열지 않으면 총관이 어떻게 알겠느냐? 그러나 나를 따라가서 보았던 자들이 많으니 이들의 입을 모두 막기는 어려울 것이다."

내가 핑계대서 말하기를,

"그러한 사정은 긴급한 사항이 아닙니다. 우리 나라의 변두리 백성들이 죄를 범하는 것은 모두 금법을 알지 못한 망령된 소치입니다. 이번에 따라갔다 온 사람들은 이들보다도 더 미천한 사람들이니 또한 어찌 국경을 범하는 것이 중대한 일임을 알고 말을 하겠습니까?"

하였더니, 시위 또한

"과연 너의 말대로라면 염려할 바가 없겠다"

하였다. 내가 거듭 감사를 드리고 황송한 몸짓으로 나왔는데 날이 이미 어두워졌다. 도차사원 구후익이 그 때까지 중대청에서 기다리고 있다가 나를 맞이하며 말하였다.

"무슨 중대한 일이 있어서 이와 같이 오래 걸렸습니까?"

내가 문답했던 사실들을 모두 말해 주었다. 구후익은 크게 놀라며 한편으로 기뻐하면서 말하였다.

"이 곳에 과연 이런 놀라운 일들이 있는 것을 내가 일찍이 대략 듣고 있었으나 일이 워낙 중대하여 입 밖으로 내지 못하였습니다. 지금 이 말을 들으니 시위는 크게 너그러운 분이라고 할 수 있겠습니다. 당신(김지남)께서 주선하여 덮어버렸으니 옛 사람에게 부끄러움이 없습니다. 반드시 조정에서 큰 상을 아끼지 않을 것입니다. 무산 일대의 잘못을 저지른 범죄자들 이외에 감사, 병사, 수령, 변장 등 그 책임을 져야 할 당사자들이 누가 영감의 은혜에 보답하고자 하지 않겠습니까?"

"국가의 중대사를 당하여 성심성의를 다하는 것은 직분상 당연히 할 일이지 어찌 공을 바란다거나 보답을 바라고 하는 일이겠습니까?"

"이 또한 사람들을 탄복시키는 말씀입니다. 그러나 이 곳의 인심이 지극히 교활하고 간악하니, 신중히 하여 일을 누설하지 말고 진중하게 처리하십시오."

내가 물러나 숙소에 돌아오니 참봉 채우주가 와서 기다린 지가 오래였다. 인사를 나눈 후에 채 참봉이 말하였다.

"오늘 관중(청사신 숙소)에서 어떠한 이야기가 있었는가?"

"이야깃거리가 있고 없고는 모름지기 논할 바가 없고 내가 다른 일로 들은 일이 있으니, 그 까닭을 상세히 안 연후에 가히 주선할 방도가 있겠습니다. 이 곳 사람들이 일찍이 강을 건너가서 재목을 베어 온 일이 있습니까? 당신께서는 숨기지 말고 명백히 이야기하여 대처할 방도로 삼는 것이 좋겠습니다"
라고 내가 천천히 말하니까 채 참봉이 매우 놀라 얼굴빛이 달라지며 말하였다.

"변경의 어리석은 백성들이 국가의 금법이 엄중한 것을 알지 못하고 과연 지난해 겨울에 국경을 넘어 재목을 가져왔는데, 그 수가 매우 많았습니다. 벌목한 흔적과 운반한 자취를 끝내 숨기지 못한 까닭에 칙사의 행차가 이 곳을 거쳐간다는 소문을 들은 후 경내의 모든 사람들이 상심하고 걱정하지 않는 사람이 없었습니다. 무릇 사신을 접대하는 도리에 있어서 가는 곳마다 사단을 일으킨 것은 바로 이 때문입니다. 또 듣건대 칙사가 매일 국경을 건너 수렵한다는 소문을 들었습니다. 지금 일이 이미 탄로났는데 아직도 발설하는 거조가 없으니 그 까닭을 알 수 없습니다. 저의 생각으로는 반드시 말이 있었는데 영감께서 충분히 잘 처리한 것으로 압니다. 이번에 영감께서 오신 것은 바로 무산 백성들을 죽음에서 다시 태어나게 하신 것입니다. 이는 어찌 하늘이 보우하고 귀신이 도운 것이 아니겠습니까?"

"만약 이 일이 발설되면 어찌 다만 무산 사람들의 불행일 뿐이겠습니까? 심지어는 국가에도 막중한 대사입니다. 바라옵건대 당신께서는 절대 발설되지 않게 하여 좋은 결과를 볼 수 있도록 하는 것이 좋겠습니다"
라고 하였다. 그를 잘 대우하여 보냈다.

5월 21일 계묘　맑음

임강대에서 온 기별을 들으니 어제 두 사또께서 상의한 후에 장교 3인을 정하여서 식량과 음식물을 가지고 김경문으로 하여금 인솔하여 보내어서 총관의 일행을 인도해 오도록 하였는데, 채진귀(蔡震龜)가 말한 물가를 따라서 내려오도록 하였다.

시위는 호걸스러운 무장이라, 울적한 심사를 참지 못하고 식사 후에 나를 불러 말하였다.

"내가 지금 혼자서 총관을 맞으러 가겠소. 김 동지, 그대는 움직이지 말고 있으시오. 당신이 만약 따라오게 되면 숙소에 있는 사람들이 모두 함께 따라 나설 것이오."

단지 수행인 두 사람과 하나의 천막을 가지고 의연히 출발하였다. 비록 능란한 언변이 있더라도 결코 저지할 수가 없었다. 그가 혼자 가도록 놓아두는 것은 사체와 관례에 어긋나기 때문에 뒤따라 출발하고자 하니 머물고 있던 자들이 다같이 일어났다. 이러한 지경을 당하니 매우 고민스러움을 금할 수 없었다. 겨우 시위를 돌이킬 뜻을 주사에게 타일러 머무르도록 하였다. 구후익에게 부탁하여 본관 수령과 함께 관중을 떠나지 말고 지키도록 하였다. 이에 말을 채찍질하여 달려서 시위 일행을 좇아 20리쯤 가니, 시위가 말하기를,

"유숙하고 있는 자들이 움직이지 않던가? 어찌하여 이렇게 왔는가?"

하였다.

"대인께서 이미 중도에서 맞이하기로 하였는데 소관의 도리로 멀리 맞이하러 나가지 않을 수 없다는 뜻을 주사에게 백방으로 말하고 왔습니다."

"그러면 잘 되었다"

하였다. 그리고 10리쯤 가서 남창(南倉)에 도착하니 관찰사 일행이 무산의 길로 되돌아가다가 점심 먹으려고 머무르고 있었다고 한다. 잠시 들러서 인사드리고 10여 리를 가서 임강대의 접반사가 머무르는 처소에 도착하였다. 차례로 들어가 인사드리고 무산의 현안 문

제를 보고하고 싶었으나, 주위가 번거로워서 하지 못하였다. 이어서
시위를 따라 출발하려 할 때 풍산 만호 한세흠이 특별히 사람을 보
내 보고하였다.

"총관의 일행이 백두산 수원으로부터 물줄기를 따라 내려와서 남
증산에 도착한 후 노은동산 길을 경유하여 지금 바야흐로 급히 오
고 있는 중입니다"

라고 하였다. 내가 시위를 따라 급히 달려가니 접반사도 역시 따라
출발하였다. 어윤강변의 임시 숙소에 도착하니 김만희가 먼저 와서
총관의 도착을 알렸다. 내가 시위를 따라 앞으로 나아가니 5리도 못
되어 총관의 행차를 만났다. 말을 내려 총관 말 앞에서 인사를 드리
니 총관이 특별히 환대하며 맞아 주었다. 그 다음 대통관 이하 우리
나라 여러 사람에게 노고를 위문하였다. 각기 숙소로 돌아온 후 비
로소 차원, 군관 등이 접반사 앞에서 자세하게 말하는 것을 들었다.
그에 따르면, 분수령 위에 이미 비(碑)를 세웠고 동쪽으로 물이 흐르
다가 끊어진 곳으로부터 100여 리를 총관이 직접 가서 물이 솟아나
는 곳을 찾아다녔으며 우리 나라 사람과 통역관 하인들을 시켜 수
일 동안 두루 찾도록 하였다. 가장 아래에서 작은 물줄기를 찾았는
데, 총관은 이를 두만강의 근원으로 삼았다고 한다.

그러나 그 물줄기를 따라 찾아 내려간즉 그 물줄기는 남증산 근
처에서 합쳐지는데, 이것이 전에 송태선(宋太先) 등이 말하던 세 물
줄기가 솟아난다는 곳으로부터 북쪽으로 20여 리 떨어진 곳이다.

총관과 우리 나라 여러 사람들이 같이 산꼭대기에 올라가서 그
자세한 것을 살피고 산밑으로 왕래하면서 두루 살피고 찾았는데, 이
물줄기 이외에는 동북 변방의 100리 내에는 다른 물줄기가 없으므
로 일행이 모두 이로써 두만강의 근원으로 삼고 그 물줄기를 따라
아래로 내려왔다. 남증산 이후에는 강변에 난 길이 극히 험하고 끊

어져서 걸을 수가 없었기 때문에 노은동산으로 나와서 대로를 따라
걸어왔다고 하였다.

내가 총관의 노고를 위로하는 접반사의 인사말을 전하니, 총관이
으레 응답하고 말하였다.

"얼굴을 맞대고 논의할 사항이 있으니 지금 만나기를 청한다"
고 하였다. 접반사가 총관의 숙소에 나아가 인사하고 좌정한 후에
행역(行役)의 어려움을 위로하였다. 그러자 총관은, 정계비를 세우는
일은 황제께서 피차의 간사한 백성들이 국경을 넘나드는 폐단을 막
으려는 뜻에서 나왔으며 또 두만강의 근원이 끊어져 매우 멀리 떨
어져 있는데도 힘써 어렵게 찾아 겨우 그 강의 줄기를 찾게 되었다
고 하였다.

접반사가 말하기를,

"임강대 근처에 한 물줄기가 있어 대홍단수에 합쳐지는데, 이 물
은 백두산의 동쪽으로 흐르는 물로서 이것이 진실로 두만강이고, 대
인께서 찾은 물줄기는 대홍단수 상류입니다"
라고 하자, 총관이 즉시 산도(山圖)를 꺼내서 일일이 가리키면서 말
하였다.

"나와 조선인이 함께 산에 있을 때에 형세를 자세히 살핀 후에
산을 내려와서 두루 수원을 찾았는데 이 물 이외에는 다른 물은 없
었다."

"임강대 상변에 와서 합치는 물을 이 곳 사람들은 모두 두만강이
라고 칭합니다. 그 곳은 이 곳으로부터 불과 10여 리밖에 떨어져 있
지 않으니, 대인께서 만약 잠깐 가서 보시면 실상을 아시게 될 것입
니다."

"내가 혜산에 있을 때 너희 나라 길 안내인에게 자세히 물은즉
동쪽으로 흐르는 물은 물줄기가 끊어져 100여 리를 지난 후에 비로

소 솟아난다고 말하였다. 지금 내가 찾아낸 수원은 이 이야기와 서로 부합되는데, 접반사가 말한 물줄기가 과연 진짜 두만강의 줄기라면 당초에 너희 나라 사람들이 어찌하여 명확하게 설명하지 않았느냐? 그 말은 어디에서부터 나온 것인가?"

"혜산에서 불러서 물어 본 사람은 바로 갑산 사람이니, 그는 압록강 근원은 잘 알지만 두만강 근원에 대해서는 길이 멀어서 명확히 알 수가 없으므로 그와 같이 망령되이 대답한 것입니다. 방금 몇 사람을 보내 대인의 행차를 맞이하려고 강물을 따라 위로 향했는데, 이미 여러 날이 지났으나 물이 불어나고 길이 험해서 대인의 행렬과 어긋나게 되었습니다."

"임강대 상변에 비록 합쳐지는 물이 있더라도 이는 대국(大國)지방의 여러 물줄기가 합쳐서 이 곳에서 만나는 것인 듯하다. 지금 국경을 조사하는 일은 오로지 황제께서 너희 나라를 불쌍히 여겨 경계를 분명히 하고 몰래 월경하는 폐단을 막고자 하는 데 있다. 내가 황제의 뜻을 받들어 힘써 상세하게 조사하였고 그래도 혹시 두만강의 원류가 분명하지 않을까 걱정하여 이미 너희 나라 사람들과 더불어 함께 살펴보았으며 또 이러한 사실들을 필첩식에게 적어 보내 황제께 상주하였으니, 이제는 이를 바꿀 길이 없다. 그 물을 비록 가서 본들 무슨 이익이 있겠는가?"

"대인께서 이미 황제의 뜻을 받들어 국경을 명확히 조사하시는데 대홍단수를 잘못 아시고 그 강을 두만강이라고 지목하였습니다. 진짜 두만강이 이 곳에서 멀지 않은 곳에서 합쳐지는데, 한 번 가서 보시지 않는다면 이는 황제의 명을 받들어 삼가고 자세히 살피는 도리에 어긋나지 않을까 합니다."

"내가 만약에 두만강 수원을 잘못 찾았고 과연 진짜 두만강이 백두산으로부터 내려온 것이 있다면, 국왕이 황제에게 자세히 갖추어 상주한 연후에 다시 살펴보는 것이 좋을 것이다. 나는 결단코 전에 본 것을 바꿀 수 없다"

고 하였다. 그리고 고집하여 돌이키지 않았다. 접반사는 '당초에 채진귀도 수렵하는 사냥꾼에게서 그 말을 들었다고 하였지 그가 실제로 목격한 사실이 아니다. 총관을 따라갔던 차원과 군관, 역관 등이 모두 말하기를, (백두산에서 내려온) 물의 흐름이 끊긴 곳에서부터 100여 리 안을 두루 답사하지 않은 곳이 없지만, 이 물줄기 이외에는 다른 것이 없었다고 하였다. 또 임강대에 와서 합쳐지는 물은 곧 총관이 말하는 대국의 산골짜기 물들이 이 곳에 와서 합쳐지는 것이라고 한 말이 이치에 가까워 끝내 우리 주장을 고집하기가 어렵겠다'고 생각하여,

"다시 자세히 물어서 알려드리겠습니다"

고 대답하고 물러나왔다.

어두워진 후 내가 접반사의 숙소에 나아가 좌우를 손짓하여 물리치고 어제 시위가 발설한 무산부 벌목일과 다행히 이 일을 임시로 마무리한 사실을 낱낱이 보고한 후 말하였다.

"아직은 총관이 돌아온 후 과연 보고하지 않았는지 여부를 알 수 없으니 심히 걱정이 됩니다."

접반사가 크게 놀라 무릎을 치면서 말하였다.

"북쪽 변방의 인심이 비록 영악하다고 하지만, 어찌 그 일의 곤란함이 여기에 이를 줄 생각했겠는가? 이 일이 만약에 발설되면 우리나라가 입을 화란이 이보다 큰 일이 없을 것이다. 다행히 그대가 성심껏 주선한 노력에 힘입어 일을 미봉하여 무사하게 되었으니, 그 기쁘고 다행스러움을 어찌 다 말로 할 수 있겠는가? 자네를 임금께 간청하여 같이 데리고 온 효과가 이제 나타나게 되었다."

"지난번 남창에서 순상을 배알할 때 마땅히 이러한 사실들을 보

고하려 하였으나 주위가 시끄러워 보고하지 못했으니, 이는 저희 도
리로서는 매우 마음이 편하지 않습니다."

"내일 내가 마땅히 모임을 갖게 될 터인데 그 때 서로 의논하여
선처하도록 할 터이니 자네는 염려하지 말라. 또 내 생각으로는 자
네가 시위와 아주 친하기 때문에 자네 얼굴을 보고 그와 같이 후한
조치를 취해 주었는데 하물며 총관께서 자네를 대우하는 것이 성의
가 두텁고 범상하지 않으니, 총관이 비록 이 사실을 들어 알게 되더
라도 환난이 없을 것이다."

"어떻게 보장할 수 있겠습니까? 전적으로 요행에 달려 있을 뿐입
니다."

"그렇다."

5월 22일 갑진   흐렸다 갬

해가 뜰 때 일행은 어윤강변의 역참을 떠나 박하천에 도착하였다.
전과 같이 개천가에서 잠시 휴식을 취하고 말에게 먹이를 먹였다.
접반사가 지대관(支待官)에게 명령하여 구운 돼지와 약과, 쌀밥, 소
주 등 물건을 미리 준비하도록 하였다. 내가 총관에게 갈증을 푸는
것이 좋겠다는 뜻을 고하니, 총관이 사양하고 이를 허락하지 않았
다. 내가 또 말씀드리기를, 음식물은 이미 준비해 놓았고 익힌 것은
도로 살릴 수 없다고 말하자, 총관이 말하기를,

"이번에는 음식 올리는 것을 허락하지만 후에는 이것을 예로 삼
지 말라"

고 하고 따라 온 수행인들과 역졸에게도 고루 나누어 먹이고 파하
였다.

산양령 밑에 도착하니 도차원 구후익, 본관 수령 이찬원, 부마차
원 박성로 등이 길 옆에서 영접하였다. 산양령 위에 도착하니 주사

이하 관(館)에 머물고 있던 모든 사람이 다 나와서 영접하고 인사하였다. 또 독소에 이르니 관찰사께서 역시 나와서 영접하였다. 한낮에 무산부에 도착하여 객사에 투숙하였다. 오후 느지막이 총관이 행중에 군령을 내렸다.

"내일 곧바로 출발할 터이니 속히 짐을 꾸리도록 하라"

고 하였다. 내가 두 사또께 보고하고 돌아와, 사람과 말이 위험한 행차여서 모두 지쳤고 앞으로 갈 길도 또한 많은데 준비하지 못한 일이 있으니 잠시 하루 이틀 더 머무는 것이 좋겠다는 뜻으로 재삼 간청하였으나 허락하지 않았다. 마지막으로 백두산을 왕래하느라고 수고한 사람들에게 고기와 술을 대략 갖추어 먹이려고 하는데, 이는 대인의 인졸들을 아끼고 보살피는 뜻에 부응하고자 한다는 뜻으로 말하자 비로소 마음을 돌려 하루 더 머물 것을 허락하였다. 그리고 행중에 남아 있던 소 두 마리를 내려주고 이르기를,

"이것으로써 골고루 나누어 주라"

고 하였다. 관찰사가 누누이 사양하여도 소용없었다. 그 이튿날 찰방 박찬원에게 명하여 음식을 준비하여 여러 가지 일을 담당하여 수고한 사람들에게 골고루 나누어 주도록 하였다.

한낮에 총관이 관소에 도착한 후 즉시 4명의 수행인을 국경 너머로 보냈는데, 첫째는 사슴을 사냥하는 것이고 둘째는 간사한 자들을 적발해 내기 위해서라고 하였다. 내가 이 소식을 듣고 갑자기 놀라 홍이격에게 물었다.

"국경 너머에 긴급히 적발해야 할 일이 있습니까? 험한 길에 말을 달려왔는데 말에서 내리자마자 즉시 보낸 것은 너무 지나치게 급한 것이 아닙니까?"

"적발하려는 일은 저편에 몰래 산삼을 캐는 자들의 왕래한 흔적을 살피고자 할 따름이니 어찌 염려할 일이 있겠는가?"

"국경 너머 일을 내가 왜 염려하겠습니까?"

더불어 술마시다가 웃음을 띠고 파하였으나, 가슴 속에 염려스러움은 이루 다 말할 수 없었고 만사가 마음에 없고 초조하게 사태를 기다리고 있었다. 날이 어두워질 때에 강을 건너갔던 사람들이 큰 사슴 1마리와 새끼 사슴 2마리를 잡아서 돌아왔다. 나는 그것을 보겠다는 핑계로 총관과 시위가 모여 있는 곳에 나아갔다. 사냥꾼이 총관에게 보고하는 사항이 매우 길었는데, 그러나 그 보고하는 말이 모두 청나라 말(여진어)이었다. 나는 본래 청나라 말은 모르기 때문에 이세만에게 명하여 참석해서 듣도록 하고 대화내용을 탐색하지 못한 것을 애석해 하였다. 끝내 일이 어떻게 돌아가는지 알 수 없었으나, 시위가 총관에게 보고하여서 사람을 보내 살피게 한 것 같지는 않았다. 또한 총관이 이미 형상을 잘 알고 있으면서도 발설하지 않는 것 같지는 않았다. 나의 놀람은 자라보고 놀란 자가 솥뚜껑 보고 놀라는 것과 다를 바가 없었다.

아들 경문이 가던 길이 총관을 맞이하는 길과는 어긋났으니 진실로 걱정되는 것은 물길에 막혀 방황하는 어려움이 있지 않을까 한 것이었다. 어윤강을 떠날 때에 접반사 앞에 고하여 장교를 보내 불러오게 하였는데 장경과 더불어 무사히 돌아왔으니 다행이었다.

5월 23일 을사   맑음

아침에 숙소를 예방하니 총관이 나에게 말하였다.

"금일에 얼굴을 맞대고 상의할 일이 있으니 바라건대 더불어 서로 보기를 청하는 뜻을 두 사또에게 통지하도록 하라."

내가 즉시 돌아와 두 사또에게 보고하니 두 사또가 함께 숙소를 예방하여 관복을 갖추어 입고 나아가 총관을 보고자 하였다. 총관이 말하기를

"관복을 입으면 반드시 배례해야 하므로 그냥 편복을 입고 들어와 단지 읍례만 하는 것이 좋겠다"
고 하였다. 두 사또가 군복을 입고 동헌에 나아가 서쪽 계단으로부터 들어가 한 번 읍하고 자리를 잡은 후 예에 따라 위로하는 문답을 하였다. 이어서 두만강 원류 문제로 말하였다. 총관이 즉시 산의 지도를 꺼내서 두 사또에게 자리를 옮겨 가까이 앞으로 다가오라고 말하고 손수 일일이 가리키며 도리의 멀고 가까움, 물이 끊어진 여부 등을 누누이 말하였다. 그 뜻은 대개 자기가 본 것이 극히 분명하여 조금도 의심할 바가 없다는 것이었다. 또 차원, 군관, 역관 등이 다 함께 시종 보았으니 만에 하나라도 착오를 일으킬 이치가 없다고 하였다. 접반사가 대답할 말이 없었고, 다만 "예예"라고 할 뿐이었다.

"물의 근원이 끊어진 곳이 이와 같이 모호하고 분명하지 않으니 진실로 경계표를 세우지 않는다면 피차의 백성들이 상고하기가 어려울 터이니 장차 어떻게 처리하면 좋겠습니까?"

"대국과 소국의 국경을 정하는 일은 저희가 감히 의견을 내서 망령되이 논의할 수 있겠습니까? 오직 흠차(欽差)의 가르침만을 기다릴 뿐입니다."

"목책을 세워 경계를 정하는 것이 어떠하겠습니까?"

"목책을 세우는 일은 그 곳에 수목이 있을 수도 있고 없을 수도 있으며 또 장구한 계책이 되지 못합니다. 차라리 그 편한 형편에 따라 혹은 흙을 쌓거나 돌을 모아 놓거나 목책을 설치하는 것이 마땅할 듯합니다. 저희가 감히 마음대로 할 수 없으니, 마땅히 조정에 장계를 올려 그 지시에 따라 농한기에 형편을 따라 일을 시작하는 것이 좋을 듯합니다. 국경을 정하는 일은 중대사이므로 우리 나라에서 단독으로 시행할 수 없으니 대국인이 와서 검사하는 것이 좋을 듯합니다.”

"이미 자세히 조사하여 국경을 정한 이후에는 대국인이 검사할 필요가 없으니, 관찰사가 힘 닿는 대로 하는 것이 좋겠습니다. 농민들은 결단코 사역시킬 수 없습니다. 또 하루에 끝내야 할 위급한 일도 아니니 앞으로 목책을 하거나 토축을 할 것이며 원근에 따라 형편대로 표를 세우도록 하고 비록 1, 2년에 걸쳐 일을 마친다 해도 조금도 방해될 것이 없습니다. 거행한 현황은 매년 동지사가 중국에 들어올 때 수석 통역관으로 하여금 우리 나라 통역관에게 연락하여 내가 있는 곳에 전해 주면 황제에게 대신 상주하겠습니다. 지금 이 물줄기가 끊어진 곳과 비록 물길이 있으나 얕고 말라 평평한 곳은 피차의 백성들이 월경하는 일이 다른 곳에 비하여 쉬울 것입니다. 이렇게 심히 긴요한 지점에는 목책을 세워 표를 한 후에도 자주 순찰하여 살피는 일을 그만둘 수 없을 것입니다.”

"우리 나라에서는 단지 양강을 국경으로 한다는 말만 옛날부터 전해 왔으므로 일찍이 명백하게 표를 하는 일이 없었고 그 황폐한 대로 내버려두었을 뿐입니다. 지금 다행스럽게 황제께서 우리 나라를 걱정하시고 대인께서 온 정성을 다하여 공무를 수행하시어 물줄기가 중단되어 분명하지 않은 강줄기를 이미 온갖 어려움을 무릅쓰고 찾으셨습니다. 저희들이 생각하지 못한 계책을 또 곡진하게 가르쳐 주시니 매우 감격스럽습니다.”

그리고 나서 모임을 마치고 일행이 나왔다. 총관이 백두산 지도를 나에게 보여주며 말하기를

"이 지도는 백두산 이남의 조선지방을 그린 지도이다. 두 벌을 그려서 한 벌은 귀국하여 황제에게 보고할 것이고 한 벌은 마땅히 국왕에게 보낼 것이나, 아직 필사를 마치지 못하였으므로 완성된 후에 주겠다. 그대는 접반사에게 고하여 국왕께 전달하는 것이 좋겠다.”

오후가 되자 관찰사가 간략하게 찻상을 준비하여 총관의 노고를 위로하고 말을 꾸며서 바치니 총관이 처음에는 사양하다가 마침내 받았다. 차례대로 좌정한 후 술잔을 올렸으며 끝난 후 종전처럼 아랫사람들에게도 골고루 나누어 주었다. 총관이 나를 불러서 말하기를

"삼수 지방에 저장해 둔 중국쌀 10석은 나를 수행하여 길을 닦은 장교, 군인 등에게 골고루 나누어 주고 10척의 마상선도 또한 모관 모진에 나누어 주되 그 사실만 적어서 귀국한 후 보고하라."

내가 즉시 돌아와 두 사또에게 보고하니, 두 사또는 '쌀은 그 총관의 말대로 나누어 주되 마상선은 반은 갑산의 허천강에 귀속시키고 나머지 반은 삼수부의 장진강에 귀속시켜 물을 건너고 고기잡이하는 데 이용하도록 하겠다'는 뜻으로 소지(小紙)에 써서 서장을 보냈다. 총관이 또 말하기를

"내가 내일 경흥으로 가서 두만강이 바다로 들어가는 곳을 살펴본 후에 경원으로 돌아와서 후춘으로 넘어가겠다. 이러한 뜻을 역시 두 사또에게 보고하라"

고 하였다.

저녁에 이세만이 필첩식을 데리고 20일에 경원부에 도착하여 무사하게 후춘까지 건네주고 돌아왔다. 대개 압록·두만 양 강의 물줄기가 이미 정확하게 정해졌고 오랜 여행길에 백두산까지 왕래하였지만 허다한 사람과 말들이 다치거나 상한 일이 하나도 없으니 이보다 더 다행스러운 일이 없었다. 그리고 또 총관이 여행길의 모든 일뿐만 아니라 폐를 줄이려고 애썼으며 가지고 온 소를 연속적으로 내려주어 수고하는 군인들에게 나누어 주었으며 10가마의 중국쌀을 유념하여 남겨두었다가 길을 닦은 장교와 병졸들에게 나누어 주었으니, 이는 생각하지 못했던 일로서 그저 고마울 뿐이었다.

5월 24일 병오   맑음

아침 8시쯤에 시위가 수행인 10명과 소통사 1명을 거느리고 먼저 출발하였는데 4척의 마상선에 나누어 타고 두만강을 따라 내려갔다. 총관 이하 일행은 육지로 출발하였다. 25리를 가서 양영보(梁永堡)에 도착한 후 그 곳에서 말에게 꼴을 먹였다. 이 곳은 무산의 땅인데 권관 강천령(姜千齡)이라는 사람은 정사를 매우 잘하여 치적이 있었다. 우리 사행을 대접하는 것은 명천 관할이기 때문에 사행을 응대하고 대접하는 모든 일이 제대로 되지 않았다. 또 50리를 가서 풍산진에 도착하였다. 그 곳에서 숙박하였다. 이 곳도 무산의 관할이지만 사행접대는 길주에서 담당하였다.

오후 느지막이 시위의 행렬이 배를 타고 도착하였다. 도차원 구후익과 도로차사원 김성징이 마중하러 온 말과 인부를 끌고 우리 일행을 맞이하였다. 매일 이러한 일을 관례로 하였다. 시위가 뱃길에서 저쪽 강변에 있는 사슴의 무리를 발견하고 큰 사슴 3마리를 잡아와서 두 사또에게 나누어 보냈다. 총관이 나를 불러서 산의 지도 한 벌을 내주면서 말하기를,

"지금 겨우 필사가 끝났다. 이것을 가져다 접반사에게 전해서 국왕에게 갖다 바치도록 하라"

하였다. 내가 즉시 접반사에게 바치니 접반사가 자세히 살펴보았다. 압록강의 근원에는 두 갈래가 있는데, 한 줄기는 백두산 꼭대기 남쪽 가에서 흘러내리고 또 한 줄기는 백두산의 서북쪽에 흘러내려 하나로 합치는데 남쪽에서 흘러내리는 줄기는 두만강의 근원과 멀지 않은 곳에 마주하고 있다. 그러므로 압록강의 근원이라는 이름을 썼고 서북쪽의 줄기에는 그 이름을 적지 않았다.

접반사가 나에게 말하기를,

"이 강줄기도 역시 압록강의 근원이라고 쓰는 것이 지극히 요긴

한 일이니 자네가 좋은 말로 잘 설득하여 반드시 이름을 써서 받아
오라. 그렇지 않으면, 자네가 앞서 근무한 성적이 이 일로 다 깎일
것이다”
하였다.

"이것은 당초 정계비를 세울 때 선전관 이의복과 김응헌, 김경문
등이 총관에게 적극 주장하여 '이 역시 압록강의 근원이니 함께 비
를 세워 경계를 밝혀야 한다'고 말하였으나 끝내 주장을 관철하지
못한 것입니다. 지금 소인의 말주변으로 어떻게 반드시 관철시킬
수 있겠습니까?"

"그렇지만 가서 말해 보아라"
하였다. 내가 그 지도를 소매 속에 넣고 총관의 숙소로 나아갔다.
총관은 바야흐로 시위, 주사와 함께 모여 있었다. 내가 앞으로 나아
가 그 지도를 펴놓고 말하였다.

"이 지도를 보면 압록강의 근원이 처음에는 두 갈래인데, 한 줄기
에는 강의 근원이라고 쓰고 한 줄기에는 쓴 바가 없으니 지금 만약
국왕 어전에 이 지도를 바치면 이 하나에는 왜 이름을 쓰지 않았느
냐고 반드시 물을 것입니다. 우리들 왕명을 받들고 나온 신하의 도
리로서 어찌 황공하지 않겠습니까? 바라건대 대인께서는 이러한 이
치와 형세를 양해해 주시어 다른 한 쪽에도 이름을 써주는 일을 화
공 유윤길(劉允吉)에게 하교해 주심이 어떠하겠습니까?"

"네가 말하는 바가 비록 이치에 가까운 바이지만 나 역시 돌아가
황제께 상주할 때 혹시 물으시기를 강 하나에 어째서 근원이 둘이
냐고 하시면 내가 어떻게 대답해야 하겠느냐? 이것은 황공하지 않
겠느냐?"

"저의 어리석은 생각으로는 어찌 강에 두 갈래의 근원이 있다는
것으로 논란하겠습니까? 비록 3, 4, 5, 6개의 갈래가 있더라도 이것

이 강의 근원이면 그 이름을 아울러 쓰는 것이 사리에 당연한 것입니다."

"그러한 이치는 없다."

내가 자리를 차고 나아가서 다시 간청하였다.

"비록 돌아가서 황제께 상주하는 지도에는 이름을 쓰지 않더라도 우리에게 주는 지도에는 이름을 써 주셔서 우리들로 하여금 문책이 돌아오는 것을 면할 수 있도록 하여 주심이 어떠하시겠습니까?"

총관이 웃으며 말하였다.

"이 산에 무슨 보배라도 산출되는 것이 있느냐? 부득이 너의 말에 따르겠다."

즉시 유윤길을 불러 지도를 주면서 말하였다.

"이 서북쪽 강줄기의 머리에 '압록강원(鴨綠江源)' 4자를 써서 주어라"

고 하였다. 시위가 나를 보고 농담삼아 말하였다.

"명일에 다시 오면 내가 너에게 산을 하나 주고, 그 다음 날 다시 오면 주사가 너에게 산을 하나 줄 것이니, 모두 세 개의 산을 확실히 얻게 될 것이다"

하였다. 모든 사람들이 크게 웃으면서 흩어졌다. 내가 즉시 돌아와 두 사또에게 보고하니 접반사가 기뻐하며 나에게 말하였다.

"자네가 일을 잘 처리하여 이제 끝나게 되었다"

고 하였다. 내가 다시 여쭈었다.

"앞으로 해야 할 일이 아직도 많은데 어찌 일을 마쳤다고 하십니까?"

5월 25일 정미　맑음

오전 6시쯤에 출발하였다. 회령 경계에 도착하니 부사 조태상이 제반 의장, 접대인, 인부 등을 두루 거느리고 와서 기다리고 있었다. 무산의 의장과 하인들을 교대하여 50리를 가서 볼하진(乶下鎭)에 도착하여 점심을 먹었다. 성지와 관사의 규모가 군읍의 것에 방불하였다. 첨사 김성징이 정사를 잘한 효과가 있기 때문이다. 회령에서 제공하는 음식물 또한 풍부하고 청결하였다. 회령 부사가 총관에게 음식물을 올리고자 하였으나 손을 뿌리쳐 받지 않고 말을 재촉하여 몸을 일으켜 말하였다.

"김 동지는 아직도 음식을 다 먹지 못하였으니 식사 후에 뒤좇아 오는 것이 좋겠다"

고 하고 말을 타고 출발하였다. 25리를 가서 회령부에 도착하여 머물러 잤다. 회령부는 북관 지방의 큰 고을이다. 개시(국경무역) 때문에 청나라 관원이 관사를 넓게 지어놓았다. 겹성[重城]과 치첩(雉堞)이 완고한 것이나 숙소와 청사가 거창한 것이 진실로 도내에서 비교할 데가 없었다. 청나라 말을 하는 소통사가 수십 명이 있었으나, 그들은 모두 실력이 없어 맡은 임무를 감당할 사람이 없었다. 저녁에 홍이격이 자기 숙소에서 나를 만나서 말하였다.

"참으로 우스운 일이 있었다는데 자네는 알고 있는가?"

"어떤 우스운 일이 있습니까? 나는 모릅니다."

"지난번에 총관이 자네의 재촉 때문에 강의 근원의 이름을 써준 후에 바로 그 조치를 후회하여 밤새도록 자지 못하고 혼자 입으로 말하기를 '단지 여기에 남긴 지도에만 강의 근원을 쓰고 돌아가서 상주해야 할 지도본에는 강의 근원을 쓰지 않았으니 이는 황제를 기만한 결과가 되었다. 이미 써서 준 물건을 도로 반환받아 말소하는 것도 또한 체면상 가히 할 수 없는 일이다. 백방으로 생각해도 끝내 실제대로 적는 것이 낫겠다'고 하고 이에 지도를 꺼내 또 강의 근원을 쓰고 넣어두었다. 이 어찌 우스운 일이 아니겠느냐?"

피차 웃으며 헤어졌다. 고령 첨사 남택(南澤)이 두 사또에게 문안을 드리기 위하여 여기에 와서 기다리고 있었다. 관찰사가 도로차사원 김성징이 먼 길에 고생을 도맡아 하였다고 여겨 남택으로 바꾸었다. 아울러 금란(禁亂)의 임무도 맡겼다. 시위가 또 4마리의 사슴을 잡아와서 차원과 통역관들에게도 각각 1마리씩 보내주었다.

5월 26일 무신   맑음

아침 일찍 두 사또의 안부를 물으니, 관찰사가 밤중에 갑자기 감기에 걸려 앓고 있어 길 떠나기 어려운 형편이므로 여기에 머물러 조리한 후 경원으로 뒤따라가겠다는 뜻으로 칙사에게 알리라고 하였다. 곧바로 총관과 시위에게 알리자 말하기를,

"연로하고 지체가 높은 분이 우리 때문에 수고하다가 병까지 생겼으니, 놀랍고 염려되는 마음을 금할 수 없다. 동행하지 못하는 것을 염려하지 말고 여러 날 쉬어 회복되기를 기다려서 출발하는 것이 진실로 바라는 바이다"

라고 하였다.

오전 8시쯤에 출발하여 20리를 가서 고령진(高嶺鎭)을 지났다. 이곳은 바로 회령에 속한 지역인데, 성의 규모가 볼하진보다 더 컸다. 또 30리를 가서 방원진(防垣鎭)에 이르러 말에게 꼴을 먹였다. 이곳은 종성에 속한 지역으로 종성 부사 송유룡(宋儒龍)이 경계 지역에 와서 맞이하였다. 또 45리를 가서 종성부에 이르러 유숙하였다. 성과 관아는 비록 회령보다 못하지만, 또한 큰 고을이라고 할 만하였다. 성내에는 3층으로 된 수항루(受降樓)가 있었다. 곧 옛날에 야인을 제압하고자 높고 웅장한 누대를 만들어서 여기에 올라 호령하였다고 한다.

동관 첨사 김세흥(金世興)과 영달 만호 진한상(陳漢相)이 이 곳에

와서 기다리고 있었다. 김세홍은 나와는 인척으로서 정이 두터웠는데, 변방 지역에서 만나니 진실로 기쁘고 위안이 되었다. 도로 및 경호 담당관인 남택이 어제 회령에서 감영에 담당 임무를 바꾸어 달라고 부탁하여 김세홍으로 대신토록 하였다. 또 잡다한 장비는 부마차원 박규상이 겸하여 관리하도록 하고 진한상에게도 살피도록 하였다.

어제 회령 부사 조태상이 나를 맞이하면서 말하기를,

"지금 이 칙사는 지극히 명찰하고 선정을 베풀기 좋아한다고 하니, 만일 이 곳 개시에서 중국인들의 폐단을 일으키는 거조를 듣는다면, 반드시 불쌍히 여겨 되돌아보는 일이 있을 것이다. 영감이 잘 말하여 알린다면 변통할 수 있어서 지탱할 수 없는 근심거리를 풀 수 있을 것이다. 이 모두 국가의 일이니 영감은 힘써주시오"

하기에, 내가 이렇게 대답하였다.

"백성을 위해 폐단을 제거함은 곧 좋은 일입니다. 비록 저들이 잘 들어줄지 여부는 알 수 없지만, 우리로서는 최선을 다해 노력해야 하지 않겠습니까? 아무쪼록 폐단을 일으키는 곡절을 상세히 글로 써서 보내는 것이 좋겠습니다."

조태상이 한두 명의 이웃 관원들과 함께 이러한 취지로 나란히 관찰사에게 아뢰자 관찰사가 친히 그 조목을 작성해 주었다. 대략 말하기를,

"청나라에 소를 파는 규정은 매년 114마리인데, 상등 소의 가격은 비록 잡물로 계산하여 주더라도 반드시 3승포로 22, 23필(疋)의 가격에 준하도록 되어 있으며, 중간 소는 18, 19필이요, 하등급 소는 15, 16필로 되어 있습니다. 갑술년(1694, 숙종 20)에 오라 상인이 소를 사러 온 후부터는 억지로 팔게 되어 해마다 가격이 깎였습니다. 근래에 이르러서는 원래 소의 숫자에서 단지 한 마리의 소만 택하

여 상등 소라 하면서 3승포 10필을 주고, 그 나머지는 모두 중간 소나 하등급 소라 하면서 중간 소는 7, 8필, 하등급 소는 5, 6필을 억지로 주었습니다. 영고탑 사람들 또한 모두 이를 본받아 규식으로 삼았습니다. 이와 같이 하기를 시정하지 않는다면 여러 읍의 가난한 백성들은 결코 생계를 지탱할 수 없습니다. 지금 비록 감히 전과 같이 20여 필의 가격을 바라지는 않지만, 상등 소는 15필로 정하고 중간 소는 13필로 정하고 하등급 소는 10여 필로 정하여서 멋대로 고치지 않는다면 가난한 백성들이 가히 은덕을 입을 수 있겠습니다.

백미로 급료를 주는 인원 수가 당초에는 영고탑 갑군 60명, 장경 1인과 그 수행원 5명, 발십고 1인과 수행원 3명, 필첩식 1인과 수행원 2명으로 모두 13인, 2명의 통역관과 그들의 하인 모두 20여 명으로, 총 99명에게는 쌀로 주는 것을 규정으로 삼았습니다. 그런 까닭에 갑군은 그 통역관과 하인의 많고 적음에 따라서 그 수를 더하기도 하고 빼기도 하였습니다. 오라인이 오기 시작한 후부터는 모두 쌀만 받으려고 하여 공갈협박하고 매를 때리기까지 하는 지경에 이르렀습니다. 그래서 쌀로 주는 자는 4, 50명 아래로 내려가지 않게 되었습니다. 그리고 영고탑 사람들 또한 이 잘못된 것을 본받아서 인원 수에 따라 요구하고 매번 양식을 줄 때에는 독촉하고 강제로 징수하며 민폐를 끼치는 것이 끝이 없습니다. 계속 이와 같이 한다면 형세가 지탱하기 어렵습니다. 지금 영고탑과 오라 두 곳의 갑군은 한결같이 당초에 정한 규정에 의하여 반으로 나누어 60명의 수를 지키도록 하고, 특별히 단속한다면 분쟁이 일어날 폐단이 없을 듯합니다. 이 밖의 여러 가지 폐단을 다 말하자면 번거로우므로 일일이 열거하지 않겠습니다. 운운"

하였다. 나를 불러 그것을 주므로, 나는 소매 속에 넣고 숙소로 가서 먼저 이격을 시험해 보았다. 이격이 말하기를,

"이를 모두 이야기할 수는 없다. 오라 군인은 총관이 친애하는 백
성인데, 그가 아끼는 백성들의 옳지 않은 일을 배척하여 이야기한다
면 반드시 그 분이 달갑게 듣지 않을 것이다. 자네가 비록 당돌하게
이야기하더라도 결단코 들어줄 이치가 없으니, 절대로 말하지 않는
것이 좋겠다"
라고 하였다. 대체로 이 개시는 곧 청나라 통역관들이 번갈아 관할
하면서 멋대로 농간을 부리고 민폐를 야기하면서 이권의 소굴로 여
기고 있는 까닭에 그 말이 이와 같은 것이었다. 내가 대답하기를,
"지금 말씀을 듣고 보니 진실로 모두 이야기할 수는 없겠습니다"
라고 하고 물러나왔다. 마침 총관이 한가로이 쉬고 있는 때를 틈타
내가 말하였다.
"대인께서는 지금 우리 나라에 오셔서, 진실로 황제께서 백성을
보호하시는 지극한 마음을 실천하시고, 항상 민간에 폐를 끼치는 것
을 염려하셨습니다. 대인께서 지나가는 곳마다 어지시다는 칭송이
울려퍼지니 백성들이 어찌 감격하고 축수하지 않겠습니까? 어제 회
령에 이르러 제가 들은 일이 있기에 간절히 호소하고자 하오나 황
송하여 감히 말씀드리지 못하고 주저하고 있습니다."
총관이 말하였다.
"이미 마음 속에 품은 바를 어찌 감히 말할 수 없다고 하여 말하
지 않을 수 있겠는가?"
이에 내가 정색하고 말하였다.
"이른바 개시라고 하는 것은 진실로 양국이 서로 화합하기 위해
서 시작한 것으로, 하늘이 공평하고 땅이 공평한 뜻을 따른 것입니
다. 그런데 근래 인심이 점차 옛날과 같지 않아 규정을 따르지 않고
억지로 징수하는 폐단이 해마다 증가하고 있습니다. 이와 같은 것
을 시정하지 않으면 여러 고을의 피폐한 백성들이 결단코 생계를

유지할 도리가 없습니다. 천하 사람들이 모두 황제의 신민이니, 우리 나라의 북쪽 변방에 사는 백성들도 또한 천자의 백성입니다. 바라옵건대 대인께서는 백성들의 폐단을 불쌍히 여기셔서 돌아가 황제에게 보고하여 특별히 윤음을 내려 억압하여 강제로 징수하는 폐단을 금하신다면, 그 혜택을 어찌 다 헤아릴 수 있겠습니까?"

총관이 말하였다.

"그대의 말을 들으니 참으로 불쌍하지만, 내가 직접 본 일이 아니므로 그대의 말만 믿고 지레 돌아가 보고하기로 결정할 수는 없을 것 같다. 그러나 오라 백성들의 폐단은 내가 마땅히 금단하겠다" 하였다. 나는 머리를 조아리고 사례하면서 물러나 돌아와 두 사또에게 고하였다.

5월 27일 기유　맑음

아침 6시쯤에 출발하여서 20리를 가서 동관진(潼關鎭)을 지나갔다. 성지와 관사를 수리하여 한결같이 새로웠다. 첨사 김세홍이 무슨 일에든지 빈 구석이 없고 세밀하게 일처리를 하여 집에 있을 때에도 본디 잘 다스린다는 이름을 얻었는데 임무를 맡은 이후 자못 책임을 다하는 성적이 있어 가상했다.

30리를 더 가서 영달진(永達鎭)에 이르러 말에게 꼴을 먹였다. 이곳 또한 종성에 속하는 지역이다. 잠시 쉬고 나서 출발하였다. 온성 부사 이후전(李厚全)과 유원 첨사 박신혁(朴信赫)이 경계 지역에 와서 기다리고 있었다. 의장과 수행인들을 교체하고 40리를 가서 유원진(柔遠鎭)을 지났다. 다시 20리를 가서 온성부에 이르러 머물렀다.

이격이 총관의 뜻이라 하여 가발 60개를 구입하기를 청하였다. 본 고을에서 조달해 주도록 접반사 앞에서 결정하고 돌아왔다. 관문(官門) 앞을 보니 수십 명의 기생이 모랫가에 군데군데 앉아서 그 머리를 풀어 머리카락을 자르고 있는데, 그 중에는 눈물을 흘리기도 하고 탄식하는 사람도 있었다. 목도한 바가 지극히 슬프고 불쌍하여서 돌아와 숙소에 이르러 이격을 보고, 이 곳에는 가발이 많지 않으니 나머지 반은 다음 날 경원에 가서 구해 주겠다는 뜻으로 말하고 돌아왔다. 이것이 곧 소는 보고 양은 보지 못하는 마음인가 보다.[34]

5월 28일 경술   흐림

아침 6시쯤에 출발하여 26리를 가서 미전진(美錢鎭)을 지났다. 첨사 배윤정(裵潤廷)이 길 한편에서 맞아 호송하였다. 30리를 더 가서 황척파보(黃拓坡堡)를 지났다. 권관 김만주(金萬胄)가 맞아 호송하였다. 경원 부사 오정석(吳挺奭)이 경계 지역에 와서 기다리고 있었다. 의장과 수행인을 교대하고 30리를 가서 훈융진(訓戎鎭)에 이르러 말에게 꼴을 먹였다. 이 진은 원래 주위를 에워싸는 성첩이 없고 겨우 모양만 갖춘 관사만 있을 뿐이었다. 첨사 오세홍과는 일찍이 면식이 있었는데, 변방 지역에서 만나니 위로되고 기쁜 마음이 없지 않았다. 잠시 쉬었다가 출발하여 또 35리를 가서 경원부에 이르러 머물렀다.

경원부의 성곽 10리쯤 못 미쳐서 오라 장경 1인이 20명의 갑군을 거느리고 마상선을 타고 강을 건너와서 총관의 말 앞에 나열하여 인사하였다. 총관이 마치 보지 못한 것처럼 무시하였는데 노여움이 안색에 드러났다. 그 사람들이 지극히 황공하여 일행 끝에 붙어서

---

34) 『맹자(孟子)』 양혜왕(梁惠王) 상편(上篇)에 나오는 말. 양혜왕이 종을 만드는 데 피를 바르고자 소를 죽이려고 하는 것을 보고 불쌍히 여겨 소 대신 양을 쓰라고 한 데에서 나온 말. 곧 크고 작은 차이는 있지만 같은 행위에 속한다는 말.

숙소에 나아갔다. 총관은 노기등등하여 장경을 불러들여 크게 질책하였다. 이세만으로 하여금 엿듣도록 하였다. 총관이 말하기를,

"네가 비록 직책이 낮고 못났지만 어찌 월경이 큰 죄가 됨을 알지 못하느냐? 또한 내가 이미 너희들이 무례함을 알아서 지난번에 필첩식이 갔을 때에 절대로 강을 건너오지 말도록 극진히 분부하였는데도 이와 같이 금하는 것을 범하였으니 진실로 용서하기 어렵다. 마땅히 (황제에게) 아뢰겠다"

고 하였다. 또 지방관 오정석(吳挺爽)을 불러 질책하기를,

"너는 지방관이 되어 다른 나라 사람이 월경하여 오는 것을 막지 못하였으니 마땅히 죄가 무겁다"

고 하였다. 오정석이 능히 응답하지 못하고 나에게 애원하면서 말하기를,

"영감이 잘 좀 주선해 주시오"

라고 하였다. 오정석은 풍채가 좋고 힘이 좋은 무인이다. 응대하는 것이 진실로 능숙하지 않은 것은 아니지만 혹 잘못 대답할 것을 염려하여 나에게 조치하여 말해 주기를 요청한 것이다. 내가 이에 황급히 대답하여 말하기를,

"제가 지방관이 되어 어찌 (범월을) 엄금하는 법을 모르겠습니까? 그러나 중국인이 흠차를 영접한다고 칭하면서, 수많은 인마가 배를 타고 곧바로 건너와서 흠차를 영접하겠다고 말하므로 무단하게 범월하는 무리와는 조금 차이가 있고, 또 필첩식의 분부가 있었는지 없었는지도 모르는 까닭에 막지 않았습니다. 지방관이 이로써 대답하였습니다"

하니, 총관이 말하기를,

"본 고을의 형편으로는 그럴 수도 있겠다. 그러나 월경하여 온 자의 실정에 있어서는 진실로 매우 해괴하다"

고 하였다. 그 장경이라는 자가 모자를 벗고 머리를 땅에 처박으면서 말하기를,

"제가 무식하여 단지 대인을 영접하는 것이 큰 일인 줄만 알고 다른 나라를 범월하는 것이 중죄가 되는 것은 깨닫지 못하였습니다. 제가 흐리멍텅하여 그러한 것이지 어찌 다른 뜻이 있었겠습니까? 바라옵건대 대인께서는 특별히 용서하여 주십시오"

하였다. 총관이 말하기를,

"나는 황제의 뜻을 받들어 변경을 조사하고자 이 곳에 이르렀다. 소위 변경을 조사하는 것은 곧 저(조선)들과 우리(중국)의 간악한 백성들이 몰래 월경하여 일을 일으키는 폐단을 금하고자 하는 것이다. 지금 만약 중국의 관리라는 자가 범월한 것을 다스리지 않는다면 어떻게 타국의 간악한 무리들이 몰래 월경하는 것을 금지할 수 있겠는가? 결단코 용서해 줄 수 없다. 빨리 돌아가서 후춘 지방에서 기다리고 있으라"

하고 꾸짖으면서 내보냈다. 그리고 나에게 말하기를,

"본 고을 수령으로 하여금 수를 헤아려서 되돌려 보내도록 하라"

하고 또 홍이격을 불러 말하기를,

"돌아갈 사람들이 반드시 배가 고플 터이니 김 동지에게 말해서 쌀밥과 소주를 구하여서 나누어 먹이고 보내라"

고 하였다. 이것이 바로 은혜와 위엄을 아울러 베푸는 자라고 할 만하다.

김만희에게 상세히 그 형편을 접반사에게 고하도록 하고, 본 고을 수령에게 분부하여 각각 한 그릇의 쌀밥과 소주 한 잔과 편육 한 쟁반씩 나누어 먹도록 하였다. 이른바 장경이라는 자는 근심 걱정으로 한 숟갈도 먹지 못하고 그를 따라온 사람들을 재촉하여 갔다. 또한 가히 총관의 명령이 엄절한 것을 알겠다.

　홍이격이 또 시위의 뜻으로 가발 수십 개, 정철(正鐵) 50근, 매방울(鷹鈴) 30개, 세포(細布) 2필을 살 것을 청하였다. 이를 접반사에게 아뢰고 본 고을 수령에게 분부하여 구하여 준비하였다가 돌아온 후에 주도록 하였다. 총관이 한 장의 문서를 나에게 내주면서 말하기를,

　"이것은 우리들이 접반사와 관찰사에게 보내는 공문이니 답을 받아 오라"

고 하였다. 곧 접반사에게 바치고 펼쳐 보니,

　"황제의 뜻을 받들어 변경을 조사하는 대인 목극등 등은 조선 접반사, 관찰사에게 공문을 보냅니다. 변경을 조사할 일로써 내가 친히 백두산에 이르러 살펴보니, 압록강과 토문강 두 강이 모두 백두산의 근저에서 동쪽과 서쪽으로 발원하여 양쪽으로 나누어 흐르고 있습니다. 원래 강의 북쪽을 중국의 영토로 정하고 강의 남쪽을 조선의 영토로 정한 것은 세월이 이미 오래 되어 논의할 것이 없습니다. 두 강이 발원하는 분수령(分水嶺) 가운데 비를 세우고 토문강의 근원으로부터 물줄기를 따라 내려오면서 살펴보았는데 물줄기가 수십 리를 가다가 물의 흔적이 보이지 않다가 돌 속에 묻혀 밑으로 흘러 100리에 이르러서야 비로소 큰 물줄기가 나타나 무산으로 흐릅니다. (물줄기의) 양안(兩岸)에는 풀이 드물고 땅이 편편한데 사람들은 변계(邊界)를 알지 못하고 있습니다. 그 때문에 왕래하면서 범월하기도 하고 집을 짓기도 하고 길이 여러 갈래로 나 있었습니다. 그러므로 이에 접반사와 관찰사는 같이 상의하여 무산과 혜산의 서로 가까운 곳에다가 이 물줄기가 없는 지역에 만일 (파수를) 설립하여 굳게 지켜서 사람들로 하여금 경계가 어느 곳인 줄을 알게 한다면 감히 월경하여 문제를 일으키지 않게 되어 황제가 백성들을 곡진히 생각하는 뜻에 부응할 수 있을 것입니다. 또한 조선과 중국의 양 국

경이 가히 무사하게 될 것이니 이로써 상의하여 공문을 보내도록
하시오"
라고 하였다.

대개 그 내용을 살펴보니, '압록강과 토문강 두 강이 모두 백두산
근저에서 발원하여 강의 남쪽을 조선의 지경으로 정한 것은 세월이
이미 오래 되어 의논할 것이 없다'고 하였으니 피차간의 경계를 논
단하여 분명하고 후환이 없을 것이다. 또 '그 물줄기가 없는 지역에
만일 (파수를) 설립하여 굳게 지킨다면'이라고 말한 것은 그 전일에
문답할 때에 목책과 토축(土築)·석축(石築) 등의 말이 있긴 하였으
나 단지 입에서만 나온 말로써 가히 증빙할 수 없는 까닭에 두 사신
이 답한 문자를 얻어 돌아가 황제에게 상주하고자 하는 계책인 것
이었다. 접반사는 관찰사가 도착한 후에 상의하여 회신하겠다고 답
하였다.

5월 29일 신해   맑음

오전 8시쯤에 출발하여 25리를 가서 안원보(安原堡)를 지났다. 권
관 유후선(柳后善)이 길 한편에서 맞아 호송하였다. 또 30리를 가서
건원보(乾原堡)에 도착하니, 비록 작은 진지가 산골짜기에 있다고는
하지만 성첩과 관사가 비교적 견고하고 완비되어 있었다. 권관 남
극로(南極老)가 5리쯤 되는 곳에 나와 영접하였다. 말에게 꼴을 먹이
고 잠시 쉬었다가 출발하였다. 30리를 가서 아산진(阿山鎭)에 이르
러서 머물렀다. 성중의 현지 군졸들은 겨우 10여 호이므로 기타 현
황들은 이를 보면 가히 알 수 있었다. 만호 남붕상(南鵬翔)이 5리쯤
되는 곳에 나와 영접하였다. 이 또한 경원에 속한 곳이므로 경원 부
사 오정석이 수행하여 와서 기다리고 있다가 문안하였다. 도차원
구후익이 이 곳에 도착한 후에 신병이 갑자기 무거워져 형편이 더

이상 나아가기 어려웠다. 그러므로 접반사가 그 임무를 바꿔 오정석으로 대신케 할 뜻으로 관찰사에게 공문을 보냈다. 관찰사가 공문을 회신하였다.

"총관 일행이 경원에 다시 도착하니 경원에서 월경하여 갈 때까지 본 고을 수령은 물자를 조달하고 감독할 일이 많이 있으니 임무를 바꿀 수 없습니다. 경흥 부사 최기(崔琦)로 대신케 하고 오정석은 돌려보내십시오"
라고 하였다. 그리하여 다음 역참부터 임무를 살펴보도록 경흥 부사에게 분부하였다.

5월 30일 임자   비

아침 8시쯤에 비를 무릅쓰고 출발하여 45리를 가서 무이진(撫夷鎭)에 이르렀다. 만호 김익구(金益玽)가 5리쯤 되는 곳에 나와 영접하였다. 이 곳은 곧 경흥에 속한 곳이었는데, 궁벽진 변방 지대에 있는 험절한 요새이므로 진보의 규모가 능히 모양새를 갖추지 못하고 있었다. 부사 최기가 경계 지역에 와서 기다리고 있었다. 의장과 수행인을 교대하고 말에게 꼴을 먹인 후에 40리를 가서 경흥부에 이르러 유숙하였다. 총관이 본 고을의 수령을 불러 묻기를,

"두만강이 바다로 들어가는 곳이 여기에서 몇 리나 떨어져 있는가?"
하니 경흥 부사가 말하기를

"강물이 바다로 들어가는 곳은 서수라보(西水羅堡) 앞에 있는데 가서 보고자 하면 길이 구불구불하고 멀어 거의 8, 90리에 이를 정도입니다. 만약 멀리서 보아도 무방하다면 여기에서 20리 되는 곳에 두리산(斗里山)이 있는데 산꼭대기에 올라 보면 바다로 들어가는 모습을 굽어볼 수 있습니다"

하였다. 총관이 말하기를,

"멀리 바라보는 것도 무방하다. 어찌 반드시 멀리 가야만 하겠는가?"

하고 장경 한가라는 사람과 소통관 오옥주를 정하여 보내면서 말하기를,

"너희 두 사람은 곧바로 가서 살펴보고 오너라"

하였다. 얼마 안 있어 두 사람이 돌아와 보고하기를,

"그 산꼭대기에 오르니 과연 굽어볼 수 있었습니다"

하였다. 총관이 말하기를,

"내가 마땅히 내일 아침에 가서 살펴보겠다. 나를 따라 갈 사람은 오직 나이 어린 차원 박규상과 통역관 김경문뿐이다. 여타의 관인들과 의장 및 수행인들은 모두 여기에 머무르면서 기다렸다가 돌아오면 같이 출발하는 것이 좋겠다"

라고 하였다.

오후 느지막이 날씨가 쾌청하게 개었다. 객관 뒤편 동북쪽 구석에 있는 성첩 위 가장 높은 곳에 새로 지은 조그마한 누각이 있었는데, '망덕정(望德亭)'이란 현관이 걸려 있었다. 총관이 홀로 올라갔는데 한 사람의 수행인도 뒤따르지 않았다. 내가 천천히 걸어 오르니 총관이 말하기를,

"자네도 경치를 완미하고자 오는가? 비록 조그마한 정자라고는 하나 시야가 아득하고 넓어 가슴이 시원해지지 않음이 없구나. 중국을 왕래하는 도중에는 또한 경치가 뛰어난 곳이 많이 있다. 자네는 여러 차례 연행(燕行)을 다녔으니 거의 다 보았는가?"

하므로, 내가 이렇게 말하였다.

"매번 행차가 급박하여 경치를 완미할 생각이 없었습니다. 우연히 사행의 행차로 인하여 단지 영평(永平)의 백이숙제 사당과 산해

관의 망해정(望海亭)을 보았을 뿐입니다."

"그 두 곳은 내가 아직도 가보지 못한 곳인데, 그대는 능히 보았으니 나보다 훨씬 낫구나."

"천만에요. 천만에요."

"내가 지금 강을 따라 오면서 우연히 강 중에 섬이 있는 것을 보았는데, 섬 위에는 밭을 개간하여 씨앗을 뿌린 곳이 있었다. 이와 같은 일을 지방관은 금지하지 않는가?"

"알지 못하겠습니다. 어느 곳에 이렇듯 해괴한 일이 있었습니까? 소관들은 알지 못하였습니다."

"종성과 온성의 사이에 행로가 당면한 곳이었다. 내가 본 바를 어찌하여 보지 못하였는가?"

"실로 본 바가 없습니다. 모두 범연히 보지 못하고 지나친 소치에 불과합니다. 마땅히 관찰사에게 고하여 곧바로 땅을 갈아 고르게 하고 금지하겠습니다."

"가난한 백성들이 힘써 이미 파종하여 싹이 무성하게 된 밭인데, 어찌 가히 내 말로 인하여 땅을 갈아 고르게 할 수 있겠는가? 지방관에게 말하여 뒤로는 다시 경작하지 말도록 하라. 그리고 도리어 엄중히 금할 것은 월경하여 일을 일으키는 폐단이다."

"대인의 가르침은 백성을 사랑하고 생물을 구휼하는 말 아닌 것이 없습니다."

"내가 지금 너희 나라에 와서 눈으로 보고 말할 만한 일이 한두 가지가 아니지만 모두 그대의 얼굴을 보아서 끝까지 침묵하고 돌아가겠다. 그대는 능히 이러한 마음을 아는가?"

하므로, 내가 머리를 조아리고 사례하면서 말하기를,

"소관이 비록 심히 불민하지만 오히려 목석이 아닌데 어찌 대인의 하늘과 같은 어진 덕을 알지 못하겠습니까? 실로 이에 머리를 조아릴 뿐입니다"

하였다. 그리하여 파하고 내려왔다.

지금 이 말은 생각건대 반드시 무산에서의 일이었지만, 그가 이미 말만 유도하고 발설하지 않았는데 내가 어찌 제기할 수 있겠는가? 다만 감사하다고 하면서 대답할 뿐이었다. 그리고 또 곁에서 같이 듣는 사람이 없어 입 밖에 발설하는 것이 불가하므로 비밀로 하였다. 단지 그 밖에 파종한 일로 두 사또에게 고하였다. 관찰사가 회령에서 이제야 비로소 경원에 와서 기다리고 있다고 하였다.

6월 1일 계축 맑음

동틀 무렵에 접반사가 '경치를 감상할 만한 곳이 있다'고 하여서 단지 두 명의 비장과 수행원[伴倘]을 거느리고 남쪽으로 갔다.

해뜰 무렵에 총관이 그 수행인들로 하여금 수레짐을 인솔하고 먼저 돌아가는 길로 출발하게 하였다. 시위 이하 여러 차관과 함께 말을 달려 두리산(斗里山)에 갔는데, 차사원 박규상과 차비관 김경문이 따라갔다.

경흥 부사 최기가 김호연과 나를 맞이하면서 그 관아 앞에 있는 새로 지은 괘궁루(掛弓樓) 위에 올라 술자리를 준비하여 기다리고 있었다. 고을 기생 10여 인을 모아놓고 가야금과 노래를 연주케 하려 했으나 내가 상중이어서 거절하였다. 그리하여 최기에게 말하기를,

"총관이 20리 길을 갔다오는 것은 오래 걸리지 않을 것이니, 오는 길에서 기다리는 것이 체모와 규례에 맞는 것이다"

고 하였다.

최기와 김호연 두 사람과 함께 남문 밖 장막을 설치해 놓은 곳에 나가서 기다렸다. 진시가 다 되어 총관 일행이 돌아오므로 내가 수

고 문안을 드리고 말하였다.

"과연 자세히 살필 수 있었습니까?"

하자, 총관이 지도를 꺼내 보여주면서 말하였다.

"높은 곳에 올라 내려다 바라보니 역력히 볼 수 있어서 오히려 물가에 가서 살펴보는 것보다 나았다."

내가 그 지도를 보자 그 필력의 움직임이 보통 사람이 추측하여 베낀 형상이 아닌 것 같아서 내가 묻기를,

"이것은 곧 유(劉 : 유윤길) 화공이 그린 것입니까?"

하니, 총관이 말하기를,

"이것은 목(穆 : 목극등) 화공이 그린 것이다"

고 하고는 곧 크게 웃었다.

곧바로 출발하여 정오 무렵에 아산진(阿山鎭)에 이르러 머물러 유숙하였다. 접반사의 행차는 밤이 깊어진 후에 돌아왔다.

6월 2일 갑인   맑음

아침 8시쯤에 출발하여 건원보에 도착하여 잠시 들어가 말에게 꼴을 먹이고 갔다. 경원에서 10리쯤 못 미친 곳에 관찰사가 와서 길 한편에서 영접하였다. 총관이 극진히 감사의 뜻을 표하고 다시 경원부에 도달하였다. 두 사또가 특별히 다과상을 준비하여 청하자 총관이 말하였다.

"수천 리를 함께 다니다가 내일이면 작별할 것이니, 지금 만약 받지 않는다면 인정과 예의에 모두 결례가 되겠습니다"

하고는 시위·주사·장경과 함께 대청에 나란히 앉아 상을 올릴 것을 허락하였다. 두 명의 청나라 통역관도 동참토록 허락하였다. 술잔이 몇 번 돌고 나서 시위가 말하기를,

"조선 음악을 듣고 싶다"

고 하므로, 두 사또에게 고하여 곧바로 아쟁과 피리 부는 사람을 각
한 사람씩 들여보내 연주하게 하였다. 또 장교 가운데 춤 잘추는 사
람과 통인 중에 용모가 아름다운 아이로 하여금 번갈아 춤추고 노
래부르게 하니 총관과 시위가 자못 즐거워하였다. 조금 있다가 해
산하였다. 총관이 또 큰 소 두 마리를 내어 주면서 말하기를,

"수행하는 역졸이 매우 성실하게 수고하였으나 가히 상으로 줄
만한 것이 없다. 이것을 익혀서 먹이도록 하라"

고 하였다. 관찰사가 도차원으로 하여금 감독하여 나누어 먹이도록
하였다. 지금까지 받은 소가 열 마리에 이를 정도로 많으니 진실로
이는 생각지 못한 일이었다. 이에 비로소 접반사와 문위사 두 사신
이 예단단자를 들여 보내면서 말하기를,

"이 모두 국왕이 보낸 물품입니다. 임무를 마친 후 경원에 도착하
면 처리토록 할 것으로 말씀하셨으니 이에 우러러 바칩니다"

하였다. 총관이 말하기를,

"이번의 행차가 조선에 폐단을 끼친 것이 진실로 적지 않다. 장차
이것으로써 돌아가 황제에게 상주할 것인데, 내가 지금 이 물품들을
받는다면 황제께서 소국을 생각하시는 뜻에 어긋남이 있을 것이다.
문위사의 예단은 곧 규례 외에 별도로 보내는 물품이니, 국왕이 권
대하는 지극한 뜻을 모르는 것은 아니지만 이 마음을 고치기 어렵
다"

하므로, 내가 말하기를,

"대체로 칙사의 행차에는 으레 예단이 있는 것인데 받지 않았다
는 일은 듣지 못하였습니다. 하물며 지금 문위사의 예단은 특별히
보낸 것이긴 하지만, 대인께서 또한 칙사로서 받지 않겠다고 하시니
그 정의와 예모에 있어 손상됨이 있는 것이 아닙니까?"

"자네의 말이 비록 옳지만 내 마음은 이미 정해졌다. 내가 다른

날 다시 나오는 일이 있으면 받을 수 있겠으나 이번의 행차에서는
결코 받을 수 없다"

고 하고 끝내 물리쳤다. 예단을 받아들여줄 것을 청하기를 여러 번
하였고, 우리의 뜻이 은근함이 지극하였으니 보통 사람의 마음으로
는 어찌 억지로 따를 도리가 없겠는가? 그러나 이 사람은 단지 폐
를 끼치지 말라는 황제의 뜻만 따라 굳게 마음을 잡고 동요하지 않
으니 그 마음가짐이 또한 존경스러울 뿐이었다.

두 사또가 의논하여 총관이 보낸 자문은 그 일의 체모에 있어 자
문(咨文)으로 회신하는 것은 불가하다고 생각하고 정문(呈文)으로 작
성하여 보냈다. 그 내용은 이러하였다.

"엎드려 생각건대 여러 대인께서 황제의 명을 공경히 받들어 우
리 나라에 왕림하셔서 험한 지역을 친히 다니시며 경계를 조사하여
밝히셨습니다. 분수령 위에다 비를 세워 표로 삼고 또 토문강의 근
원이 땅 속에 숨어 드러나지 않고 흐르므로 명백히 하는 데 흠이 있
을 것을 염려하여 이미 지도에 친히 표시해 주셨습니다. 목책을 세
우는 일을 다시 얼굴을 맞대고 의논하여 오직 자세히 다하지 못할
것을 염려하여 이러한 자문을 보내 다시 묻는 거조가 있었습니다.
위로는 황제의 사방의 백성을 자식처럼 여기는 인자로움을 체득하
시고, 아래로는 우리 나라에서 일을 일으킨 사단을 걱정하셔서 곡진
히 돌보심이 이와 같이 지극하시니 감격하고 존경스러움을 비유할
바가 없습니다. 일전에 합하께서 목책 설치의 편의를 굽어 물으셨
습니다. 저희들은 목책은 오래 갈 계책이 아니므로 혹은 흙으로 쌓
고 혹은 돌을 모아놓고 혹은 목책으로써 농한기에 공사를 시작할
뜻과, 중국의 인원과 중국인에 의한 감독 여부를 여쭈었습니다. 대
인께서 이미 정계한 후이니 표를 세울 때에 대국인이 와서 감독할
일이 없을 것 같다고 하고 농민들을 공사에 동원치 말도록 하셨습

니다. 또 이것은 하루가 급한 일이 아니니 감사가 주관하여 하고 편의에 따라 공사를 시작하도록 하되 비록 2, 3년 후에 완공하더라도 무방하다고 하셨습니다. 매년 동지사가 올 때 진척된 상황을 통역관에게 말하여서 나에게 전해주면, 황제께 상주할 방도가 없지 않을 것이라고 하셨던 까닭에 저희들은 물러난 후에 이 뜻을 국왕에게 보고하였습니다. 자문 중에 양쪽이 무사하다는 말만 하였고 이 밖에 다시 말씀드릴 것이 없습니다. 또 자문으로 회신하는 것은 일의 체모상 감히 할 수 없어서 삼가 정문으로 우러러 답합니다. 엎드려 생각건대 너그러이 살펴보소서."

총관이 펼쳐 보고 난 후에 말하기를,

"무릇 공문을 작성하는 형식에 있어 회답하는 공문은 반드시 원문을 먼저 쓴 후에 할 말을 쓰는 것이 관례이다. 지금 이 답서는 더욱이 나의 자문을 상단에 먼저 쓴 연후에야 돌아가 황제께 주달할 수 있겠다"

라고 하였다. 그 말에 따라 글을 고쳐 주었다.

총관이 진시에 군령을 발하였다. 내가 홍이격에게 말하기를,

"내일은 단지 20리밖에 떨어지지 않은 후춘에 갈 것이니, 어두워진 뒤라도 갈 수 있다. 이 곳에서 처리해야 할 일도 매우 많으니 군령을 조금 연기시키자는 뜻으로 아뢰는 것이 어떻겠습니까?"

하였더니,

"이미 발한 명령을 내가 어찌 감히 청할 수 있겠는가? 그대가 청해 보라"

고 하였다. 내가 군령판을 가지고 들어가 총관에게 청하였다.

"수천 리 험난한 노정에 밤낮으로 상종하다가 갑자기 헤어지게 되니 정리상 서운함을 금할 수 있겠습니까? 바라옵건대 대인께서는 하루 이틀 더 머무르셔서 상하 사람들의 바람을 위로해주심이 어떠

하실런지요?"

"허전한 마음이야 너나 나나 다름이 없으나 황제의 유지를 받들은 사람이 무단히 머무르는 것은 원래 법례가 아니다. 따를 수 없다."

"비단 마음이 서운할 뿐만 아니라 처리해야 할 일도 완수하지 못할 염려가 없지 않으니 군령을 조금 물리셔서 완수하지 못하는 일이 없도록 해 주심이 어떠하십니까?"

"군령을 이미 내린 후에 또한 바꾸는 법규가 없다. 그러나 그대의 간청이 이와 같으니 불가불 억지로 따르지 않을 수 없다"

하였다. 다시 오시에 글을 고쳐 군령을 발하였다. 지난날 요청한 가발·매방울·정철(正鐵)·베 등의 물품을 요청한 수대로 들여보내자, 곧바로 작은 모자, 흰 띠로 값을 쳐서 보내왔다. 총관이 또 나를 불러 말하기를,

"황색 놋쇠를 3, 4근 사고 싶다"

하므로, 이에 내가 답하였다.

"놋쇠는 본래 우리 나라에서 생산되는 것이 아니고 왜국에서 건너온 물품입니다. 우리 나라에 온 것이 매우 희귀하지는 않지만 이곳은 마침 (놋쇠를) 비치해 둔 것이 없으니 어찌할까요?"

"그렇다면 금년에 동지사가 올 때에 자네가 능히 찾아 보낼 수 있겠는가?"

"이는 진실로 어려운 일이 아니니 감히 지시하신 대로 하지 않겠습니까?"

하였다. 곧바로 이 뜻을 두 사또에게 아뢰었다.

6월 3일 을묘   맑음

아침 일찍 접반사가 약간의 납약(臘藥)35)·간이 음식 등의 물품을

각기 명세서에 써서 총관 이하 수행인들에 이르기까지 나누어 보냈다. 총관이 말하기를,

"이는 곧 신행(여행하는 사람에게 헤어질 때 주는 물품. 또는 물품을 보내는 일)이며, 또 노자에 관계되는 것이므로 전연 받지 않는다면 인정과 예의에 미안하겠다"

하고는 그 명세서 중에서 몇 종류만 골라 내어 받고 그 나머지는 돌려 보내왔다. 접반사가 나에게 말하기를,

"청나라 손님들이 전후에 살 것을 청하여 들여보낸 물품들은 곧바로 값을 쳐서 보내왔는데, 이치를 따져서 그 값을 받지 않고 사양하는 것이 일의 체통에 합당하였지만, 여행중에 올리는 음식물을 일체 받지 않았고 혹시 이로 말미암아 살 것을 청하지 않을 염려가 있어서 우선 받아 두었다. 이제 돌아갈 때가 되니 불가불 그 값으로 쳐준 물품들을 모두 계산하여 돌려주어야겠다"

고 하였다. 내가 먼저 홍이격에게 말하기를,

"칙사께서 우리 나라 경내에 오셔서 약간의 음식물도 값을 치르고 구입하셨으니 일의 체통이 구차한 것은 말할 것도 없고, 우리 나라에서 접대하는 도리에 있어서도 어찌 이와 같이 할 수 있겠습니까? 당초에 말하지 않고 받아 두었던 것은 총관께서 폐단을 줄이려는 뜻을 어길까봐 염려한 때문입니다. 지금 돌아갈 때가 되었으니 그간에 보내준 값에 해당하는 물품들을 모두 돌려보내겠습니다. 이런 뜻으로 말씀을 잘 하여서 (총관께) 보고해주심이 어떻겠습니까?"

하였더니, 그는 말하기를,

"황제께서 노자를 넉넉히 주셔서 일행이 여행중에 필요한 것은 모두 여기에서 나왔다. 지금 만약 그 값으로 보내준 물품들을 돌려

---

35) 임금이 납일(臘日)에 신하들에게 나누어 주는 약. 소합원(蘇合元), 안신원(安神元), 청심원(淸心元) 등의 약.

보낸다면 총관께서 반드시 노여워하실 것이다. 나는 감히 보고하지
않겠다"
고 하였다. 내가 다시 말하기를,

"총관께서 음식물을 구입하신 것은 진실로 우리 나라를 염려하시
는 뜻에서 나온 것이며, 우리 나라에서 그 값을 받지 않는 것도 황
제의 사신을 접대하는 도리에 합당한 것입니다. 이 뜻으로 총관에
게 보고하는 것도 무방하지 않겠습니까?"
하였더니,

"처음부터 끝까지 모든 일이 매우 순조로웠는데 지금 돌아갈 때
에 이러한 조그마한 일로 그 분의 노여움을 산다면 어찌 딱한 일이
아니겠는가? 내가 강을 건너간 후에 마땅히 이 말을 조용히 총관에
게 보고한다면 (총관) 또한 반드시 돌아가 황제께 주달할 것이다. 내
가 말한 바로서 두 사또에게 상세히 보고하는 것이 좋겠다"
라고 하였다. 식후에 내가 두 사또가 모두 강변에서 송별하겠다는
뜻으로 총관에게 통고하자 (총관이) 말하기를,

"천 리 길을 전송하는 데에도 끝내 한 번의 작별이 있을 뿐이다.
어찌 반드시 멀리 강변까지 갈 필요가 있겠는가? 여기에서 작별함
이 좋겠다. 나는 정말로 나이 많은 분들을 수고스럽게 하고 싶지 않
다. 멀리 가실 분들이 안심하라는 뜻으로 빨리 그대의 두 사또에게
보고하라"
고 하였다. 내가 곧바로 돌아와 보고하자 두 사또가 같이 숙소에 나
아가서 관복을 갖춰 입고 (총관을) 상견코자 하였다. 총관이 말하기
를,

"관복은 반드시 배례(拜禮)가 있어야 하니 편복으로 들어오는 것
이 좋겠다"
고 하였다. 그리하여 그 말에 따라 군복을 입고 읍례를 행하였다.

자리에 앉아서 예에 따라 문안한 후에 말하였다.

"정해진 경계에 표를 세우는 일은 돌아가 조정에 주달하여 서서히 공사를 시작하겠습니다. 이 지역은 황폐한 지가 이미 오래 되어 일찍이 관리한 일이 없었습니다. 지금 경계가 분명해지고 도로가 통하게 되었으니 비어 있는 땅에는 혹은 백성을 모아 들어와 살도록 하고 혹은 파수를 설치할 것이니, 전과 같이 비어 있거나 소홀한 폐단이 없을 것입니다."

"혜산으로부터 무산에 이르기까지 그 사이는 모두 텅 비어 있는 지역입니다. 만약 백성을 이주시키거나 파수를 설치하고자 한다면 그 폐단이 적지 않을 것입니다. 관원을 별도로 정하여 일 년에 두세 차례 착실히 순찰하는 것이 좋을 것입니다."

"대인께서 우리 나라의 민폐를 염려하셔서 이러한 지시가 있었다는 것을 돌아가 조정에 주달하겠습니다. 백성을 이주시키고 파수를 설치하는 것과 관원을 보내 순찰하는 등의 항목들은 상의하여 하겠습니다."

"그 말이 옳습니다. 앞으로 동지사가 올 때에 설치한 상황을 통역관에게 말하여 나에게 전하도록 하여 황제께 전달하는 것으로 하면 좋겠습니다"

하였다. 접반사가 또 말하기를,

"언뜻 들으니 대인께서 오라 장경이 국경을 넘어온 일을 돌아가 황제께 주달하여 논죄하겠다는 거조가 있었다고 하였습니다. 장경이 멋대로 국경을 넘어오고 본 고을에서 능히 막지 못한 것은 그 법으로 다스리는 데 있어서는 진실로 모두 죄가 있습니다. 그러나 장경은 다만 대인을 배알하는 것이 중하다는 것만 알았고, 본 고을은 청나라 사신을 영접하겠다는 소리에 두려워한 것입니다. 그 정세를 논한다면 가히 용서해 줄 도리가 있을 듯합니다"

고 하자, 총관이 오래 생각한 후 말하기를,

"국경을 넘어온 장경을 만약 중죄에 처한다면 본 고을의 관리 또한 반드시 죄를 감당해야 할 거조가 있을 것입니다. 마땅히 말씀하신 바에 따라 돌아가 주달하지 않겠습니다. 접반사와 관찰사께서도 진달할 필요가 없겠습니다"

고 하였다. 두 사또가 작별을 고하고 (모임을) 파하고 나올 때에 총관 이하가 일어나 서서 손을 맞잡고 말하기를,

"우리들이 비록 황제의 명을 받들고 왔지만 무사히 일을 마치고 돌아갈 수 있게 된 것은 진실로 (조선) 국왕의 돌보아주심에 힘입은 것입니다. 하물며 별도로 문위사를 파견하고 예단을 후히 내려주시니 가히 성의가 지극함을 알 수 있습니다. 이미 모든 일에 폐단을 줄이라는 황제의 지시가 있어 지금 감히 (명령을) 어길 수 없지만, 그 마음 속에 감격한 것은 받은 것과 다름이 없습니다. 이 뜻을 반드시 상세히 진달해 주십시오"

라고 하였다. 접반사가 감히 지시대로 하겠다고 답하고 물러나왔다. 총관이 김호연 이하 여러 차비관 및 각 차사원 등을 그 탁자 앞에 불러 모아놓고 각각 세 장의 조그마한 그림을 두루 나누어 주면서 말하기를

"이 물건들은 매우 보잘것 없지만 나의 마음을 표하고자 하는 것이다"

하였다. 그런데 오직 나에게만 주지 않아서 마음 속으로 이상하게 생각했다. 끝날 무렵에 오래 된 병풍 한 축을 나에게 주며 말하기를,

"그대는 연로하니 오래 된 물건을 주겠다"

고 하였다. 내가 머리를 조아리며 사례하였다. 나와 펼쳐 놓고 살펴보니 곧 장일봉(張一鳳)이 그린 것으로 한 마리의 흰 매가 앉아 있는 그림이었다. 차원 중 몇 사람이 말하기를,

"총관이 귀하를 대우함이 매우 지극하여 범상치 않았습니다. 이는 반드시 오래 된 보물일 것입니다. 원컨대 값을 쳐서 바꿉시다"고 하였다. 어찌 웃지 않을 수 있겠는가!

홍이격이 나에게 말하기를,

"총관께서 구하는 놋쇠를 그대는 명심하여 시행하여서 불신을 사지 않도록 하시오. 또 가발 4, 50개와 매방울 2, 30개 또한 부족할 염려가 있다고 하니 이 또한 구해 보내주면 그대의 인정에 매우 감사하겠소"

하므로, 내가

"감히 힘을 다해 하지 않겠습니까?"

하였다.

"우리들의 예단은 반드시 지난해의 예에 따를 뜻으로 이미 접반사와 결정하였소. 또 마른 음식물[乾物]은 무엇으로 결정하였소?"

"예단은 이미 전례가 있으니 염려할 바가 없을 듯합니다. 마른 음식물은 우리 나라의 행정 관례상 크거나 작거나 모든 일을 파견된 신하가 멋대로 할 수 없게 되어 있습니다. 반드시 돌아가 비변사에서 상의하여 처리하는 것이 예입니다. 그러나 비변사의 고관들도 대감이 조선의 일에 성의를 다한 것을 익히 알고 있으니 생각건대 반드시 좋게 처리할 방도가 있을 것입니다."

"내 어찌 조선의 행정 관례를 알지 못하겠소? 그대가 말하는 바가 모두 옳지만, 모두 그대가 잘 보고하는 데 달려 있소. 또 내가 절실히 필요한 것이 있는데 『동의보감』 1질을 크게 바라는 것이오"

하였다. 차통관 오옥주가 말하기를,

"나 또한 절실히 필요한 것이 있습니다. 같은 색 같은 무늬의 왜능화(倭綾花) 세 축을 구해 줄 수 있겠습니까?"

하였다. 내가 일일이 보고하여 처리하겠다고 대답하였다.

오후에 총관 일행이 경원 숙소에서 출발하여 10리쯤 가서 강변에
이르렀다. 모두 말에서 내려 천막에 앉아서 두만강을 건너가려고
할 때에 강 건너에서 사슴고기 세 마리분과 약주 한 항아리를 보내
왔다. 총관이 두 사또의 비장과 나를 불러 각기 사슴고기 한 마리분
을 주면서 말하기를,

"이것은 내 집 하인들이 사냥하여 얻은 고기이다. 두 마리분은 두
사또에게 보내고 한 마리분은 통관과 차원들이 나누어 먹으라"
고 하였다. 또 약주를 한 잔씩 권하는데, 그 술은 우리 나라의 탁한
붉은 색 소주와 흡사하였고 맛이 지극히 독하고 매우면서도 달착지
근하였다. 입에 마시기에는 좋았으나 취하는 것이 매우 심하였다.
또 나에게 두번째 잔을 권하기에 내가 사양하면서 말하기를,

"저는 천성으로 술을 마시지 못하니 대인께서는 생각해 주십시
오"
하였으나, 총관이 말하기를,

"이 술은 비록 독하지만 사람을 상하는 데 이르지는 않는다. 큰
일을 이미 마쳤으니 취하지 않고 무엇하겠는가? 내가 이미 취해 혼
미하니 자네 또한 취해 엎어지더라도 무방하다"
고 하면서 권하기를 그치지 않았다. 이 또한 지극히 대우하는 말씀
인지라 감사함을 이기지 못하였다.

승선함에 이르러 총관과 시위가 내 손을 잡고 작별하는데 말이
지극히 관대하고 은근하여 마음이 아프고 허전함이 없지 않으니 이
또한 인정이 그러한 것인가 보다. 이에 두 사또의 비장과 여러 차원
과 더불어 사사로이 서로 치하하면서 말하기를,

"국가의 큰 일을 이제 끝마쳤으며, 깊고 깊은 고해(苦海)에서 능히
벗어났다"
고 하였다. 기쁘고 다행스러우며 즐거움을 어찌 다 말할 수 있겠는

가! 돌아와 두 사또가 머무르는 곳에 이르자, 접반사가 이미 장계의 초안을 작성하였는데 끝부분에 대략 나의 수고를 칭찬하였다. 대략 이르기를,

"김지남은 수석 통역관으로서 처음부터 끝까지 모든 일에 마음을 다해 주선하였습니다. 청나라 사람들이 지도를 내어 준 것은 진실로 김지남이 먼저 얻기를 요청한 말로 말미암은 것입니다. 지금 이곳에서 중국 지역에 벌목한 흔적이 낭자한 일은 매우 중대한 일인데도 끝내 미봉하게 되었으며 시위로 하여금 눈으로 보고도 발설하지 않게 하였습니다. 그 수고한 것은 진실로 매우 가상합니다. 운운"

하였다.

홍세태의 백두산기

『백두산기(白頭山記)』는 홍세태(洪世泰 : 1653~1725)의 문집인 『유하집(柳下集)』 권9에 수록되어 있다. 1712년(숙종 38) 청의 목극등이 양국의 경계를 확정하기 위해 파견된다는 통지를 받고 우리 조정에서는 박권(朴權)을 접반사로 삼아 청의 관원들과 함께 경계를 정하도록 하였다. 일행은 백두산 꼭대기에 올라갔다가 분수령을 찾아 사람 인(人)자처럼 생긴 지형 가운데 정계비를 세우고 돌아왔다. 이 때 청의 목극등은 직접 백두산에 올라갔으나, 접반사 박권과 함경 감사 이선부는 늙고 허약하다는 이유로 백두산에 올라가지 않고 역관 김경문이 목극등과 함께 올라갔다. 이 글은 김경문의 이야기를 직접 전해 들은 홍세태가 그 사실을 기록한 것이다. 김경문은 자기 부친인 김지남이 『북정록』을 썼으므로 자기가 또다시 백두산기를 쓸 수 없어 홍세태를 통해 간접적으로 백두산 기행문을 썼다. 이 글은 문장에 능했던 저자의 필력이 유감없이 발휘된 기행문으로서, 백두산 정계비에 얽힌 역사적 사실을 검증하는 데 중요한 자료가 된다. 이는 그의 나이 60세에 쓴 것이다.

홍세태는 조선 후기의 시인으로 본관은 남양이며, 자는 도장(道長), 호는 창랑(滄浪)·유하(柳下)이다. 무관이었던 익하(翊夏)의 맏아들로서, 어머니는 강릉 유씨(劉氏)이다. 5세에 책을 읽을 줄 알고 7, 8세에는 글을 지을 만큼 뛰어난 재주를 가졌으나 중인 신분이라 제약이 많았다. 시(詩)로 이름이 나서 김창협(金昌協)·김창흡(金昌翕)·이규명(李奎明) 등 사대부들과 절친하게 지냈으며 임준원·최승태·유찬홍·김충렬·김부현·최대립 등 중인들과 시회를 만들어 교유하였다. 1675년(숙종 1) 을묘 식년시에 잡과인 역과(譯科)에 응시, 한학관으로 뽑혀 이문학관(吏文學官)에 제수되었다. 30세에 통신사 윤지완을 따라 일본에 다녀왔으며 46세에 이르러 이문학관에 실제 부임하게 되었다. 당시 중국 사신이 우리나라의 시를 보고자 하였을 때 좌의정 최석정(崔錫鼎)이 숙종에게 그의 시를 추천하여 임금에게 호감을 얻었기 때문에 그 해에 제술관에 임명되었다. 어머니의 상으로 사직하였다가 50세에 복직하였다. 53세에 둔전장(屯田長), 58세에 통례원 인의(通禮院引儀), 61세에 서부주부겸찬수랑(西部主簿兼纂修郞), 63세에 제술관(製述官), 64세에 의영고주부(義盈庫主簿)가 되었으나 곧 파직당하였다. 평생 가난하게 살았으며 8남2녀의 자녀가 모두 앞서 죽어 불행한 생애를 보냈다. 이러한 궁핍과 불행은 그의 시풍에도 영향을 끼쳐 암울한 분위기의 시를 많이 남기고 있다. 특히 중인 신분으로서의 좌절과 사회부조리에 대한 갈등이 시 속에 우수와 감분을 담게 하였다. 한시에 대한 재능을 널리 인정받았으며 비절하고 그윽한 서정의 세계를 표현하는 데에 특히 능하였다. 또한 위항문학(委巷文學)의 발달에도 중요한 역할을 하였는데 중인층의 문학을 옹호하는 천기론(天機論)을 전개하였으며 위항인의 시를 모아『해동유주(海東遺珠)』라는 위항시선집을 간행하였다. 죽은 후 1731년(영조 7)『유하집』14권이 사위와 문인에 의하여 간행되었다.

백두산기

백두산은 북방 여러 산의 원조이며 청나라가 여기에서 일어났다. 우리 북변에서 3백여 리 떨어져 있는데 저쪽 사람들은 장백산이라 하고 우리는 백두산이라 한다. 두 나라가 산 위의 두 강으로써 경계를 삼고 있으나 땅이 매우 멀고 거칠어서 상세한 경계를 알기 어렵다.

임진년(1712, 숙종 38) 봄 3월에 청나라 황제가 오라 총관(烏喇總管) 목극등(穆克登)과 시위(侍衛) 포소륜(布蘇倫), 주사 악세(鄂世)를 보내어 백두산에 가서 살펴보고 변경의 경계를 확정하게 하였다. 우리나라 조정에서는 폐사군(廢四郡)[1]은 다시 우리의 땅이 될 수 없으나, 혹시나 6진(六鎭)이 염려된다는 논의가 많았다. 판중추(判中樞) 이공(李公)[2]만이 건의하여 말하기를,

---

1) 4군은 조선 세종 때 북방의 여진족을 막기 위하여 압록강 상류에 설치한 국방상의 요지. 여연(閭延)·자성(慈城)·무창(茂昌)·우예(虞芮)의 4군(郡)을 말한다. 북계개척사업은 그 후 유지하기가 어려워서 조정에서는 4군을 철폐하자는 논의가 일어났고 문종 즉위 이후 이 문제가 크게 대두되어 단종에서 세조에 이르러 폐하게 되었다. 이후 이 지방은 '폐사군(廢四郡)'이라 불리며 주민의 거주가 금지되었다.

2) 숙종 38년 3월의 비변사 좌목을 보면 행판중추부사(行判中樞府事)로 최석정(崔錫鼎)·이여(李畬)·이유(李濡)·서종태(徐宗泰)·김창집(金

"마땅히 백두산 꼭대기의 천지(天池)를 반으로 나누어 경계를 삼아야 한다"
고 하여 접반사(接伴使) 박권(朴權), 함경도 관찰사 이선부(李善溥)를 보내어 국경에서 맞이하여 함께 가서 살펴 조치하게 하였다. 김경문(金慶門)이 통역을 잘하므로 따라가서 산에 올라 경계를 정하고 돌아왔다. 그가 나에게 그 일을 이야기하여 주었으므로 아래에 그 이야기를 적는다.

4월 29일 신사

김경문이 천여 리의 변경으로 가서 삼수(三水)의 연연(蓮淵)에서 목극등과 만났다. 따라오는 오랑캐[胡人]가 수십 인에서 100인쯤이었고 말이 200여 필, 소가 20여 마리쯤 되었다. 접반사가 사람을 시켜서 그들을 위로하게 하고 또 쌀과 고기를 보냈으나 받지 않고 돌려보내며 말하기를,

"황제께서 조선에 폐가 될 것을 염려하여 목극등에게 내린 식량이 매우 많으므로 우리가 충분히 먹을 수 있다. 물건이 가고 오는 데에 번거롭지 않게 하려는 것뿐이니 염려하지 말아라"
하였다. 이보다 먼저 목극등이 연경(燕京 : 북경)에서 우리 사신에게 말하기를,

"백두산의 남쪽 길을 아는 자를 한 사람 구해 나를 기다리라"
하였었다. 이 때에 목극등이 그것에 대해 물으니 김경문이 대답하기를,

"여기는 혜산(惠山)입니다. 공께서는 이번 행차에 반드시 강계(疆界)를 살펴 정하고자 하십니다. 백두산 정상에는 큰 못이 있어 동으

昌集)·이이명(李頤命)·윤증(尹拯) 등이 나오는데, 여기에 나오는 판중추 이공은 아마도 이이명(李頤命)인 듯하다.

로 흘러서는 토문(土門)이 되고 서쪽으로 흘러서는 압록(鴨綠)이 되니 이것이 곧 남북의 경계입니다. 그러나 혜산의 연류에서부터 수원(水源)에 이르는 사이에는 산수가 험난하여 옛날부터 통하지 못하였습니다. 간혹 사냥꾼들이 나무를 부여잡고 올라간 적이 있으나 역시 산꼭대기에 이른 자가 없었는데 공이 어찌 정상에 오를 수 있겠습니까?"

하였다. 목극등이 말하기를,

"내가 황제의 명을 받들고 왔는데 어찌 험한 것을 꺼리겠는가? 너희 나라 경계가 여기에 있다고 말하는데 이것은 황제께 올려 주문(奏聞)하여 정한 것인가, 아니면 역사책에 근거할 만한 것이 있는가?"

하므로 김경문이 대답하기를,

"우리 나라가 옛날부터 이 곳을 경계로 삼았음은 부녀자와 어린 아이라 할지라도 모두 알고 있는 것인데, 어찌 이것을 황제에게 청하겠으며, 또한 무엇 때문에 문자로 기록하여 증거를 삼겠습니까? 작년에 황제께서 창춘원(暢春苑)에 계실 때 우리 사신을 불러서 서북 지역의 경계를 물으셔서 사실대로 이러한 내용으로 대답하였으니, 공께서도 틀림없이 들으셨을 것입니다. 대개 두 강의 발원이 이 못에서 시작하여 천하의 큰 강이 되었으니, 이는 하늘이 남북의 한계를 그은 것입니다. 공께서 지금 한 번 보고 결정하도록 하십시오"

하였다.

5월 1일 계미

구가진(舊茄鎭)에 도착하여 어첩(御帖 : 국왕의 글씨 첩)을 전하였다.

5월 3일 을유

아침에 출발하여 장령(長嶺)에 올라 북쪽을 바라보니 백두산이 하늘 가장자리에 있는데 가로 뻗쳐 아득하고 질펀하여 마치 흰 소가 풀가에 누워 있는 것 같았다. 목극등이 천리경으로 보더니 거리가 약 300리라고 하였다.

5월 4일 병술
허천강(虛川江)을 건너 혜산진에 이르렀다.

5월 5일 정해
박권과 이선부 두 사람이 목극등을 찾아가 뵈었다. 사람을 시켜 임금의 뜻이라 칭하면서 500금(金)을 보내니 받지는 않았으나 크게 기뻐하여 술자리를 베풀며 다음과 같이 말하였다.

"황제께서 곡진히 너희 나라를 생각하였기 때문에 이렇게 온 것이니, 다만 경계를 정하여 변방 백성으로 하여금 간특한 일을 범하여 일이 일어나지 않도록 하고자 할 뿐이다."

그 지역 사람인 애순(愛順)이 일찍이 저쪽 경계에 잠입하여 인삼을 채취하였으므로 산의 남쪽 길을 잘 알고 있었다. 이에 목극등이 그를 불러 말하기를,

"이 산의 남쪽 길을 네가 잘 알고 있을 것이다. 내가 지금 너의 죄를 사면하여 줄 터이니 숨기지 말아라"

하였다. 애순이 이리저리 둘러대며 모른다고 하자 목극등이 웃으면서 다른 사람에게 다음과 같이 말하였다.

"저 놈에게 길 안내를 하게 하면 저절로 길이 있을 것이다."

5월 6일 무자
목극등, 필첩식(筆帖式) 소이창(蘇二昌),3) 대통관 이가(二哥)4)가 일꾼 20명, 짐 싣는 소와 말 4, 50필, 짐꾼 43명 및 우리쪽의 접반사 군

관 이의복(李義復), 순찰사 군관 조태상(趙台相), 거산 찰방 허량(許樑), 나난 만호 박도상(朴道常), 역관 김응헌(金應瀗), 김경문, 길잡이 3명, 도끼잡이 10명, 말 41필, 짐꾼 47명과 함께 산에 올랐다. 포소 륜과 악세로 하여금 그 나머지 사람들을 인솔하여 허항령(虛項嶺)을 경유하여 서쪽으로 돌아가게 하였다.

5월 7일 기축

아침 식사 후에 사람들은 모두 전립(氈笠)을 쓰고 토시를 착용하고 방한화[兀剌鞋]를 신고 종아리를 묶어서 무릎까지 올라오게 하고서 서로 돌아보며 웃었다. 괘궁정(掛弓亭) 아래에서부터 내를 따라 오시천(五時川)으로 올라갔다. 오시천은 경성(鏡城)의 장백산 서쪽에서 시작하여 이 곳에 이르러 강물과 합해지는데 오시천의 바깥쪽은 모두 황폐하여 사람이 살지 않았다.

북으로 내를 건너 물가를 따라 가니 석벽이 깎아지른 듯하여 잡고 오를 만한 것이 아무것도 없었다. 백덕(柏德)에 새로 길을 만들어 앞으로 나아갔다. 산의 언덕이 높으면서 위가 평평한 것을 북쪽 지방에서 '덕(德)'이라고 한다. 이 곳은 곧 백산(柏山)의 기슭이다. 산에는 잣나무가 많았다. 길이 험하고 급경사였으나 산마루에 오르자 조금 평평해졌다. 그러나 지세가 갈수록 점점 높아졌다. 깊은 나무숲을 뚫고 들어가니 큰 나무뿌리가 서리서리 얽혀 마디지고 굽었으며 땅은 새로 내린 비로 진창길이 되어 나아가기가 어려웠다. 70리를 가서 검천(劍川)에 도착하여 묵었다.

5월 8일 경인

검천을 건너 25리를 가서 곤장(昆長) 귀퉁이에 도착하였다. 처음

3) 『북정록』에는 칠품필첩식(七品筆帖式) 소이선(蘇爾禪)으로 되어 있음.
4) 『북정록』에는 육품통사(六品通事) 홍이격(洪二格)으로 되어 있음.

출발할 때 박권과 이선부 두 분이 함께 산에 오르려 하였으나 목극
등이 말하기를,

"내가 보니 조선의 재상은 움직일 때는 반드시 가마를 타는데, 나
이 많은 사람들이 험한 길을 능히 걸을 수 있겠는가? 중도에 넘어
지면 대사를 그르칠 것이다"

하고 허락하지 않았다. 이 곳에 이르러 박권과 이선부 두 분과 목극
등이 말에서 내려 작별인사를 하고 또한 우리 여섯 명을 불러 술자
리를 베풀어 위로하였다. 15리를 가니 큰 산이 바로 앞에 있어서 이
에 서쪽으로 강을 건넜다. 수심은 얕으나 물이 달리는 말처럼 거세
고 급했다.

5월 9일 신묘

애순에게 명령하여 열 명의 도끼잡이를 데리고 앞에서 나무를 베
게 하여 강가를 따라 5, 6리를 가니 길이 끊어졌다. 다시 산언덕을
따라 갔는데 이름은 화피덕(樺皮德)이라 한다. 백덕과 비교하면 더
욱 험준하고 깎아지른 듯한데 그 꼭대기는 평평하고 넓다. 불을 땐
흔적과 왕래한 흔적이 보였다. 이가가 손으로 초막을 가리키면서
애순에게 말하기를,

"네가 길을 모른다고 하면 이 곳에서 잔 사람이 누구냐?"

하였다. 애순이 가만히 있으면서 대답하지 않았다.

80여 리를 가니 조그마한 못이 있었다. 인마를 멈추고 물을 마셨
다. 목극등이 우리에게 소 한 마리 반을 주고 나머지 반으로 자기
사람들을 먹였다. 날씨가 또다시 나빠져서 하늘이 어두워지고 우레
가 치더니 갑자기 비가 쏟아졌다. 청나라 사람들은 모두 천막 속으
로 들어가 비가 와도 새지 않았으나 우리 여섯 사람은 단지 삼베포
로 된 장막 한 장과 큰 기름 종이 포대뿐이어서 마치 개미떼가 그

속에 모여들어서 피하는 것과 같은 모양이었다. 군졸들이 모두 비에 젖어 추위에 떨며 앉았는데 다행히 한밤중이 되기 전에 비가 그쳐서 죽지 않았다.

5월 10일 임진

동쪽으로 강을 건너 우리 나라의 강가를 따라 몇 리를 가고 또 저쪽의 강가를 따라 30여 리를 가는 사이에 아홉 번이나 왕복하여 건넜다. 물살은 세차고 급하였다. 대개 백덕(柏德)에서부터 140여 리를 올라왔다. 큰 나무가 산에 가득 차 있고 빽빽이 하늘을 덮어 해를 가리고 있었다. 큰 것은 거의 대여섯 아름쯤 되고 촘촘하기가 짜 놓은 것 같았다. 사람들이 빈 틈을 따라서 옆으로 뚫고 나와서 겨우 하늘을 볼 수 있었다. 그러나 한낮이 아니면 햇빛을 볼 수 없었다. 가끔 넘어진 나무가 길을 가로막고 있어 나아갈 수 없어서 돌아서 피해 가야 했다. 이 때문에 100리 길이 200리가 되었다. 나무는 주로 삼나무, 회나무, 잣나무, 자작나무, 가문비나무가 많이 뒤섞여 있고 소나무는 겨우 한 번 보았다. 홍백일홍과 작약이 한창 만개하였고, 짧고 잎이 막 돋아나는 나무가 있었는데, 속명(俗名)으로 '두을죽(豆乙粥)'이라고 한다.

오시천을 지나면서부터는 날짐승들을 보지 못하였다. 꾀꼬리가 잣나무 송진을 쪼아먹고 사는데, 그 울음소리는 짧고 급했다. 북쪽 사람들이 이것을 백조(柏鳥)라고 불렀다. 산에 깊이 들어갈수록 백조의 울음소리도 들리지 않았다. 짐승으로는 호랑이와 표범은 보이지 않고 오직 곰, 멧돼지, 사슴, 노루만 있었는데 때때로 사람을 보면 놀라서 달아났다. 담비·오소리·족제비·박쥐·다람쥐 따위가 없는 것이 없었다. 조금 앞으로 가다가 언덕을 한참 오르니 꼬불꼬불한 산길이 갑자기 끊어졌다. 애순이 말하기를,

"이 곳이 한덕립지당(韓德立支當)입니다"
하였다. '지당'이란 북쪽 사람들의 속어로 얼음 절벽을 가리키는 것
이다. 매년 여름이면 사슴떼가 그 안에 들어가서 등에를 피한다. 덕
립이 혼자서 그 입구를 지키고 있다가 사슴을 많이 잡았기 때문에
그런 이름이 붙은 것이라 하였다.

언덕을 올라 8, 9리를 가니 목극등이 층층의 절벽 위에서 말을 쉬
게 하고 있었고 사람들이 모두 모여 서 있었다. 김경문도 말에서 내
려앉아 절벽을 굽어보니, 몇 천 길이나 되는 큰 골짜기 가운데 폭포
수가 절벽에서 터져 나오는데, 물이 쏟아져 내려서 골짜기에 솟아
있는 돌 봉우리들에 부딪치며 좌우에서 물보라를 만들고 여러 갈래
로 화살처럼 급하게 쏟아져 내렸다. 혹은 소용돌이를 만들기도 하
고 돌과 부딪치기도 해서 시끄러운 물소리가 마치 사방에서 울리는
천둥소리와 북소리 같으니 정말로 천하의 기이한 절경이었다.

또 십수 리를 가니 나무가 점점 듬성듬성해지고 산이 점차 모습
을 드러냈다. 여기서부터는 산이 모두 뼈대만 남고 색깔은 창백하
였다. 대개 기(氣)가 쌓이고 응결되어 이루어진 하나의 커다란 수포
석(水泡石)이다. 동쪽을 보니 한 봉우리가 하늘로 뾰죽이 솟아올라
있었다. 김경문이 애순을 돌아보며

"백두산이 가깝구나. 오늘 정상에 도착할 수 있겠지?"
하고 물으니, 애순이 말하기를,

"아닙니다. 이것은 소백산(小白山)입니다. 이 산을 지나서 서쪽으
로 10여 리를 가면 바로 백두산 자락인데 산자락에서 정상에 이르
기까지 아직 2, 30리입니다. 조금 동쪽에 한 고개가 있는데 그것이
소백산의 자락입니다"
하였다.

그 산마루에 올라가서 멀리 백두산을 바라보니 웅후(雄厚)하고 박

대(博大)해서 천 리가 한결같이 푸르렀다. 다만 그 정상이 마치 흰 항아리를 높은 도마 위에 엎어 놓은 것 같았다. 그 이름을 백두산이라 한 것은 이 때문이다. 고개 밑에는 한 줌의 흙도 한 포기의 풀도 없고 가끔 소나무와 삼나무만 있는데, 거센 바람에 부대껴서 모두 왜소하고 굽어 있었다. 고개를 내려와서 북쪽으로 작은 개울을 건너니 평지가 나왔다. 몇 리를 가니 나무가 있는데 모두 옹종하고 높이가 불과 몇 자밖에 되지 않으니 속칭 박달(朴達)이라고 한다. 이 곳을 지나자 산은 모두 민둥산이었다. 이 때 저녁 노을이 산 절반쯤에 비치더니 조각 구름이 산꼭대기에서부터 나와서 밑으로 떨어지더니 조금 있다가 감아 올라가서 하늘에 가득하였다. 애순이 말하기를,

"장차 큰 바람이 일고 비가 올 것입니다"

하면서 겁내는 기색이었다. 목극등이 묻기를,

"어찌 겁을 내느냐?"

하니 애순이 말하기를,

"지금 이렇게 높은 곳에 올라와서 비를 만나면 사람이 반드시 얼어죽을 것입니다. 바람이 불면 포석(泡石)이 바람에 날려 사방으로 떨어져 눈 깜짝할 사이에 골짜기가 끊어져서 막혀 버릴 것이고 사람은 알 수 없는 바닥에 떨어져 버릴 테니 어찌 나올 수 있겠습니까? 여기까지 도달한 것은 반드시 목욕재계하고 기도하여 무사한 것입니다"

하였다. 목극등이 말하기를,

"내가 바로 천자의 명을 받은 관리이니 어찌 수렵하는 놈들과 같겠느냐?"

하므로 김경문이 말하기를,

"공의 말씀이 맞습니다. 그러나 자고로 기도하고 제사하는 것은

오래 된 일입니다. 또 옛 사람의 말이 없으면 그만이지만 이미 말이 있으면 그것을 따르라 하는 것이 옛 사람의 말입니다"
하였다. 목극등이 곧 김경문을 돌아보며 초를 찾으니 그 뜻은 스스로 기도하고자 하는 것이다.

저녁에 구름이 개고 달이 뜨니 하늘이 사람들의 머리 위에 있었다. 별들은 모두 반짝이고 대기는 겨울처럼 추웠다. 갑자기 귀신이나 도깨비가 튀어나와 늘어서서 사람을 잡아갈 듯하였다. 모두 낮에 본 노목(老木)이었는데 사람들로 하여금 자기도 모르게 두려움을 자아내게 하였다.

5월 11일 계사

새벽밥을 먹고 저들 관원 세 사람과 우리 관원 여섯 사람이 각각 건보(健步 : 잘 걷는 사람) 두 사람, 저들이 데려온 화공 유윤길(劉允吉), 애순과 함께 5, 6리쯤 갔다. 산이 갑자기 가운데가 움푹 패여 구덩이를 이루어 띠처럼 가로막고 있었는데 깊이는 끝이 없고 너비는 2자쯤 되었다. 말이 벌벌 떨며 감히 뛰어넘지를 못하여 말에서 내리고 말끄는 사람이 북쪽 언덕으로 가서 말고삐를 잡고 건넜다. 목극등이 앞장서서 뛰어넘으니 사람들이 모두 뒤따랐는데 오직 김경문과 소이창, 이의복은 하지 못했다. 목극등이 키가 큰 사람으로 하여금 팔을 뻗어 손을 잡고 건너게 하였다.

4, 5리를 올라가니 또 구덩이가 있는데 아래의 것에 비하여 1자 정도 더 넓었다. 길이 더욱 험준해져서 말을 타고 갈 수 없었다. 이에 말을 머물게 하고 나무를 쪼개어 그 위에 걸쳐 다리를 만들어서 건넜다. 조금 서쪽으로 수백 보를 내려가 압록강 상류를 건너서 북쪽 언덕에 잠시 앉아 목극등과 강역의 문제를 논하였다. 이어 기운을 차리고 천천히 걸으니 처음에는 약간 상쾌한 느낌이 들었으나

앞으로 3, 4리 더 가니 길은 험하고 더욱 가파르매 다리의 힘이 다 빠지고 땀이 비오듯이 흘렀다.

그리고 3, 4리를 더 가니 목이 타고 갈증이 심하여 넘어지면 일어날 수 없었다. 목극등은 몸이 민첩하기가 마치 원숭이 같아서 다른 사람들이 능히 따라갈 수 없었다. 허량이 그 다음쯤 되고 박도상, 조태상과 통역관 이가가 그 다음쯤 되었다. 소이창, 이의복, 김경문은 가장 뒤처졌다. 소처럼 숨을 헐떡거리면서 눈[雪]을 보면 재빨리 움켜 집어먹어도 가쁜 숨이 진정되지 않았다. 가뿐하고 용감하게 가는 사람을 보고 힘을 다해서 따라가려고 하나 두 다리가 붙잡아 매인 것 같았다. 역부(驛夫)의 포대를 가져다 허리에 매달고 두 사람의 종자(從者)로 하여금 좌우에서 끌게 하였으나 그래도 따라갈 수 없었다. 우러러 여러 사람들을 보니 모두 구름처럼 아득한 곳에 있었다. 생각하기에는 산꼭대기에서 멀지 않은 것 같은데 아직 반도 못 왔다. 조금 쉬고 또 가니 마음 속으로 더욱 겁이 나서 다섯 걸음 가다가 한 번 넘어지고 열 걸음 가다가 한 번 쉬고, 부축하기도 하고 기기도 하면서 힘을 다하여 따라갔으나 그래도 남의 뒤에 처져서 산의 정상에 도달하였을 때는 날은 이미 한낮이었다.

이 산의 머리는 서북쪽에서 일어나 바로 큰 황야로 내려와 여기에 이르러 우뚝 솟아 있는데 그 높이가 하늘에 닿아 몇 천만 길인지 알 수 없었다. 산 정상에는 못이 있는데 마치 사람의 머리에 있는 숨구멍과 같았다. 못의 둘레는 약 2, 30리 되고 색은 흑요석처럼 새까만 것이 깊이를 헤아릴 수 없었다. 계절이 바야흐로 초여름인데도 빙설이 쌓여 있어 멀리 바라보면 아득한 은색의 바다 같았다.

산 모양은 멀리서 바라보면 마치 흰 항아리를 엎어놓은 것 같으나 정상에 올라가서 사방을 둘러보면 약간 뾰죽뾰죽하였고, 가운데는 구덩이어서 벌어진 항아리의 주둥이가 위로 향하고 있는 것 같

았다. 겉은 희고 안은 붉고 네 벽은 깎아질러서 마치 붉은 찰흙을
칠한 것 같기도 하고, 담황색 비단 병풍을 두른 것 같기도 하였다.

그 북쪽은 몇 자쯤 터져서 물이 넘쳐흘러 폭포를 이루는데 이것
이 흑룡강의 수원(水源)이다. 동쪽에는 석사자(石獅子)가 있는데 그
색깔은 누렇고 목을 빼서 서쪽을 바라보고 있다. 크기가 집채만하
고 꼬리와 갈기가 움직이려고 하는 것 같아 중국인들이 '망천후(望
天吼)'라고 부른다고 한다.

이 날 낮에는 맑아서 아래로 사방을 보니 곧바로 수천 리가 아득
히 평평하게 눈 밑에 펼쳐져 있고, 구름이 점점이 이어져 마치 솜으
로 만든 언덕 같았다. 서북쪽에는 여러 산이 겹겹이 있는데 머리만
반쯤 나와서 구름과 서로 삼키고 토해 내니 어느 곳의 산인지 알 수
없었다. 그러나 경성(鏡城)의 장백산 같은 곳은 동서로 가로지르는
큰 산이므로 어렴풋하지만 오히려 알아볼 수 있었다. 그리고 보다
회(甫多會), 알씨(閼氏), 소백(小白) 등의 여러 봉우리들은 자식 손자
처럼 나열되어 있었다. 그 외에는 시력이 다해서 판별할 수 없었다.
목극등이 말하기를,

"내가 『일통지(一統志)』를 맡아 천자의 명을 받들어 두루 조사하
여 발자취가 천하를 편력하였는데 이 산의 준절하고 기이하며 우뚝
함은 비록 중국의 여러 명산에는 미치지 못하지만 그 광대하고 웅
대한 형세는 중국에 있는 산보다 낫다"

하고는 못의 물을 가리키면서,

"이 속에는 무엇이 있느냐?"

하니 김경문이

"늙은 진주조개[老蚌]입니다"

하였다. 목극등이

"어떻게 아느냐?"

하니 김경문이 말하기를,

"내가 들으니 명월의 구슬이 깊은 연못에서 나온다는데 아마도
필시 여기일 것입니다"

하였다. 이에 애순이 말하기를,

"날씨가 좋고 맑은 날 밤에 보면 못에서 이채로운 기운이 나오고
그 빛이 하늘에 뻗치는 것이 마치 바다에서 달이 뜨는 것과 같습니
다. 해마다 6월이면 못의 얼음이 녹기 시작하고 7월이면 다시 얼기
시작합니다. 그 사이가 불과 한 달뿐인데 못의 빛이 위로 올라가는
것은 반드시 얼음이 녹을 때입니다"

라고 하여 사람들이 웃으며 말하는 것을 경계하였다. 갑자기 얼음
밑에서 소리가 울려 나오는데 그 메아리가 우레 같았다. 애순이 실
색하니 목극등이 못을 향하여 무릎을 꿇고 묵념하면서 몇 구절 주
문을 외웠다.

그리고는 곧 아래로 내려가 동쪽으로 향해 가는데, 곰 한 마리가
산 모퉁이에서 튀어나왔다. 목극등이 크게 소리지르며 팔을 걷어붙
이고 쫓아가자 곰이 놀라 산등성이를 넘어 달아나 숨어버렸다. 김
경문이 말하기를,

"공은 황제의 근신이신데 어찌 이리 경솔하게 행동하십니까?"

하니 목극등이 웃으면서 말하기를,

"이것은 내가 자중하고 있기 때문이다. 불의에 맹수가 나올 때 내
가 만약 무서워서 위축되면 그 놈이 나를 업신여길 테니 어찌 가만
히 있을 수 있겠는가?"

하였다. 드디어 산등성이를 따라서 천천히 걸어가 3, 4리쯤 내려가
서 비로소 압록강의 근원을 찾았다. 샘이 있는데 산의 틈[山穴] 속에
서 물이 퐁퐁 솟아나와 그 흐름이 빨라지더니, 수십백 보도 못 가서
좁은 골짜기에서 큰 골짜기로 그 물이 흘러 들어갔다. 한 움큼 움켜

쥐고 마시니 시원하였다.

또 동쪽으로 가다가 짧은 산등성이를 하나 돌아넘으니 샘이 하나 서쪽으로 흘러 3, 40보를 흐르더니 갈라져서 두 줄기가 되었다. 그 한 줄기는 흘러서 서쪽 샘과 합쳐지고 한 줄기는 동쪽으로 흘러가는데 물줄기가 매우 가늘었다. 또 동쪽으로 산등성이 하나를 넘으니 샘이 있는데 동쪽으로 백여 보쯤 흘러갔으나 중간에 샘[中泉]이 갈라져서 동쪽에서 온 것과 합쳐졌다. 목극등이 중간에 두 갈래진 물 사이에 앉아 김경문을 돌아보며 말하기를,

"이 곳을 분수령이라고 이름짓고 비석을 세워서 경계를 정할 만하다"

하여 김경문이 말하기를

"매우 좋습니다. 명철한 공께서 이번에 와서 하신 일은 마땅히 이 산과 더불어 영원히 무궁할 것입니다"

하였다. 그 물줄기가 나누어져 사람 인(人)자를 만들었다. 한 가운데에 작은 암석이 있는데 형상이 엎드린 호랑이 같았다. 목극등이 이를 보고 말하기를,

"이 산에 있는 이 바위가 또한 참으로 기이하니 귀부(龜趺)로 쓰면 되겠다"

하였다. 산을 내려오니 어두워져서 천막에서 잤다.

5월 12일 갑오

목극등이 말하기를,

"토문의 원류가 중간에 끊어져서 땅 속으로 흐르므로 강계(疆界)가 분명하지 않으니 가볍게 비를 세우는 의논을 하여서는 안 되겠다"

하고, 이에 두 사람을 명하여 애순과 동행하여 가서 물길을 살피게

하였다. 김응헌, 조태상이 뒤따라갔다. 60여 리 가니 해가 저물어 두 사람은 돌아와서 백수(白水)가 동쪽으로 흐른다고 보고했다. 목극등이 이어 사람을 시켜 돌을 깎으니 너비가 2자, 길이가 3자 남짓하였다. 또 분수령에서 귀부를 취하였다. 비에 글씨를 새겼는데 그 이마의 "대청(大淸)"이라는 두 자는 조금 크게 썼다. 그 아래 글에는,

"오라 총관 목극등은 변방의 경계를 조사하라는 천자의 명을 받들어 여기에 와서 살펴보니 서쪽은 압록강이요 동쪽은 토문강이다. 그러므로 분수령에서 돌을 새겨 기록하노라.
강희 51년(1712) 5월 15일 필첩식 소이창, 통관 이가, 조선 군관 이의복·조태상, 차사관 허량·박도상, 통관 김응헌·김경문"

이라 하고, 드디어 깎아서 세웠다. 일을 마치고 산을 내려와 무산에 돌아왔다. 목극등이 (박권과 이선부) 두 분에게 말하기를,
"토문강의 원류가 끊어진 곳에는 담이나 울타리를 쌓아서 그 아래의 수원(水源)을 표시하여야 한다"
고 하였다. 이번 행차가 가고 오는데 모두 3개월이 걸렸고 그 길을 계산하면 모두 수천여 리라고 한다.

내가 옛 전기를 읽어보니 곤륜산은 높이가 2,500여 리인데 황하의 물이 나오는 근원이라 한다. 한나라 장건(張騫)5)이 그 근원을 밝

5) ?~114 B.C. 한 문제 때의 사람. 흉노족의 침입을 막기 위해 한은 당시 이리 지방에 있는 유목민족인 월지국과 동맹을 맺고 동서로부터 흉노족을 협공하려는 계획으로 장건을 파견하였다. 장건은 서방으로 가다가 흉노족에 잡혀 억류되었다가 10여 년 만에 탈출, 월지국을 찾아갔으나 이들은 이미 소그디아나 지방의 비옥한 곳에 자리잡고 대월지국을 건설하여 전쟁의 의사가 없었다. 동맹에 실패한 장건은 그 후 1년여 동안 서역의 여러 지방을 순회하고 중국에 돌아와 서역의 사정

혀 내었고, 태사공(太史公 : 사마천)6)은 전(傳)을 지어 그를 기렸다. 백두산은 곧 동북의 곤륜산인데 세상에서 아직 올라가 본 사람이 없었다. 지금 김경문이 능히 그 정상을 두루 보고 두 강의 근원을 탐색하여 강역의 경계를 정하고 돌아왔으니 장하도다! 그러나 다만 한 무제 때에 장건을 얻은 것과 같지 못하여 이 산을 올라간 것은 바로 한 오랑캐 사신을 따라가 직방(職方)7)의 역할을 수행하였을 뿐이니 이것이 아쉽다. 또한 내가 자장(子長)8)과 같은 글재주를 발휘하지 못한 것이 한스러울 따름이다.

을 중국에 알렸다. 이 후 장건에 의하여 소개된 길을 거쳐 비단길이 열리게 되었다.

6) 135?~93? B.C. 전한(前漢)의 역사가로 하양인(夏陽人)이다. 자는 자장(子長). 태사령 사마담(司馬談)의 아들로서 부친을 뒤이어 역사를 기록하는 태사령이 되었다. 중국 최초의 정사인『사기(史記)』를 써서 남겼다.『사기』는 기전체(紀傳體)의 사서로서 본기(本紀)·열전(列傳) 등으로 편성되어 있다. 장건(張騫)의 전(傳)도『사기』에 실려 있다.

7) 주(周)나라 때의 관직. 지도와 토지에 관한 일을 맡은 사람.

8)『사기』의 편자인 사마천의 자.

박권의 북정일기

『북정일기(北征日記)』는 1712년(숙종 38) 백두산 정계비를 세울 때 우리측 대표였던 접반사 박권(朴權 : 1658～1715)의 일기이다. 그 내용은 조선과 청 두 나라의 경계를 정하기 위해 파견된 청나라 사신 목극등의 접반사로 임명된 3월 17일부터 서울에 되돌아온 7월 13일까지의 여행 일기와 여행 후 국경 연변지역 민정에 대한 소감을 적은 장계(狀啓)가 첨부되어 있다.

조선시대 대표적인 여행일기의 하나인 이 일기에는 당시 백두산 사계(査界)의 조선측 대표였던 사람의 일기라고는 하지만, 백두산 경계 문제보다는 경유지의 경치와 백두산에까지 오르지 못한 채 되돌아오는 도중 들렀던 금강산에 대한 풍경을 읊거나 기생 또는 동행한 문인들과 주고받았던 시에 대한 내용을 많이 싣고 있다. 또한 자신을 방문한 국경 연변 지역 수령들의 이름을 빠뜨리지 않고 적어 놓았다. 아울러 백두산 정계 문제에 대한 자세한 내용은 일기 속에 적지 않았지만, 첨부한 장계를 통해 국경 연변 지역 사람들이 금령으로 되어 있는 산삼 채취를 포기하지 않을 수 없는 이유를 열거하며 이에 대한 국가차원의 대책을 강구할 것을 요구하고 있다. 현재 『북정일기』의 원본은 전해지지 않고 1책 55장의 필사본이 국사편찬위원회에 소장되어 있다(소장번호 B6B-127).

박권의 자는 형성(衡聖), 호는 귀암(歸菴)이다. 밀양 박씨로 아버지는 영평 목사를 지낸 박시경(朴時璟), 어머니는 부사 김인량(金寅亮)의 딸이다. 1686년(숙종 12) 별시문과에 병과로 급제하여 성균관전적(成均館典籍)이 되었다.

1694년 갑술옥사 후 병조좌랑을 거쳐 정언으로 있을 때 장희빈의 오빠 장희

재를 법대로 처리할 것과 영의정 남구만(南九萬)을 공격한 유생들의 과거 응시자격 박탈을 완화해 줄 것을 상소하였다가 체직되었다. 후에 다시 서용되어 부수찬, 교리를 거쳐 서장관으로 청나라에 다녀온 후 삼사의 여러 직을 역임하였다. 1697년 외직으로 나갔다가 이듬해 파직되고, 1711년 사은부사로 청나라에 다녀온 뒤, 이듬해 한성우윤이 되었을 때 목극등의 접반사로 발탁되어 백두산 정계를 하게 되었다. 이후 이·예·병·형 4조의 판서를 역임하였다. 34년 동안 봉직하면서 나라의 큰일이 있을 때마다 부름을 받고 이를 처리하였다. 영암의 죽정서원(竹亭書院)에 제향되었으며, 『북정일기』 이외의 저서로는 『귀암공유고(歸菴公遺稿)』, 『귀암시집(歸菴詩集)』, 『서정별곡(西征別曲)』, 『귀암소본(歸菴疏本)』 등이 있다.

북정일기

임진년(1712) 3월
선산을 옮겨 다시 장사지내는 일로 원주(原州)에 머물러 있었다.

3월 17일
청나라 사신의 접반사(接伴使)로 임명받았다.

3월 19일
새벽 4시쯤에 장사지내고 곧 길에 올라 섬호(蟾湖)에 도착하여 나무로 다리를 만들어 건넜다.

3월 20일
조정에 돌아왔다.

3월 24일
임금님께 하직 인사를 올리고 출발하여 동교(東郊)[1]에서 묵었다.

3월 25일

---

1) 『북정록』에는 동대문 밖 의막(依幕)으로 되어 있음.

새벽에 비를 무릅쓰고 길을 떠났다. 양주(楊州) 녹양역(綠楊驛)에
서 아침 식사를 하고, 포천(抱川)에서 점심을 들고, 저녁에는 영평
(永平) 양문역(良文驛)에서 묵었다. 이 날 130리를 갔다. 현령 이태보
(李泰輔)가 와서 인사하였다. 영평은 곧 선친(先親)의 임지로 선정비
(善政碑)가 있다. 30여 년 동안에 당시에 있던 아전이나 노비 중에
살아 있는 자가 거의 없어 와서 인사하는 자가 두세 명밖에 없었다.
옛 이야기를 나누며 술을 마시니 슬픈 마음을 누르기 어려웠다.

3월 26일

철원(鐵原) 풍전역(豊田驛)에서 아침 식사를 하였다. 철원 부사 이
이만(李頤晩)이 와서 술을 대접하였다. 술잔을 몇 차례 주고받았는
데 철원 부사 이이만이 먼저 취하였다. 곧바로 출발하였는데 역촌
에서 1마장쯤에 황보은(黃報恩)의 선산이 있다. 사촌누이의 무덤이
이 곳에 있어 지나는 길에 참배하였다. 김화(金化)에서 점심 식사를
하고 저녁에 금성(金城)에서 묵었다. 이 날 140리를 갔다.

수령 홍중복(洪重福), 장령 오우진(吳羽進)이 인사하러 와서 조용
히 셋이서 이야기하였다. 오우진은 북쪽 지방 사람인데 김화에 옮
겨왔으니, 이는 승진을 꾀한 것이었다.

3월 27일

창도역(昌道驛)에서 아침 식사를 하고, 회양(淮陽) 신안역(新安驛)
에서 점심을 먹고 회양부에서 잤다. 이 날 100리를 갔다. 금성과 창
도 사이에 골짜기를 가로질러 돌로 만든 다리가 있는데 매우 험해
서 이른바 '맥비탈(麥飛脫 : 보리비탈)'이라 한다.[2]

---

2) 맥비탈(麥飛脫) : 보릿고개를 맥령(麥嶺)이라고 하는데, 묵은 곡식은
다 떨어지고 보리는 아직 여물지 않아서 식량 사정이 가장 어려운 때
를 가리키는 말임. 맥비탈 또한 매우 가파라서 넘어가기 힘든 고개에

3월 28일

서진강(西津江)을 건너고 철령(鐵嶺)을 넘었다. 가파르고 깊은 계곡이 30리 길인데, 돌로 된 굴과 꼬불꼬불한 길이 위태롭기 그지없어 그 이름이 '90절 조도(九十折鳥道 : 90번 꺾어진 새길)'라 하였으니 으뜸가는 요새였다. 고산역(高山驛)에서 점심 식사를 하고 석왕사(釋王寺)3)에서 묵었다. 거리가 비교적 짧아서 안변으로 들어가지 않고 이 절에서 묵었다.

석왕사는 태조대왕의 명으로 건립되었는데 건물들이 넓고 화려하였으며 승려도 많았다. 주지가 올린 사적 중에 숙종 임금이 손수 쓴 제(題)와 발(跋), 청허자(淸虛子)4)가 쓴 글도 있었다. 돌로 만든 비석이 하나 있는데 글은 교관(敎官)5) 남학명(南鶴鳴)이 짓고 글씨는 부솔(副率) 이염(李濂)이 썼으며, 비문의 제목 전서는 밀양 부사(密陽府使) 이징하(李徵夏)가 썼다. 이 날 100리를 갔다.

고산 찰방 박성로(朴聖輅)가 와서 기다리고 있었다.

3월 29일

덕원(德源)에서 점심 식사를 하였다. 부사 이징휴(李徵休)가 와서 인사하였다. 문천(文川)에서 잤다. 이 날 80리를 갔다. 객관 벽에 외고조 할아버지께서 제목하여 읊은 시가 걸려 있어 공경히 차운하여 내 심정을 읊었다.

붙은 이름인 듯하다.
3) 함경남도 안변군 문산면 사기리 설봉산에 있는 절. 조선 태조 이성계가 왕위에 오르기 전에 서까래 세 개를 짊어지는 꿈을 꾸고 나서 무학대사의 해몽을 듣고 왕이 될 것을 기도하기 위하여 이 절을 지었다고 함.
4) 휴정대사(休靜大師)의 호.
5) 『북정록』에는 시직(侍直)으로 되어 있음.

4월 1일

고원(高原)에서 점심 식사를 하였다. 군수 이만정(李萬楨)이 와서 인사하였다. 저녁에는 영흥(永興)에서 잤다. 부사 홍표(洪彪)가 와서 인사하였다. 이 날 90리를 갔다.

해가 아직 지지 않았는데 객관 뒷뜰에 나가보니 크고 작은 배나무 50여 그루가 있어 배꽃이 떨어지는데 마치 눈송이가 떨어지는 것 같았다. 통역관들과 더불어 자리를 깔고 앉아 조금 쉬면서 종들에게 피리를 불게 하였다. 노랫소리 몇 가락에 나그네의 회포가 풀리었다.

4월 2일

아침 일찍 출발하였다. 정평(定平) 초원참(草原站)에서 아침 식사를 하였다. 부사 유성일(柳星一)이 길가에서 기다리고 있었다. 정평에서 점심 식사를 하고 저녁에 함흥(咸興)에 닿았다.

멀리 성 밖을 보니 긴 다리가 있었는데 물을 머금은 무지개처럼 보였다. 역졸이 가리키며 만세교(萬歲橋)[6]라 하였다. 다리는 150칸에 높이가 3, 4길로 정말로 장관이었다. 함경 감사 이선부(李善溥)[7]가 가야금과 기생들을 거느리고 낙민루(樂民樓)[8]에 와 있었다. 변방에서 영접해 주니 '꿈 속에서 서로 대하는 것 같다'고 할 만하다. 바람이 매우 심하게 불어서 오래 앉아 있을 수 없어 잠깐 마시고 일어났다. 객사에서 묵었는데, 판관[9] 이의수(李宜遂), 거산 찰방 허량(許

---

6) 함경남도 함흥시 서쪽에서 함흥평야로 흐르는 성천강(城川江)을 가로질러 놓은 다리로 조선 역대 임금들의 만수무강을 기원하는 뜻에서 태조가 만세교라고 이름지었다고 한다.

7) 원문에는 이계천(李季泉)이라 되어 있는데 계천(季泉)은 이선부의 자(字)이다.

8) 『북정록』에는 낙지루(樂之樓)라고 되어 있으나 낙민루가 옳다.

9) 『북정록』에는 통판(通判)으로 되어 있음.

樑)이 와서 인사하였다. 이 날 120리를 갔다. 장계를 쓰고 집에 편지를 부쳤다.

4월 3일

함경 감사가 먼저 출발하였다. 한꺼번에 행차를 하면 여러 읍에서 음식을 준비하느라고 폐가 될까 염려하였기 때문이었다. 함흥에 하루 더 머물렀다.

4월 4일

오후에 출발하여 덕산참(德山站)에서 묵었다. 고산 찰방이 수행하였다. 거쳐 가는 고을에 음식 등을 접대하는 데 따른 폐단이 없지 않아 고산 찰방으로 하여금 따라오지 못하게 하고, 데려가는 아랫사람들을 많이 줄였다.

4월 5일

아침 일찍 출발하였다. 함관령(咸關嶺)을 넘었는데 고갯길이 높고 가파른 것이 철령보다 배나 되었다. 도중에 길주 부사(吉州府使)로 있다가 교체되어 가는 박내경(朴來卿)을 만나 매우 기뻤다. 함원참(咸原站)에서 점심 식사를 하고 저녁에는 홍원현(洪原縣)에서 묵었다. 이 날 70리를 갔다.

객관 벽에 지천(芝川) 황정욱(黃廷彧), 택당(澤堂) 이식(李植) 등 여러 사람이 천도(穿島)에 대해 읊은 시가 있었다. 사람들에게 물으니 천도는 홍원읍에서 동쪽으로 5리쯤 가면 있다 하여 곧바로 가마를 타고 갔다.

이른바 천도는 포구 가에 긴 둑이 있어 가로로 길게 뻗어 있는데, 둑 가운데 굴이 하나 있었다. 그 굴은 사방이 다 암석으로 되어 있는데 맷돌에 구멍 패인 듯하여 대문 모양이었다. 높이가 3길쯤 되고 너비는 4길쯤 되었다. 바닷물을 삼키기도 하고 뱉어내기도 하는데 참으로 진기한 광경이었다.

조금 남쪽에 대(臺)가 하나 있는데, 평평하고 넓어서 수백 명이 앉을 만하였다. 앞에는 큰 바다가 끝없이 넓고 아득하게 펼쳐져 있고, 좌우에는 12개의 섬들이 빙둘러 늘어서 있는데, 그 가운데 가장 기묘하게 생긴 섬이 주도(珠島)라고 하였다. 시를 읊으며 오래 즐기고 돌아와서 지천 황정욱의 시에 차운하여 시를 지었다.

한 기생이 시 두루마리[詩軸] 4권을 올리면서 자기는 옛 기생 조씨의 손녀라고 하였다. 대개 참의(參議) 윤선도(尹善道)10)가 광해군 때 언사(言事)로 인하여 북쪽에 유배되었는데 기생 조씨가 술을 갖고 와서 위로하였다. 이 때 말하고 침묵하는 사이에 시절을 비난하는 뜻이 있으니, 윤선도가 5언시 1절을 지어 주었다. 백사(白沙) 이항복(李恒福)11)이 북청(北靑)에 유배되었을 때 또 7언시 한 수를 지어 주었다. 그 후 그 시에 화답한 자가 수백 인이었다. 나 또한 재주 없음을 잊고 그 시 두루마리 끝에 차운하여 시를 지어 넣었다.

4월 6일

---

10) 1587(선조 20)~1671(현종 12). 조선 중기의 문신. 자는 약이(約而). 호는 고산(孤山)·해옹(海翁). 1616년(광해군 8)에 성균관 유생으로 이이첨(李爾瞻)·박승종(朴承宗)·유희분(柳希奮) 등 당시 집권세력의 죄상을 격렬하게 비판하는「병진소(丙辰疏)」를 올렸는데, 이로 인하여 이이첨 일파에 배격당하여 함경도 경원(慶源)으로 유배되었다. 그 곳에서「견회요(遣懷謠)」5수와「우후요(雨後謠)」1수 등 시조 6수를 남겼다. 1652년(효종 3)에 예조참의를 지낸 데서 참의라 한 듯하다.

11) 1556(명종 11)~1618(광해군 10). 조선 중기의 문신. 자는 자상(子常). 호는 필운(弼雲)·백사(白沙). 1618년 인목대비 김씨를 폐위시키자는 주장에 반대하다가 관직 삭탈당하고 함경도 북청에 유배되어 그 곳에서 세상을 떠났다.

아침 일찍 출발하여 평포(平浦)에서 점심 식사를 하고 저녁에 북
청에 다다랐다. 이 날 100리를 갔다. 감사와 상견하였다. 병사 윤각
(尹慤)도 와서 백두산의 형세에 대해 자세히 보고하였다. 판관 성임
(成任)과 우후 민진두(閔鎭斗)가 와서 인사하였다.

4월 7일
감사가 병이 나서 행차할 수 없어 이 날은 북청에 머물렀다. 늙은
기생 자연(紫鷰)이 가야금을 꽤 잘 탔다. 판관 성임, 북평사 박봉령
(朴鳳齡) 및 관찰사가 모두 시를 읊어 주었다. 나도 운을 따서 한 수
읊었다.

4월 8일
감사가 먼저 출발하고 나는 북청에 그대로 머물렀다. 병사가 조
촐한 술상을 마련하였다. 판관이 상을 당하여 참석하지 못한 것이
조금 아쉬웠다. 벽에 걸려 있는 추탄(楸灘) 오윤겸(吳允謙)[12]과 문곡
(文谷) 김수항(金壽恒)[13]의 시에 차운하였다.

4월 9일
아침 일찍 출발하여 자항참(紫航站)에서 점심 식사를 하고 저녁에
는 제인참(濟仁站)에서 묵었다.

4월 10일
아침 일찍 출발하어 후치령(厚峙嶺)을 넘었다. 높고 험준한 것이

---

12) 1559(명종 14)~1636(인조 14). 조선 중기의 문신. 자는 여익(汝益).
　　호는 추탄(楸灘)·토당(土塘).
13) 1629(인조 7)~1689(숙종 15). 조선 후기의 문신. 자는 구지(久之). 호
　　는 문곡(文谷).

철령이나 함관령에 비해 다섯 배나 더하였다. 내가 사방으로 많이 돌아다녔으나 일찍이 이런 곳은 보지 못하였다. 황수원(黃水院)에서 점심 식사를 하고 저녁에는 종포참(從浦站)에서 묵었다. 이 날 90리를 갔다.

후치령 북쪽부터는 높은 봉우리와 깊은 골짜기에 눈과 얼음이 녹지 않고 쌓여 있었는데, 양지바른 곳에는 진달래꽃이 피기 시작하여 아주 대조적이었다. 시를 한 수 지어 경치를 읊었다.

4월 11일

아침 일찍 출발하여 웅구참(熊丘站)에서 아침 식사를 하고 호린참(呼獜站)에서 점심 식사를 하였다. 허천강(虛川江)을 건너 저녁에 갑산(甲山)에 도착하여 감사와 상견하였다. 갑산 부사 유구징(柳龜徵)은 예전부터 안면이 있던 사람이다. 부사가 형님의 상을 당했다는 소식을 듣고 돌아오는 길에 가서 위로하였다. 이 날 100리를 갔다.

4월 12일

그대로 갑산에 머물렀다. 장계를 올리고 집에 편지도 부쳤다. 삼수 부사(三水府使) 장세익(張世益)이 와서 인사하였다.

4월 13일

길이 험하여 가마를 탔다. 주례참(朱禮站)에서 점심 식사를 하고 오목진(吾木津)을 건너 삼수부에 이르렀다. 이 날 90리를 갔다.

4월 14일

그대로 삼수에 머물렀다. 역관 김응헌(金應瀗)·김경문(金慶門)·이세만(李世萬)을 강변 파수처에 먼저 보내 청나라 사신을 기다리게 하였다. 이 날 파발편에 서울에서 보낸 편지를 받았다.

4월 15일

그대로 삼수에 머물렀다. 구갈파지(舊乫坡知)에 가서 머무르겠다는 뜻으로 장계를 보내고 집에 편지도 함께 보냈다.

4월 16일

하루 종일 비가 내려서 출발할 수가 없었다. 감사가 와서 보았다.

4월 17일

아침 일찍 출발하려 하였으나 비가 아직 개이지 않고 사방이 안개로 짙게 덮인 데다 또 나무로 만들어 놓은 다리가 물에 휩쓸려 가라앉았다고 하므로 출발할 수 없었다. 오후에 감사가 와서 보았다.

4월 18일

아침 일찍 출발하였다. 영성령(零星嶺)을 넘는데 길이 험난하고 수목이 빽빽하였다. 70리를 가서 소농보(小農堡)에 도착하여 점심 식사를 하였다. 권관 윤세정(尹世楨)이 와서 인사하였다.

이 곳의 토병은 단지 7명뿐인데, 병영에 편제되어 있었다. 병사가 순찰하며 군사 훈련 상태를 점검하는 중이어서 권관도 조련하는 곳에 가서 소농보에는 단지 종들과 토병의 처자식만 있다고 하였다. 진보를 단속하는 것이 이와 같이 소홀한데도 대책을 생각지도 못하고 있으니, 전후에 북병사를 지낸 사람들은 아마도 그 책임을 면할 수 없을 듯하다.

신갈파지(新乫坡知)를 지나 장진강(長津江)을 넘어 저녁에 구갈파지에 닿았다. 이 날 100리를 갔다. 어면 만호(魚面萬戶) 유성부가 와서 인사하였다.

4월 19일

구갈파지에 그대로 머물렀다. 감사의 서신과 의주 부윤의 보고서를 보았다. 비변사 관리의 문서에 의하면 청나라 사람들이 4월 6일 심양(瀋陽)에서 출발하여 두도구(頭道溝)로 향하였다고 한다. 그 동안의 노정이 이미 15일이나 지났는데도 아직 아무런 소식도 없으니 그 까닭을 모르겠다. 신갈파지 첨사 이여회(李汝晦), 구갈파지 권관 손석주(孫碩胄)가 와서 인사하였다. 남병사가 푸른 빛깔의 베[青布] 1,000장, 작은 갓[小笠子], 도토리 열매, 차와 음식을 보내왔다.

4월 20일

구갈파지에 그대로 머물렀다. 감사의 서간이 오고 또 붓과 밑반찬 등을 보내왔다.

4월 21일

구갈파지에 그대로 머물렀다. 신갈파지 첨사 이여회가 와서 인사하였다.

4월 22일

구갈파지에 그대로 머물렀다. 장계와 사직하겠다는 상소문을 작성하고 집에 보내는 편지도 동봉하였다.

4월 23일

구갈파지에 그대로 머물렀다. 자작 권관(自作權管) 한우석(韓宇錫)이 와서 인사하였다. 인차외 만호(仁遮外萬戶) 이중창(李重昌)이 삼지연(三池淵) 근처를 조사한 후 와서 인사하였다. 그가 말한 바가 의주 부윤의 보고서와 다른 부분이 많아서 다시 함경감영의 비장들과 함께 가서 조사하라고 분부하였다. 그리고 이 사실을 감사에게 편지로 알렸다.

4월 24일

구갈파지에 그대로 머물렀다. 서울에서 공문이 왔다. 받들어 읽어
보니 유신(儒臣)의 상소로 인해 삼수·갑산·육진에 사는 백성들의
어려움에 대해 잘 조사하여 아뢰라는 내용이었다. 집에서 온 편지
를 받았다. 감사의 편지가 와서 답장을 썼다. 신갈파지 첨사 이여회
가 와서 인사하였다.

4월 25일

구갈파지에 그대로 머물렀다. 후망차원(候望差員)인 어면 만호 유
성부가 강계 파수장이 보고한 바에 의해 청나라 사신이 강계(江界)
지역인 연동(淵洞)·삼동(三洞) 근처에 도착하였으며, 청나라 사람의
편지와 따라온 사람 수와 말의 숫자를 보고해 왔다.

후주(厚州) 경계 지역에 나아가 머물면서 청나라 사신을 영접하겠
다는 것과 임금님의 뜻을 잘 받들겠다는 것으로 장계를 썼다. 집에
보내는 편지도 함께 부쳤다. 감사의 편지를 받았다.

4월 26일

아침 일찍 출발하여 충천령(衝天嶺)을 넘었다. 높고 험준한 것이
평생토록 보지 못한 바였다. 이른바 촉나라(중국 사천성)의 산길이
지극히 험하다고 하는데 바로 이렇지 않을까 한다. 송전(松田)에서
점심 식사를 하였다. 도중에 만난 차원이 보고하였다.

"청나라 사람들이 곧 후주에 닿을 것입니다."

말 고삐를 재촉하여 서둘러 가서 후주 장항(獐項)에 도착하였다.
역관이 와서 말하였다.

"청나라 배가 이미 도착하였습니다."

조금 후 보니 배[馬船] 10척이 강을 거슬러 올라와서 저편 강가에
정박하여 있고 수풀 사이로 검고 흰 장막을 설치하고 있었다. 통역

관이 타고 온 배가 이쪽 강변에 와서 정박하였다. 역관들을 시켜 묻자, 곧바로 시위(侍衛)가 안부를 묻는 말을 보내었다. 역관이 와서 통역관의 말을 다음과 같이 전하였다.

"이른바 도구(道溝)라는 것은 두 산 사이에 물이 흐르는 곳입니다. 강계에서부터 북도(北道)의 경계에 이르기까지 무릇 13개의 도구가 있습니다. 19일에 두도구(頭道溝 : 제일 위의 도구)에서 배를 타고서 22일에 6도구에 도착하였는데 그 사이에 조선 지역의 파수막에서 지키는 사람이 없었습니다. 혹시 파수꾼이 있어 말을 전하고자 하여도 전부 도망가 버려서 6도구에 이르러서야 비로소 편지를 주고 온 뜻을 통할 수 있었습니다. 총관 목극등과는 수륙으로 나누어 가기로 하고 총관은 육로로, 시위는 수로로 가서 매일 저녁에 도구가 있는 곳에서 만나기로 약속하였는데, 25일에 서로 잃어버렸습니다. 8도구에 이르러서도 아직 만나지 못하였으므로 장차 이 곳에 머물면서 기다려야 할 형편입니다."

저녁에 통역관들과 도차사원(都差使員)을 보내 멧돼지 한 마리, 쌀 한 섬, 소금, 간장, 채소류를 보냈으나, 총관이 계시지 않으므로 감히 받을 수 없다고 하고는 되돌려 보냈다. 강변에서 노숙하였다.

밤에 감사의 편지를 받고 촛불 아래에서 답장을 썼다. 이 날 80리를 갔다. 연연(蓮淵)이라는 못과 후주 옛 터를 가서 보고 그림을 그려서 돌아왔다.

4월 27일
강변에 계속 머물렀다. 감사가 와서 연명으로 장계를 작성하고, 집에 보내는 편지도 아울러 부쳤다.

4월 28일
강변에 계속 머물렀다. 감사가 후주 옛 터를 가서 보았다. 이 날

집에서 온 편지를 받았다.

4월 29일

강변에 계속 머물렀다. 청나라 사신 목극등이 저쪽 강변의 산골짜기에서 나와서 먼저 도착한 시위의 장막에 합류하였다.

4월 30일

청나라 사신 목극등이 전한 말에 따라 먼저 송전(松田)으로 향하였다. 오후에 청나라 사신이 도착하였다. 송전에서 묵었다. 감사와 더불어 상의하여 장계를 쓰고 집에도 편지를 부쳤다.

5월 1일

비를 무릅쓰고 충천령을 넘어 구갈파지에 도착하여 임금님의 어첩(御帖)과 나와 관찰사의 명함을 전해 주었다. 이어서 상견한 후에 다과상을 만들어 들여보냈다. 구갈파지에 유숙하였다.

5월 2일

아침에 서울에서 온 공문을 받았다. 아침 식사 후 출발하여 신갈파지에서 점심 식사를 하였다. 첨사 이여회가 와서 인사하였다. 저녁에 나난(羅暖)에 도착하니, 나난 만호 박도상(朴道常), 소농 권관 윤세정이 와서 인사하였다.

도차사원인 홍원 현감 이진상(李震相)을 교체하여 삼수 부사 장세익으로 대신케 하였다. 이 날 40리를 갔다.

장계를 작성하고 아울러 집에 편지를 보냈다.

5월 3일

아침 식사 후 출발하였다. 장령(長嶺)을 넘는데 고갯길이 그다지 험하지는 않지만 그 고갯마루에 올라서니 백두산과 서로 마주보고 있어서 그 높이를 가히 짐작할 수 있었다. 인차외에 도착하니, 인차외 만호 이중창, 혜산 첨사 정사의(鄭思義)가 두만강과 압록강 두 강의 수원(水源)을 살펴본 후 와서 인사하였다.

청나라 사신 목극등이 그림 병풍 하나와 서법(書法) 네 장과 전병 등을 보내와서 부득이 받았다. 감사와 함께 세검정(洗劍亭) 옛 터를 가서 보았다. 이 날 40리를 갔다.

5월 4일

아침 식사 후 비를 무릅쓰고 출발하여 회동(灰洞) 고개를 넘었다. 길이 뱀이 또아리를 튼 것처럼 꼬불꼬불 굴곡이 아주 심해서 감장(甘將)[14]의 험한 언덕길[別路]과 차이가 없었다. 허천강을 건너 혜산에 도착하여 감사를 가서 보았다. 이 날 40리를 갔다.

갑산 부사 유구징, 운총 만호 변상담(邊尙聃)이 와서 인사하였다.

5월 5일

혜산에 그대로 머물렀다. 관찰사와 만나 이야기를 나누었다.

문위관인 영흥 부사 홍표가 임금님의 어첩과 자기의 명함을 예단 단자와 함께 총관에게 전해 주고, 아울러 술상을 베풀었다. 총관 목극등은 이것은 조선의 조정에서 특별히 보낸 것으로 전례가 없던 일이라는 말을 듣고는 크게 기뻐하며 감격의 뜻으로 누누이 말을 전하였다. 그리고 문위사가 나이 지극한 것을 보고는 위로하기를 매우 돈독히 하고 그림 병풍 하나를 선물로 주었다. 예단 단자는 본 후 그대로 남겨 놓으면서 물건들은 받지 않겠다고 하였다.

목극등이 서화를 보냈는데 답례하지 않을 수 없어 행차중에 가지

---

14) 『북정록』에는 감장(甘長)으로 되어 있음.

고 간 필묵과 부채 등을 들여보내니 다만 여러 가지 부채 57자루만 받고 나머지는 모두 돌려보냈다. 총관이 또 여러 종류의 떡을 보내 왔기에 부득이 받았다.

갑산 부사 유구징, 삼수 부사 장세익, 혜산 첨사 정사의, 거산 찰방 허량, 운총 만호 변상담, 나난 만호 박도상이 와서 인사하였다.

5월 6일

비 때문에 그대로 머물렀다. 감사와 더불어 상의하여 연명으로 다음과 같은 글을 써서 총관에게 바쳤다.

"백두산은 길이 험난하여 통하기 어려우니 총관의 행차는 여기에서 멈추고 일행 가운데 민첩하고 똑똑한 사람 몇 명을 택하여 우리나라 역관 및 길을 잘 아는 안내인을 함께 보내어 살피고 오게 하는 것이 좋을 듯합니다. 그러나 총관께서 결단코 가신다면 접반사와 감사도 뒤쳐져 남아 있지 않겠습니다."

이에 총관이 천천히 답장하겠다고 하였다. 혜산 첨사, 진동 만호, 나난 만호, 인차외 만호, 영흥 부사가 와서 인사하였다.

5월 7일

장계를 쓰고 집에 편지를 보냈다. 아침 식사 후 괘궁정(掛弓亭)에 올라 누정 위에 걸려 있는 시에 차운하여 한 수 지어 현판에 걸었다.

곧바로 출발하여 오시천(吾時川)[15] 하류를 건너 백덕령(栢德嶺)을 넘었다. 도로가 진창으로 질척하여 험악하기가 충천령과 다름없었다. 신대신수(申大信水)를 건너 저녁에 검천(劍川)에 도착하여 검천 가에서 노숙하였다. 이 날 45리를 걸었는데 이는 이번 행차를 위해

---

15) 『북정록』에는 오시천(五是川)으로 되어 있음.

새로 뚫은 길이다.

혜산 첨사, 진동 만호, 나난 만호, 인차외 만호, 운총 만호, 삼수 부사, 수성 찰방(輸城察訪) 박규상(朴奎祥)이 와서 인사하였다. 총관의 답장이 왔다.

5월 8일

아침 일찍 출발하여 서수라덕(西水羅德)을 넘었다. 도로가 진창으로 질척거리고 나무뿌리가 걸리적거려서 사람과 말이 제대로 갈 수 없었다. 때로는 말타고 때로는 걸으면서 간신히 뚫고 통과하여 자포(自浦)에 도착하였다. 북우후 김사정(金嗣鼎)이 두만강의 원류를 조사할 때 걸어가는 것을 꺼려서 군관으로 하여금 대신케 하고는 또 병이 났다고 핑계대면서 인사도 오지 않았다. 감사가 우후를 잡아들여 곤장 20대를 쳤다. 이 날 60리를 갔다. 삼수 부사, 수성 찰방, 운총 만호가 와서 인사하였다.

5월 9일

해 뜰 무렵에 출발하여 임연수(臨淵水)에 도착하여 유숙하였다. 장계를 작성하고 집에 보내는 편지도 부쳤다.

감사가 북우후를 곤장치는 것으로만 그칠 수 없다 하고, 고산 찰방 박성로 또한 병이 났다고 하면서 나타나지 않으므로 이 두 사람을 모두 파직시키는 것으로 장계를 써 보냈다.

이 날 45리를 갔다. 삼수 부사, 수성 찰방, 운총 만호, 무산 부사 이찬원(李纘源)이 와서 인사하였다.

5월 10일

아침에 집에서 보낸 편지를 받아 보았다. 일출 후에 출발하였다. 허항령(虛項嶺)을 넘어 5리쯤 가니 큰 못이 세 개 있는데 깨끗하고 물맛이 달았다. 장파(長坡)에 도착하여 노숙하였다. 이 곳은 무산 땅인데 모든 일이 한결같이 거행되지 않으니 무산 부사가 잘못 다스리는 것을 짐작할 수 있었다. 이 날 45리를 갔다.

수성 찰방, 인차외 만호, 운총 만호, 무산 부사, 부령 부사 구후익(具後翼), 경성 판관 한재원(韓在垣)이 와서 인사하였다.

5월 11일

아침 식사 후에 출발하였다. 천평(天坪)을 지나 홍단(紅丹) 상류를 건너 노은동산(盧隱東山)에 도착하여 노숙하였다. 이 날 70리를 갔다.

부령 부사, 무산 부사, 경성 판관, 운총 만호, 볼하 첨사(乶下僉使) 김성징(金聲澄)이 와서 인사하였다. 삼수 부사와 인차외 만호가 함께 하직인사를 하였다.

5월 12일

아침 식사 후 출발하였다. 풍파(豊坡)를 지나 홍단 중류에 도착하여 노숙하였다. 이 날 40리를 갔다. 집에서 보낸 편지를 받았다. 장계를 작성하고 집에도 편지를 보냈다. 부령 부사, 경성 판관, 수성 찰방이 와서 인사하였다.

5월 13일

아침 식사 후 출발하여 어윤강(魚潤江)에서 점심 식사를 하고 저녁에 임강대(臨江臺)에 도착하여 여염집에 머물러 잤다. 감사는 시위와 더불어 어윤강에서 유숙하였다. 이 날 50리를 갔다.

주인 원익성(元益成)이 와서 인사하였다. 이야기하는 도중 우연히 두만강 원류에 대한 문제에 미치자 그가 말하기를,

"북병사가 올린 지도 중에 이른바 두만강은 곧 대홍단수(大紅丹

水)이고 두만강이 아닙니다. 하나의 큰 물줄기가 백두산에서 흘러 나와서 남증산(南甑山) 북쪽 조금 아래에서 합쳐지는 것이 곧 진짜 두만강인데 이 강을 상세히 아는 자는 그 지역민인 채진귀(蔡震龜) 와 한치익(韓致益)입니다"

하였다. 그리하여 이 날 밤에 글을 써서 감사에게 보고하였다.

장경(章京) 한 사람이 마침 총관의 행차를 맞이하러 어윤강변에 머물면서 길을 잘 아는 안내인을 찾고 있었으므로 채진귀와 한치익 두 사람으로 하여금 원익성이 말한 강가로 인도하여 나아가게 하였 다.

5월 14일

계속 머물렀다. 감사가 지나가는 길에 들렀기에 잠시 이야기를 나누었다. 이 날 저녁에 장교 원기호(元起虎)를 따로 뽑아 백두산으 로 가는 군관에게 전령하게 했다.

5월 15일

계속 머물렀다. 장계를 쓰고 집에 편지를 부쳤다. 오후에 서울에 서 온 공문을 받았다.

5월 16일

경성 판관 한재원이 총관의 백두산 행차를 맞이하기 위하여 어윤 강으로 가는 길에 와서 인사하였다. 전령을 가지고 간 장교 원기호 가 중간에 되돌아와서 일을 크게 그르쳤으므로 곤장 30대를 치고 무산부로 옮겨 옥에 가두었다. 그 대신 동생 원기장(元起長)을 다시 정하여 보냈다.

5월 17일

총관이 정계비를 세워 양국의 경계를 정하고 나서 강물을 따라 동쪽으로 내려온다는 소식을 들었다. 아침 일찍 비를 무릅쓰고 출발하여 두만강 합류처로 향하였다. 대홍단수를 건너 한 산등성이를 올라 장경을 만났다. 그 되돌아오는 까닭을 물으니 말하기를,

"나무를 잘라 길을 만들었으나 길이 매우 험난하여 출발한 지 3일째인데도 겨우 100여 리밖에 가지 못하였습니다. 수원(水源)은 아직 먼데 양식이 벌써 다 떨어져서 되돌아옵니다"

고 말하였다. 또 말하기를,

"접반사가 비록 앞으로 나아가고 싶어도 결단코 도달하기 어려울 것입니다. 되돌아가 두 물줄기가 합쳐지는 곳에 가서 기다리는 것이 좋을 듯합니다"

하였다. 부득이 되돌아오는데, 이 때 총관을 따라 간 필첩식과 역관 김경문이 먼저 와서 어윤강에 도착하였다. 필첩식이 장막에 와서 말하였다.

"긴급한 공무가 있어 후춘(厚春)으로 가야 하니, 타고 갈 역마를 차례로 교체해 주십시오."

그의 말에 따라서 각 고을에 관문(關文)을 띄웠다. 이른바 공무라는 것은 곧 백두산을 조사하여 양국의 경계를 정하고 정계비를 세운 일과 접반사와 관찰사가 와서 접대하고 문위사를 별도로 파견하여 후히 대접하였다는 것을 황제께 아뢰는 것이었다. 임강대에 와서 묵었다.

5월 18일

장계를 작성하고 집에도 편지를 부쳤다. 풍산 만호 한세흠(韓世欽)이 총관의 행차에 식량을 운반하는 책임자로서 백두산으로 가다가 와서 인사하였다.

5월 19일

저녁에 선전관 이의복의 편지가 왔는데 다음과 같았다.

"비를 세운 곳에서 동쪽으로 흐르는 물은 마침내는 서쪽으로 흘러 들어갑니다. 총관은 이것이 두만강의 원류가 아니라고 생각하여 봉우리 아래에서 솟아나는 물을 다시 자세히 살펴보고자 하여 접반사와 감사에게 상의하여 처리하라고 하였습니다."

그리하여 빨리 와서 상의할 것을 글로 써서 감사에게 보냈다.

5월 20일

총관이 만약 육로로 온다면 전혀 영접하지 않으면 안 될 것 같았다. 장파 근처로 빨리 가려고 하였으나 총관이 혹시 강 연안으로부터 내려오면 서로 엇갈릴 것 같았다. 그래서 역관 김만희를 총관이 도착하는 곳에 먼저 보내어 사유를 자세히 아뢰도록 하였다. 또 비장 이의복에게 명령을 전하였다. 감사가 왔다.

5월 21일

역관 김경문을 또 신두강(新豆江)에 보내서 총관의 행차를 맞이하게 하였다. 감사가 하룻밤 묵고 무산부로 돌아갔다. 저녁 늦게 목극등 일행이 대홍단수로부터 강물을 따라 내려온다는 말을 듣고 곧바로 말을 달려 어윤강에 가서 장막에서 만났다. 이번에 총관이 살핀 곳은 두만강이 아니라 대홍단수이니, 다시 가서 두만강 합류처를 살피고 거슬러 올라가 그 경계를 정하자는 뜻으로써 누차 고집하였으나 끝내 허락하지 않았다. 강변에 유숙하였다. 경성 판관, 볼하 첨사, 거산 찰방, 나난 만호가 와서 인사하였다.

5월 22일

해 뜬 후에 출발하여 박하천(朴下川)에서 점심을 먹었다. 산영암

(山影岩)을 넘어 다른 길로 우회하였으나 험준하고 가파르기가 감장(甘將)의 산길과 다를 바 없었다. 무산부에 도착하여 감사를 가서 보았다. 이 날 저녁 감사가 또 와서 보았다.

부령 부사, 거산 찰방, 수성 찰방, 회령 부사 조상주(趙相周), 양영 권관(梁永權管) 강천령(姜千岭)이 와서 인사하였다. 파발편에 서울에서 온 편지를 받았다. 이 날 65리를 갔다.

5월 23일

그대로 무산에 머물렀다. 목극등이 만나자고 요청하므로 감사와 함께 군복 차림으로 갔다. 읍례를 행하고 자리에 앉았다. 두만강 원류의 물이 말라 끊어진 곳에 울타리를 설치하거나 흙을 쌓거나 돌을 모아 놓아서 편의에 따라 (양국의 경계를 표시하는 것이) 좋겠다고 결정하고 파하였다. 조촐하게 다과를 차려 들여보냈다. 장계를 작성하고 집에 편지를 보냈다.

무산 부사, 수성 찰방, 거산 찰방, 볼하 첨사, 풍산 만호, 양영 권관 및 그 지역 사람인 전 부사 한정필(韓廷弼)이 와서 인사하였다.

전 참봉 채우주(蔡宇柱), 유생 박세택(朴世澤), 남익정(南翼井) 등을 교관 남학명의 요청으로 불러 보고 술을 대접하였다.

5월 24일

해 뜬 후에 출발하여 양영보(梁永堡)에서 점심 식사를 하였다. 서고개(西古介)를 넘어 저녁에 풍산진(豊山鎭)에 도착하여 묵었다. 무산 부사, 수성 찰방, 거산 찰방, 양영 권관, 풍산 만호, 볼하 첨사가 와서 인사하였다. 목극등이 백두산 지도 한 벌을 내주었다. 이 날 90리를 갔다.

5월 25일

해 뜬 후에 출발하여 볼하진에서 점심 식사를 하였다. 저녁에 회령부에 도착하여 묵었다. 회령 부사, 거산 찰방, 양영 권관, 고령 첨사(高嶺僉使) 남택(南澤)이 와서 인사하였다. 이 날 90리를 갔다.

5월 26일

새벽에 출발하여 고령진(高嶺鎭)을 넘어 방원보(防垣堡)에서 점심 식사를 하였다. 방원보 권관 김찬익(金燦益), 종성 부사 송유룡(宋儒龍)이 와서 인사하였다. 양영 권관이 하직 인사를 하였다.

종성부에 도착하여 묵었다. 동관 첨사 김세흥(金世興)이 와서 인사하였다. 이 날 90리를 갔다. 감사가 갑자기 병이 나서 회령부에 뒤처졌다.

5월 27일

해 뜰 무렵 수항정(受降亭)에 올라 노복을 시켜 피리를 불게 하고 기생 두 명으로 하여금 짝지어 춤추게 하였다. 곧바로 출발하여 동관(潼關)을 넘어 영달보(永達堡)에 도착하였다. 영달보 만호 진한상(陳漢相)이 와서 인사하였다.

온성 부사 이후전(李厚全)이 청나라 사신을 배행한다고 핑계대고는 인사하러 오지 않았는데, 매우 이유가 되지 않을 뿐만 아니라 접대하는 모든 일을 태만해서 제대로 거행하지 않았다. 이에 좌수(座首)는 16번 형추(刑推)16)를 하고, 향소는 25번 형추하고, 이방은 곤장17) 10대를 쳤다.

부령 부사, 수성 찰방, 온성 부사, 유원 첨사(柔遠僉使) 박신공(朴信恭), 동관 첨사가 와서 인사하였다. 목극등이 자문을 보냈다. 이 날 70리를 갔다.

---

16) 죄인에게 곤장보다 조금 가벼운 형벌로 정강이를 형장으로 치는 것.
17) 죄인을 장형(杖刑)에 처함.

5월 28일

온성 부사, 부령 부사, 수성 찰방, 동관 첨사, 방원 만호가 와서 인사하였다.

해 뜬 후에 출발하여 황척보(黃拓堡)를 지났다. 황척보 바깥의 두만강 가에 선바위가 하나 있는데 모양이 기괴하여 구경할 만하였다.

훈융진(訓戎鎭)에서 점심 식사를 하였다. 훈융진 첨사 오세흥(吳世興), 경원 부사 오정석(吳挺奭), 미전 첨사(美錢僉使) 배윤정(裵潤廷), 황척파 권관 김만주(金萬冑)가 와서 인사하였다.

저녁에 경원부에 도착하여 유숙하였다. 장계를 작성하고 집에 편지를 부쳤다. 파발편에 서울에서 온 편지를 받았다. 이 날 90리를 갔다.

5월 29일

아침 일찍 출발하여 건원보(乾原堡)에서 점심 식사를 하였다. 건원보 권관 남극로(南極老), 안원 권관(安原權管) 유후량(柳后亮), 경원 부사가 와서 인사하였다. 저녁에 아산진(阿山鎭)에 도착하였다. 아산진 만호 남붕상(南鵬翔), 동관 첨사, 방원 만호, 수성 찰방이 와서 인사하였다. 이 날 75리를 갔다.

5월 30일

해 뜰 무렵 출발하였다. 아오지(阿吾地)를 지나가는데 아오지 만호 장계원(張繼遠)이 도중에 마중나와 있었다. 경원 부사와 부령 부사가 하직 인사를 하였다. 경흥 부사 최위(崔瑋), 동관 첨사가 와서 인사하였다. 이 날 75리를 갔다.

6월 1일

경흥부 남쪽 40리쯤 되는 바다 가운데 이른바 적도(赤島)가 있는

데, 곧 익조대왕(翼祖大王)18)이 피난한 곳이다. 동틀 무렵 조구선(槽
龜船)을 타고 종에게 피리를 불게 하면서 섬을 빙 돌며 유람하였다.
섬에는 붉은 바위가 삐죽삐죽 솟아 있고 수목이 빽빽하였다. 배에
서 내려 해안가에 오르니 섬 가운데 움푹 들어간 굴이 있는데, 사람
들이 익조가 살던 굴이라 하였다. 섬의 동쪽에는 서수라(西水羅)가
있고, 남쪽에는 묘도(卯島)가 있으며, 북쪽에는 세 개의 기암(奇巖)이
한 일자로 나란히 서 있고, 큰 바다가 바로 앞에 망망하게 끝없이
펼쳐져 있었다. 수천 마리의 갈매기와 백로떼가 무리지어 모래톱을
왕래하는데 정말로 장관이었다.

오후에 경흥부로 돌아오니 청나라 사신이 이미 먼저 출발하였다.
점심 식사를 한 후 출발하여 저녁에 아산보(阿山堡)에 이르러 유숙
하였다. 경흥 부사, 동관 첨사, 방원 만호가 와서 인사하였다. 이 날
150리를 갔다.

6월 2일

아침 일찍 출발하여 건원보에서 점심 식사를 하였다. 경원에 도
착하니 감사가 이 곳에 와서 기다리고 있었다. 조촐하게 다과상을
베풀어 들여보내고 이어 자문에 대한 답장을 보냈다. 이 날 75리를
갔다.

아산 만호, 동관 첨사, 방원 만호, 건원 권관, 경원 부사, 경흥 부
사, 수성 찰방, 훈융 첨사가 와서 인사하였다.

6월 3일

아침 식사 후에 감사와 함께 가서 청나라 사신을 만났다. 모임을

---

18) 태조 이성계의 증조부. 여진족의 습격을 피하여 이 곳에서 잠시 머물
렀다.

마치고 나온 후에 목극등을 비롯한 청나라 사람들이 곧 출발하여
두만강을 건너갔다. 장계를 작성하고 집에 편지를 부쳤다. 감사가
먼저 출발하였다. 경원 부사가 와서 인사하였다. 경흥 부사, 동관 첨
사, 방원 만호가 하직 인사를 하였다.

6월 4일

아침 식사 후에 출발하여 안원보(安原堡)를 지나니 안원보 권관
유후선(柳后善)이 길가에 나와 맞이하였다. 구건원(舊乾元)에 도착하
여 유숙하였다. 경원 부사, 수성 찰방이 와서 인사하였다. 이 날 50
리를 갔다.

6월 5일

아침에 경원 부사가 하직 인사를 하였다. 아침 식사 후에 북행영
(北行營)에 가니, 감사가 기생을 데리고 와서 진북루(鎭北樓)에서 주
연을 베풀었으므로 바로 가서 보고 흥겹게 즐긴 후에 마쳤다. 감사
가 먼저 출발하였다. 파발편에 집에서 보낸 편지를 받았다. 이 날
50리를 갔다. 수성 찰방, 종성 부사가 와서 인사하였다. 우후 김사정
은 곤장맞은 곳이 너무 아파서 인사하러 오지 못하였다.

6월 6일

종성 부사가 하직 인사를 하였다. 오후에 출발하여 부계(涪溪)를
지나는데 이 곳은 좌우에 있는 마을이 모두 기와집이었다. 그 지역
사람에게 물으니, 이 고을에 향품(鄕品)들이 산다고 하였다. 회령부
에 도착하니 회령 부사 조상주와 고령 첨사 남택이 와서 인사하였
다. 볼하 첨사가 와서는 곧 하직 인사를 하였다. 이 날 40리를 갔다.

6월 7일

아침 식사 후에 출발하여 고풍산(古豊山)에 도착하여 유숙하였다. 고풍산진 만호 김정삼(金鼎三), 회령 부사, 수성 찰방이 와서 인사하였다. 고령 첨사가 하직 인사를 하였다. 이 날 60리를 갔다.

6월 8일

회령 부사, 고풍산 만호가 하직 인사를 하였다. 아침 식사 후 출발하여 무산령을 넘었다. 고갯길이 비록 높고 험하지는 않으나 6진을 왕래하는 길이 모두 이 곳에서 만나므로 이 곳은 진실로 첫번째 관문이다. 고풍산을 다시 설치하는 것이 마땅하다고 하겠으나 폐무산이 지금도 폐기되어 있는 것은 진실로 애석하다고 하겠다. 점심 때 부령부에 도착하니 부령 부사, 수성 찰방이 와서 인사하였다.

점심 식사 후 출발하였다. 길가에 두 바위가 두드러져 있는데 속칭 형제암(兄弟岩)이라 하였다. 저녁에 수성참에 도착하여 유숙하였다. 이 날 120리를 갔다.

6월 9일

해 뜬 후 출발하여 경성(鏡城)에 도착하였다. 제승당(制勝堂)에 가서 감사와 만나 잠시 이야기를 나누고 객사에 돌아왔다. 병사 장한상(張漢相), 평사 홍치중(洪致中), 판관 한재원이 와서 인사하였다. 이 날 35리를 갔다.

삼삼파 만호(森森坡萬戶) 김득강(金得江), 오촌 권관 허만준(許萬俊), 보화 권관 김창석(金昌碩), 볼노지 권관 안창건(安昌建), 어유간 첨사 조두진(趙斗珍)이 와서는 곧 하직 인사를 하였다. 수성 찰방이 병으로 뒤처졌다.

6월 10일

경성에 그대로 머물렀다. 병사, 평사, 판관이 와서 인사하였다. 감사가 먼저 출발하고 역관 김지남, 김경문, 이세만도 먼저 출발하였다. 오후 4시쯤에 병사, 평사와 더불어 원수대(元帥臺)에 가서 기생들로 하여금 가야금을 타며 노래를 부르게 하고, 무사들은 말을 몰아 깃발을 먼저 뽑는 놀이를 하며 즐겼다. 해진 후에 풍악을 울리며 돌아왔다.

6월 11일

오후에 출발하여 저녁에 영강참(永康站)에서 묵었다. 이 날 50리를 갔다.

6월 12일

역관 김응헌과 김만희가 먼저 출발하였다. 해 뜰 무렵에 출발하여 경성 판관과 함께 어랑포(漁郎浦)로 가면서 수중대(水中臺)를 둘러보고, 팔경대(八景臺)에도 올랐다. 8경이란 백두산의 여름 눈[白山夏雪], 푸른 못의 가을 연꽃[碧沼秋蓮], 맑은 못에서 노니는 물고기[澄潭游魚], 맑은 모래사장에 우는 갈매기[晴沙鳴鷗], 고기잡는 어장의 밤 불빛[漁梁夜火], 강 언덕의 저녁 바람[江陵夕嵐], 십 리나 되는 긴 내[長川十里], 천 자나 되는 층층 바위[千尺層岩] 등의 여덟 가지 절경이다.[19] 반나절을 읊으며 감상하니 나그네의 마음이 자못 상쾌해졌다. 그 곳에 사는 선비들 수십여 명이 조촐한 술자리를 베풀고 인사를 하였다. 전 찰방 지흠(池欽)이 와서 인사하였다.

곧바로 출발하여 무계(武溪)에 도착하였다. 창렬사(彰烈祠)가 있는데, 임진왜란 때의 의병장 정문부(鄭文孚)의 사당이었다. 들어가 참배하였다. 저녁에 명창(明倉)에 도착하여 묵었다. 명창 뒤에 선바위

---

19) 팔경대는 어랑면 어랑천 하류의 어랑 5호 부근에 위치하였다고 전하는데, 지금은 그 흔적도 남아 있지 않음.

와 누워 있는 바위가 있었는데 또한 기이하였다. 경성 판관이 하직 인사를 하였다. 이 날 75리를 갔다.

6월 13일

해 뜬 후에 출발하여 명천부(明川府)에 이르렀다. 명천 부사 남태징(南泰徵), 거산 찰방이 와서 인사하였다. 단천 군수 심상윤(沈尙尹)은 공도회(公都會)[20]의 시험관으로 경성에 가는 도중 와서 인사하였다. 역관을 먼저 보낸다는 뜻으로 장계를 작성하고 아울러 집에 편지를 부쳤다.

아침 식사 후 출발하여 천덕(泉德)에 도착하여 점심 식사를 하였다. 식사 후 칠보산(七寶山)에 들어가 금장사(金藏寺)를 두루 보고 또 개심대(開心臺) 금강굴(金岡窟)에 오르니, 천불봉(千佛峰), 교의봉(交倚峰), 사암봉(寺岩峰) 등 여러 봉우리들이 사방을 에워싸고 있는데, 그 기이한 형태는 이루 말할 수 없을 정도로 황홀하였다. 누가 변방 지역에 이러한 신선이 살 만한 곳이 있을 줄 생각이나 했겠는가? 그러나 산의 규모가 작고 골짜기가 협소하고, 계곡물도 그다지 풍부하지 않으니 이 또한 단점이다. 개심사에서 묵었다. 이 날 95리를 갔다.

6월 14일

어두컴컴한 새벽에 걸어서 해망대(海望臺)에 올라 일출을 보았다. 아침 식사 후 출발하여 문암(門岩)에서 잠시 쉬었다. 칠보산을 되돌아보니 아득하게 층층 누각이 허공에 우뚝 솟아 있는 것처럼 보였다. 멀리 바라보는 것이 가까이에서 보는 것보다 낫다고 하겠다. 저

---

20) 각 도의 감사와 유수들이 매년 그 지방의 유생들을 모아 행하던 과거 시험. 공도회에 합격하면 식년의 생원·진사시험의 복시(覆試)에 응할 수 있다.

녁에 아간창(阿澗倉)에 도착하였다. 길주 목사 정석빈(鄭錫賓), 거산 찰방이 와서 인사하였다.

6월 15일
비가 내려 아간창에 머물렀다.

6월 16일
해 뜬 후에 출발하여 임명창(臨溟倉)에 도착하여 점심 식사를 하고 성진(城津)에 도착하여 조일헌(朝日軒)에서 묵었다. 가마를 타고 형승을 두루 살펴보았다. 한 섬이 바다 가운데로 돌입하여 있는데 삼면이 모두 석벽이어서 천연적인 요새인데다 물과 나무가 풍족하니 진실로 북쪽 지방의 제일 관방(關防)이었다. 이 진의 첨사 최문징(崔文徵), 길주 목사, 거산 찰방이 와서 인사하였다. 이 날 90리를 갔다.

6월 17일
해 뜰 때에 출발하여 마천령(磨天嶺)을 넘어 마곡참(馬谷站)에서 점심 식사를 하였다. 단천에 도착하여 묵었다. 거산 찰방이 와서 인사하였다. 이 날 90리를 갔다.

6월 18일
아침 식사 후 출발하여 마운령(磨雲嶺)을 넘었다. 마운령 고개 입구에 이르니, 이 곳은 곧 거산 찰방이 거처하는 관소이다. 뒤에 마운령이 있고, 앞에는 바다가 펼쳐져 있으니, 참으로 침입해 들어오는 적을 막는 요충지였다. 점심 식사 후 출발하여 이성(利城)에 도착하였다. 이성 군수 오태홍(吳泰興), 거산 찰방이 와서 인사하였다.

6월 19일

아침 식사 후 출발하여 시종대(侍從臺)를 두루 보고 거산참(居山站)에 도착하여 점심 식사를 하였다. 북청에 도착하여 묵었다. 병사 윤각, 판관 성임이 와서 인사하였다. 파발편에 집에 편지를 부쳤다. 이 날 100리를 갔다.

6월 20일

거산 찰방이 뒤처졌다. 아침 식사 후 출발하여 평포에 도착하여 점심 식사를 하였다. 홍원에 도착하여 묵었다.

6월 21일

아침 식사 후 출발하여 함원참에 도착하여 말에게 꼴을 먹인 후 함관령을 넘어 덕산참에 도착하였다. 함흥 판관 정혁선(鄭赫先)이 찰방을 겸하고 있었다. 정평 부사 유성일(柳星一)이 와서 인사하였다. 점심 식사 후 함흥에 도착하였다. 곧바로 지락정(知樂亭)으로 가서 감사와 잠시 이야기를 나눈 뒤에 객사로 돌아왔다. 도사 김정(金）, 판관 정혁선, 중군 심약허(沈若虛), 고원 군수 이만정이 와서 인사하였다. 정평 부사가 하직 인사를 하였다.

6월 22일

함흥에 그대로 머물렀다. 감사가 와서 보았다. 중군, 도사, 판관이 와서 인사하였다. 파발편에 집에 편지를 부쳤다. 오후에 서울에서 온 편지를 받았다.

6월 23일

해 뜰 무렵 출발하여 구경대(龜景臺)에 갔다. 구경대는 바닷물이 육지로 쑥 들어온 곳에 있었고, 높이는 10여 길이나 되었으며 그 위에는 4, 50명이 앉을 만하였다. 사면이 파도에 침식되어 혹은 깎여서 봉우리가 되기도 하고 혹은 뚫려서 굴이 되기도 하였다. 뻥뻥 뚫린 것이 마치 벌집 같았는데, 그 기괴한 갖가지 모양을 이루 형언할수 없다.

구경대 밑의 물가에 평평한 돌이 깔려 있는데, 얼룩얼룩하여 거북이 등의 무늬와 같았다. 돌의 무늬는 누렇고 희고 푸르고 붉은 색이 서로 엇갈려 경계를 지어서 우물 정자 무늬를 이루고 있었는데, 앞뒤로 크고 작은 것이 서로 이어져 마치 하나 같았다. 그림처럼 분명하여 비록 붓으로 그리려 해도 이보다 못할 것이다.

구경대 뒤에는 맑은 모랫가에 해당화가 피어 있고, 좌우의 여러봉우리가 읍하기도 하고 솟아나기도 하여 구름 바깥으로 나와 있었다. 구경대 앞으로는 큰 바다가 펼쳐져 있고, 고래들이 물을 뿜으며놀고 있었다. 아침 저녁으로 변화무쌍하고 일출과 월출이 모두 눈밑에 있었다. 갑자기 한 무리의 물고기가 물을 거슬러 올라오므로어부를 시켜 그물질하여 잡아서 끓여 먹었는데 그 맛이 아주 좋았다.

15리를 더 가서 격구정(擊毬亭)에 올랐다. 이 곳은 곧 우리 태조대왕이 왕위에 오르기 전에 격구하던 곳이라 한다. 바다 안개가 꽉 차서 사방을 둘러볼 수 없으니 안타깝다.

또 10리를 가서 본궁(本宮)에 들어가 배알하고 살펴보았다. 본궁에는 정전이 있어 4왕[21] 및 태조의 신위가 봉안되어 있다. 정전 앞에는 풍패루(豊沛樓)가 있고 풍패루 앞에는 연못이 있다. 정전 뒤에는 옛날에는 여섯 그루의 소나무가 있었다. 곧 태조가 손수 심은 것으로 임진왜란의 병화에도 아무 탈이 없었으나 세월이 오래 되어

---

21) 태조 이성계의 직계 선조로 목조(穆祖)·익조(翼祖)·탁조(度祖)·환조(桓祖).

말라 죽었다. 그 가운데 두 그루만 예전과 마찬가지로 푸르고 울창
하였다. 정전 안에는 성조(聖祖 : 태조)의 관복, 활, 화살, 갑옷전대,
등개 등의 물품이 있다. 오후에 곧바로 징청헌(澄淸軒)에 가서 감사
와 만났다. 어두워질 무렵 객사에 돌아와 묵었다. 판관과 중군이 와
서 인사하였다.

6월 24일

함흥에 그대로 머물렀다. 감사가 와서 종일토록 연당(蓮堂)에서
이야기를 나누었다. 중군, 판관, 도사, 전 군수 한항(韓沆), 전 우후
문여백(文呂伯), 출신 이천기(李千紀)가 와서 인사하였다.

6월 25일

아침 식사 후 감사, 판관, 도사와 더불어 비를 무릅쓰고 북산루(北
山樓)에 올라 조촐한 술자리를 베풀었다. 오후에 낙민루에 가서 해
진 후에 돌아왔다.

6월 26일

오후에 비를 무릅쓰고 출발하여 정평에 도착하여 유숙하였다. 부
사가 와서 인사하였다.

6월 27일

아침 식사 후에 출발하여 초원(草原)에 도착하였다. 감찰 한재후
(韓在垕)가 와서 인사하였다. 정평 부사가 하직 인사를 하였다. 점심
식사 후 출발하여 영흥부에 도착하여 유숙하였다. 부사가 와서 인
사하였다.

6월 28일

파발편에 집에 편지를 부쳤다. 오후에 출발하여 고원에 도착하여 유숙하였다. 군수 이만정이 와서 인사하였다.

6월 29일

해 뜬 후 출발하여 문천에 도착하였다. 군수 이덕운(李德運)이 와서 인사하였다. 점심 식사 후 출발하여 덕원에 도착하여 유숙하였다. 부사가 와서 인사하였다.

7월 1일

파발편에 집에 편지를 부쳤다. 아침 식사 후 출발하여 상음촌(霜陰村)에 도착하였다. 점심 식사 후 출발하여 화등참(火燈站)에 도착하여 묵었다. 이 날 70리를 갔다.

7월 2일

아침 식사 후 출발하여 10리를 가서 바닷가에 도착하였다. 기생들을 데리고 배를 타고 풍악을 울리며 바다 가운데로 10여 리 나아갔다. 한 섬이 바다 가운데 우뚝 솟아 있으니, 이 곳이 이른바 국도(國島)이다. 섬을 둘러보며 살펴보니 층층의 바위 낭떠러지가 마치 나무를 반듯하게 자르듯이 돌면을 깎아서 묶어 세웠는데, 혹 수십 길이 되기도 하고 혹 10여 길이 되기도 하였다. 그 아래에 석굴이 있는데 바닷물이 출입하여 그 깊이를 알 수 없었다. 그 위는 모두 대나무숲이었다. 삼면은 매우 높고 한 쪽이 낮고 편편한데, 넓이가 천 명이 앉을 만하였다. 사방의 바닷물로 침식된 곳은 많은 돌이 겹겹이 쌓여 있는데, 마치 주춧돌이 포열해 있는 것처럼 보였다. 천지조화의 공은 사람의 머리로는 헤아릴 수 없다.

육지로 돌아와 마을집에서 점심 식사를 한 후 곧바로 학포(鶴浦)로 출발하였다. 학포의 동북쪽은 명사십리(明沙十里)이다. 바람이 불어 맑은 모래가 물결 무늬를 이루고 있는데, 흰 비단이 펼쳐져 있는 것처럼 찬란하였다. 학포의 동쪽에는 사봉(沙峰)이 우뚝 솟아 있는 데 흰 눈이 쌓여 있는 것처럼 보였다. 때때로 바람이 불면 모래가 날려 흘러내렸는데, 봉우리의 높이는 줄지도 늘지도 않으니 참으로 기이하였다.

사봉의 서쪽에는 소청도(小靑島)가 있어 해안가에 임하여 있는데 원수대(元帥臺)라 일컬어졌다. 대개 옛날에는 섬이었다가 오늘날 육지로 되었다고 한다. 원수대에서 기생들에게 춤추게 하였다. 학포에서 배를 타고 둘러보니 학포의 너비는 20리이고 수면은 둥글어서 마치 거울과 같았다.

학포 가운데에 한 섬이 있는데 율도(栗島)라고 하였다. 우뚝 솟아 있어 그림자가 물결 속에 담겨 있으며 사면의 나지막한 산이 끊어질듯 이어져 있는데, 푸른 비취색이 영롱하여 마치 비단 병풍이 둘러쳐져 있는 듯하였다. 학포가 바다로 들어간 곳은 겨우 배 한 척만 드나들 수 있다. 파도가 모래를 밀어 올려 포구를 막아 배가 포구에 출입하는 것이 통하기도 하고 막히기도 한다고 한다. 파발편으로 서울에서 보낸 편지를 받았다.

7월 3일

아침 식사 후 출발하였다. 비가 내려 시종대(侍從臺)를 가보지 못하였다. 흡곡에 도착하니 현령 이집(李濈)이 와서 인사하였다.

점심 식사 후 총석정(叢石亭)에 갔다. 바위가 여섯 면을 이루고 있어 바다 가운데 옥같이 매끄럽게 서 있는 것이 네 개인데, 이것을 사선봉(四仙峰)이라 한다. 그 나머지 암석들이 종횡으로 얽혀 거북 무늬를 이루기도 하면서 우뚝 솟아 있어 그림 병풍을 이루고 있었다. 바위 형세의 기괴한 모양은 국도에 미치지 못하지만, 사선봉이 수중에 아름답게 나란히 서 있는 것은 국도보다 더 볼 만하였다. 환선정(喚仙亭)에 올라 총석정을 바라보니 더욱 기묘하였다.

저녁 무렵에 통천에 도착하여 유숙하였다. 군수 심정구(沈廷耈)가 와서 인사하였다. 도중에 노비[業奴]가 와서 인사하였다. 이 날 95리를 갔다.

7월 4일

아침 식사 후에 출발하여 운암관(雲暗館)에 도착하였다. 점심 식사 후 옹별로(瓮別路)를 넘어서 선유동(仙游洞), 옥룡담(玉龍潭)을 두루 보았다. 양진참(養珍站)에 도착하여 말에게 꼴을 먹였다.

발연(鉢淵)에 가니 폭포가 떨어져서 삼층의 못을 이루었는데 그 가운데 한 못의 폭포 떨어지는 곳이 사발 모양과 같아서 발연이라 불리게 되었다고 한다. 조금 위에 또 하나의 폭포가 있는데, 두세 명의 승려가 드러누워 미끄러져 내려오는데 나는 것처럼 빠르니 참으로 묘한 풍경이었다.

바위 위에 크게 '봉래도(蓬萊島)' 세 글자가 새겨져 있는데, 이것은 곧 봉래 양사언[22]의 필적이다. 흰 돌이 우뚝 솟아 있고 옥 같은 시내가 다투어 흐르고, 사면에 크고 작은 봉우리들이 옥처럼 구름 위에 솟아 있었다. 외금강산도 이와 같은데 내금강산의 경관은 더욱 가히 헤아릴 수 있겠다. 폭포 서쪽에 한 암자가 있는데 그윽하고 한적하여 단연코 산인(山人)의 거처에 합당하였다.

날이 저문 후 발연사에서 유숙하였다.

7월 5일

---

[22] 조선 초기 서도 4대가의 1인. 한호, 안평대군, 김구 등과 함께 글씨를 잘 썼음.

아침 식사 후 출발하여 삼일포(三日浦)에 도착하였다. 수령 심정로(沈廷老)가 이미 배를 갖추어 기다리고 있었다.

잔잔한 호수는 거울처럼 평평하였다. 호수 가운데 섬이 하나 있는데 사선정(四仙亭)이 그 위에 우뚝 솟아 있고, 12개의 봉우리가 좌우에 나열하여 있다. 사선정의 남쪽 바위에 붉은 색의 글씨가 새겨져 있고, 서쪽 바위 위에는 작은 비가 있는데 사선정의 사적이 기록되어 있었다. 내 이름을 바위에 새겨 넣었다. 몽천사(夢泉寺)로 가서 문암(門巖)에 올라 삼일포를 바라보니 더욱 절경이었다.

점심 식사 후 5리를 가서 대호정(帶湖亭)에 이르러 잠시 쉬었다. 서강(西江)에서 배를 띄워 바다 입구로 나가니, 칠성암(七星巖)이 바다 가운데 벌려 있는데 참으로 멋진 경치였다.

이 곳을 지나 해안가로 10여 리를 따라 가니 층층 암석들이 우뚝 서 있었다. 길고 짧고 크고 작은 온갖 바위들이 어떤 것은 사람 얼굴 같기도 하고 어떤 것은 짐승의 형상 같았다. 그 천가지 만가지의 기묘한 모습들은 황홀하여 무어라고 말하기 어렵다. 이것이 세상 사람들이 말하는 해금강(海金剛)이라 한다.

저녁 무렵에 말을 달려 해산정(海山亭)에 들어가니 푸른 못에 피어 있는 가을 연꽃이 바람에 맑은 향을 날리고, 깨끗한 모래의 긴 내가 성을 감싸며 흐르고 있었다. 칠성암과 구암(龜巖) 등이 모두 한눈에 들어오니, 정말로 뛰어난 경치이다.

7월 6일

아침 식사 후 비를 무릅쓰고 출발하여 숙구(鷫口)를 지나 원통사(圓通寺)에 들어갔다. 동구 밖에 주담폭포(舟潭瀑布)가 있고 조금 위에 기담(妓潭)이 있었다. 원통사에서 점심 식사를 하였다.

송림굴(松林窟)을 두루 보고 내 이름을 이 곳에 썼다. 그 옆에 암자가 있고 암자 뒤에 석봉이 있는데 푸른 색을 뽐내며 우뚝 서 있었다. 바위 밑에서 맑은 샘이 솟고 있었는데 물맛이 좋았다.

박달곶[朴達串]을 지나치며 오송대(五松臺), 학암(鶴岩), 풍혈굴(風穴窟)을 구경하고 불경대(佛景臺)에 올랐다. 사면의 봉우리들이 모두 운무 속에 들어가 있어 두루 살펴볼 수는 없었지만 개었다 흐렸다 하는 사이에 있는 듯 없는 듯 기상이 천만 가지여서 또한 좋은 경치였다.

내려와 유점사에서 묵었다. 이름을 탑 위에 썼다. 파발편에 서울에서 보낸 편지를 받았다.

7월 7일

아침 식사 후 비를 무릅쓰고 10리를 가서 대적암(大寂庵)을 둘러보았다. 또 5리를 가서 은선대(隱仙臺)에 올랐다. 안개와 비가 자욱하여 지척을 분간할 수 없어 대장봉(大藏峰), 일출봉, 월출봉 모두 볼 수 없었다. 12폭포가 가까이 산너머에 있었는데 다만 그 폭포 소리만 듣고 그 모습을 보지 못하였다. 반나절 동안 날이 맑기를 기다렸으나 끝내 개이지 않으니 유감스러웠다. 이에 시 한 수를 지어 기록하였다.

또 5리를 가서 점심참(點心站)에서 점심 식사를 하였다. 내수령(內水嶺)을 넘으니 이히대(李許臺)가 있었다. 이허대 아래 길가의 푸른 벽 위에 묘길상(妙吉象)이 있는데 높이는 수십 길이고 너비는 6파(把 : 두 팔을 펴서 벌린 길이)나 되었다.

마하연(磨訶衍)에서 유숙하였다. 마하연 앞에는 혈망봉(穴望峰), 담무갈불(曇無竭佛)이 있고, 뒤에는 백운봉(白雲峰), 중향성(衆香城)이 있는데 역시 명승지였다. 은계 찰방 박숭고(朴崇古)가 와서 인사하였다.

7월 8일

아침 식사 후 비를 무릅쓰고 출발하였다. 화룡담(火龍潭), 선담(船潭), 구담(龜潭), 진주담(眞珠潭), 청룡담(靑龍潭), 백룡담(白龍潭), 흑룡담(黑龍潭), 벽하담(碧霞潭)을 둘러보았는데, 그 숫자가 여덟이지만 모두 한 물줄기로서 긴 냇물이 굽어 자연스럽게 이루어진 것이다. 만폭동(萬瀑洞)의 호칭이 이로부터 유래되었다. 만폭동의 반석 위에는 "많은 암석이 빼어남을 다투고 많은 골짜기가 아름다움을 다툰다(千岩競秀 萬壑爭長)"라는 글이 크게 새겨져 있었다. 그 아래에는 또 "천하제일명산"이라 새겨져 있고, 또 그 아래에 "봉래풍악원화동천(蓬萊楓岳元化洞天)"이라는 글자가 크게 새겨져 있었다. 이것으로 보아도 금강산의 형승을 가히 알 수 있겠다.

진주담 위에 보덕굴(普德窟)이 있는데 굴에 의지하여 2층의 누각을 만들고 구리 기둥 하나에 지탱하고 있었다. 그 높이는 수백 척으로 구름 밖에 있어 아득하여 분명하지 않았다. 아래를 내려다보니 밑이 보이지 않았다. 누각 위에는 탑이 있고, 탑 옆에 보덕암이라고 하는 조그마한 암자가 있었다. 스님이 떠나버려 암자가 비어 있으니 정말 애석하다. 표훈사(表訓寺)로 내려와서 산영루(山暎樓)에 올라 이름을 썼다.

점심 식사 후 정양사(正陽寺) 헐성루(歇惺樓)에 올랐다. 비로봉(毘盧峰), 중향성(衆香城), 혈망봉(穴望峰), 망고대(望高臺), 백마봉(白馬峰), 방광대(放光臺), 천일대(天日臺), 청학대(靑鶴臺), 금강대(金剛臺), 대향로봉(大香爐峰), 소향로봉(小香爐峰), 안양대(安養臺), 개심대(開心臺), 웅호봉(熊虎峰), 영랑재(永郎岾), 사자봉(獅子峰), 석응봉(石鷹峰), 승상봉(僧床峰), 낙안봉(落雁峰), 돈도봉(頓道峰), 지장봉(地藏峰), 시왕봉(十王峰), 차일봉(遮日峰), 석가봉(釋迦峰), 장경봉(長擎峰), 오인봉(五人峰)이 앞뒤로 나열하고 있었다. 어떤 봉우리는 늙은 스님이 가

사를 늘어뜨리고 합장하고 있는 것 같고, 어떤 봉우리는 옥녀(玉女)
가 쪽 지고 단정히 서 있는 것 같은데, 그 외에도 새가 날고 짐승이
달리는 형상과 같은 기이한 것을 이루 다 말할 수 없다. 금강산의
진면목은 이 누각 위에서 다 볼 수 있다고 하겠다. 그런데 천지조화
에는 시기가 많은 법이어서 장마비가 개이지 않아 샅샅이 찾아 다
볼 수 없는 것이 한탄스러웠다.

이 절에는 여섯 면으로 된 전각이 있는데 약사전(藥師殿)이라 하
였다. 전각 안에는 석불(石佛)이 있으며 전각 앞에는 오층 석탑이 있
다. 파발편에 서울에서 보낸 편지를 받았다.

7월 9일

비가 내려 그대로 표훈사에 유숙하였다.

7월 10일

아침 식사 후에 천일대(天日臺)에 올랐다. 장마비가 비로소 개었
으며, 뭇 봉우리들이 빼어난 용모를 자랑하니, 금강산의 진면목을
오늘 비로소 명쾌하게 볼 수 있었다. 시 7절 3수를 지어 헐성루에
현판하였다.

점심 식사 후 출발하여 청연암(靑蓮庵), 백화암(白花庵), 삼불암(三
佛庵)을 두루 보았다. 백천동(白川洞)에서 몇 리쯤 들어가 업경대(業
鏡臺), 옥경담(玉鏡潭)을 보았다. 옥경담 위에 명경대(明鏡臺)가 골짜
기의 문처럼 깎아지른 듯 솟아 있는데 하늘을 받치고 있는 것 같았
다. 그 옆에는 옛 성문이 있는데, 극락문(極樂門)이라고 하였다.

돌아오는 길에 지장암(地藏庵)을 둘러보고 내려와 장안사(長安寺)
에 이르러 산영루(山暎樓)에 올라 이름을 썼다. 산영루 옆에 무지개
다리가 있는데, 높이는 40자, 너비는 60자로 만천교(萬川橋)라고 하
였다. 장안사에서 유숙하였다.

7월 11일

아침 식사 후에 출발하여 신원(新院)에 도착하여 말에게 먹이를 먹였다. 통구참(通溝站)에 도착하여 점심을 먹었다. 창도참(昌道站)에서 유숙하였다. 이 날 100리를 갔다.

7월 12일

해 뜰 무렵 출발하여 금성에 이르렀다. 수령 홍중복이 와서 인사하였다. 파발편에 서울에서 보낸 편지를 받았다. 아침 식사 후 출발하여 김화에 도착하였다. 수령 이명연(李明淵), 장령 오우진이 와서 인사하였다. 점심 식사 후 출발하여 풍전에 도착하여 묵었다. 철원부사 이창조(李昌肇)가 와서 인사하였다.

7월 13일

아침 식사 후 출발하여 화적연(禾積淵)과 삼부연(三釜淵)을 두루보고 양문에 도착하였다.

(역자 주 : 여행기는 여기에서 끝나고 임금께 올리는 장계로 보이는 문장이 이어짐)

오시천으로부터 어윤강에 이르기까지, 장백산 이북에서 백두산 이남의 주위 천여 리의 땅은 본래 우리 나라 땅입니다. 그런데 『여지승람(輿地勝覽)』 및 『북관지(北關誌)』에 모두 중국 땅으로 기록되어 있는 까닭에 우리 나라 사람 중에 산삼을 채취하거나 수렵하는 자들이 국경을 넘나드는 것을 금하는 국법을 범할까 두려워하여 마음대로 왕래하지 못하였습니다.

이제 국경이 정해졌으니, 연변 사람들 모두 이 땅이 우리 나라의 땅임을 명백히 알게 되었습니다. 그 사이에 있는 서수라덕, 허항령,

완항령 등과 보다회산 좌우와 앞뒤는 모두 삼밭이고, 담비[貂鼠]가 산출되는 곳이기도 합니다. 백두산 아래 이른바 천평, 장파 등은 자작나무가 빼곡히 서 있어서 끝이 없습니다. 삼수, 갑산, 무산 세 읍의 백성들에게 만약 이 곳에서 산삼을 채취하고 사냥을 하도록 허락한다면 의식이 자연 넉넉해질 것입니다.

우리 나라 땅에서 산삼 채취를 허락한 후 간사한 백성이 이것을 빌미로 국경을 넘나들 것을 염려하는 사람도 있습니다. 그러나 우리 영토 내에서 산삼을 채취하고 사냥을 하는 것만으로도 의식이 넉넉해진다면, 비록 매우 어리석은 백성들이라도 반드시 국법을 범하면서 몰래 월경을 하여 스스로 사지에 나아가지는 않을 것입니다. 감사와 병사로 하여금 상의하여 조정에 계문(啓聞)케 하고, 비변사에서 상의하여 계책을 확정한 뒤 임금님께 아뢰어 처리해야 할 것입니다.

새로 정한 국경의 안쪽 우리 나라 땅은 산삼, 자작나무, 담비가 많이 산출되는 곳입니다. 그러나 산삼 채취를 허락한 후 삼수, 갑산, 무산 세 읍 이외의 다른 고을의 백성들과 먼 지역의 장사치들이 혹시라도 모여들면 본토(本土) 백성들이 반드시 이로움을 잃게 될 것입니다. 이는 조정에서 세 읍에 거주하는 변방 백성들을 진휼하는 뜻이 아닙니다. 따라서 다른 고을의 백성들이 이 곳에서 산삼을 채취하거나 수렵하는 것을 일체 엄금해야 합니다. 만일 국법을 범하고 몰래 잠입하는 자가 있으면 본토 사람들로 하여금 붙잡아 관에 고발하게 하여, 붙잡힌 사람이 가지고 있던 물건을 모두 붙잡아 고발한 사람에게 주고, 국법을 범한 자는 각별히 엄중한 형문을 한 차례 한 후 풀어주어야 합니다.

본관 수령이나 각 진보(鎭堡)의 변장(邊將) 가운데 산삼 채취를 허

락하는 명을 빙자하여 산삼, 자작나무, 담비를 거둬들이는 자가 있
으면, 병사와 감사는 들리는 소문에 따라 조정에 급히 상주(上奏)하
여 그 죄를 논해야 합니다. 어사(御史)도 실정을 염탐하여 조정에 서
계(書啓)한 뒤, 거두어들인 물량의 많고 적음에 상관없이 장법(贓
法)23)으로 엄중히 징벌해야 마땅할 것입니다.

상급 관청에서 녹용, 사향을 상납하는 양을 정해 주면, 병영에서
는 각 진보에 그 몫을 책정하고, 귀리[耳麥] 등 잡곡 약간을 상납하
는 물품의 값으로 매겨 주는데, 혹은 녹용 한 대(對)의 가격으로 베
[布疋]를 주기도 합니다. 그런데 강변(江邊)은 공사간에 조총(鳥銃)을
모두 금단(禁斷)하니, 녹용과 사향은 정말로 맨손으로 잡아들일 길
밖에 없는데, 강제로 거두어들이니 이는 말이 안 됩니다. 대가로 주
는 값 또한 매우 하찮아서 그 지역 군사들이 원망하고 하소연하는
것은 정말로 타당합니다. 이후로는 녹용과 사향을 구청(求請)하는
일을 일체 막고, 어사를 파견할 때에 이 문제를 잘 살피도록 해야
할 것입니다.

을축년(乙丑年) 이후에 강변의 공사간의 조총을 모두 거두어들여
창고 안에 쌓아 두도록 하였습니다. 그 후 세월이 오래 되니, 총구
는 막혀 버리고 군민(軍民)들도 총 쏘는 법을 알지 못합니다. 만약
위급한 일이 있더라도 대응할 길이 없으니, 군정(軍政)이 극도로 소
홀하다고 하겠습니다. 이후로는 10월부터 2월까지의 5개월 동안 각
고을과 각 진보에서 한 달에 한 차례씩 군민을 모아 총 쏘는 연습을
시켜서 완전히 포기하는 데 이르지 말아야 할 것입니다. 감사와 병

---

23) 부정한 물품을 탐하여 소관 관물을 횡령하거나 백성의 재물을 뇌물
로 받는 범죄 행위.

사로 하여금 상의하여 임금님께 아뢰어서 처리해야 할 것입니다.

산양 가죽과 오소리 가죽, 담비 가죽, 쥐 가죽, 녹용 등의 물건은 감영이나 병영에서 그 물품에 대한 값을 주고 분정(分定)하는 규정이 있습니다. 감영이나 병영에서는 주진(主鎭)에게 분부하고 주진에서는 각 진보에 분부하고 각 진보에서는 그 지역의 군졸들에게 분정합니다. 감영이나 병영에서 분정한 수량은 약간에 불과하지만, 변장(邊將)이나 주진이 거두어들이는 양은 본래의 수량보다 몇 배일 뿐만이 아닙니다. 이 때문에 진의 군졸들이 견디기 어렵습니다. 감영이나 병영에서 가죽을 분정하는 규정을 영원히 없애고 어사로 하여금 그 실상을 염탐케 해야 할 것입니다.

남병영(南兵營)의 진상 및 감영과 병영에서 소요되는 자작나무 껍질을 삼수·갑산에도 분정하였습니다. 그런데 삼수·갑산 지역 내에는 자작나무가 자라는 곳이 그다지 많지 않기 때문에 매번 백두산 아래 천평·장파 등지에 몰래 잠입해 들어가 자작나무 껍질을 채취하였습니다. 지금 양국의 국경을 결정한 후에는 천평과 장파는 모두 무산 땅이 되었습니다. 그러므로 자작나무 껍질을 무산부에 참작하여 분정하여서 삼수·갑산에 거주하는 백성들의 고초를 조금이나마 덜어주는 것이 마땅할 듯합니다.

작년에 청나라 사신이 위원(渭原)에 왔을 때에 함경 감사가 삼수·갑산에 나아가서 도로를 닦고 두 달이나 기다려서 농민들이 농사철을 놓쳐 수확을 거의 못하였습니다. 이번에 신이 감사와 함께 삼수·갑산·무산 등의 땅에 머무른 것이 거의 50일 정도 되니, 세 고을의 백성들이 이로 말미암아 농사 일을 전폐하다시피 하였습니다.

만약 특별히 돌보는 조처가 없으면 앞으로 백성들이 생계를 찾아 떠돌아다니는 사태가 반드시 일어날 것입니다. 세 고을의 백성들이 금년에 받은 환곡을 일체 탕감하고 각 진보의 환곡도 비록 이것이 군량미이긴 하지만 일체 탕감하여서 조정에서 백성을 사랑하는 뜻을 보여주어야 하겠습니다. 또한 세 고을의 공노비와 사노비가 바치는 공미(貢米) 가운데 신묘년(1711, 숙종 37) 이전에 거두어들이지 못한 것 중에서 비록 공문서가 없어도 명백하게 도고(逃故)한 증거가 있는 것과 옛날에 거두어들이지 못한 환곡으로서 거두어들일 길이 없는 것은 아울러 명백히 조사하여 탕감해 주는 것이 각별히 백성을 돌보는 도리에 맞을 듯합니다.

삼수·갑산·육진 등의 지역 군졸들은 본래 숫자도 적은데, 인심은 옛날처럼 순박하지 않아서 점차 군역을 피하려고만 합니다. 그 가운데 집안 살림이 조금 넉넉한 자는 그 고을의 장교 등에게 뇌물을 주어 군관(軍官)·장관(將官) 등의 공명첩을 받아내어 군역에서 빠지고 있습니다. 또한 이른바 풍속청(風俗廳)이라는 곳이 있는데, 지역 군졸과 같은 하찮은 이들도 두세 마리의 소를 바치면 풍속청에서 향품(鄕品)에 오르도록 허락해 주며, 이들은 이것으로써 스스로 양반으로 자처합니다. 그리하여 아비는 군졸로 진보에 입역(立役)되어 있는데, 아들은 품관(品官)으로 마을에서 횡행하는 자도 있습니다. 진보(鎭堡)……(그 이후의 내용은 결락되어 있음)

이의철의 백두산기

『백두산기(白頭山記)』는 이의철(李宜哲 : 1703~1778)이 갑산 부사로 재임할 당시인 1751년(영조 27) 백두산에 다녀와 남긴 한문으로 된 기행문이다. 백두산 기행에 대한 기록이 날짜별로 소상하게 기록되어 있는데, 1751년 5월 24일에 갑산부를 출발하여 그 다음 달 3일에 갑산부로 되돌아왔으니 꼬박 열흘이 걸리는 노정이었다.

그 백두산 노정을 보면 5월 24일 갑산부를 출발하여 동인령을 거쳐 운총진에서 하룻밤을 묵고, 25일 오시천에서 백두산에 입산하여 백덕령에 오른 후 검천을 지나 서소라령(서수라덕)에 올랐다. 서소라령부터는 진창 속에서 고생고생하면서 백두산으로 향하는 모습이 생생하게 묘사되어 있다. 심포에서 묵고 26일 자개령을 거쳐 임어수에서 묵었다. 27일에는 허항령을 넘어 삼지, 천평을 지나 연지봉에 다가갔다. 28일에는 분수령의 정계비가 세워진 곳을 보고 드디어 천지에 이르렀다. 운무 때문에 주위 경관을 볼 수 없을까 걱정했지만 천지에 올라서는 순간 씻은 듯이 사라져 버려 사방을 조망할 수 있었다. 여기에서 주위의 봉우리들을 일일이 설명할 수 없어 풍수지리설을 빌어 백두산을 에워싼 주위 산과 봉우리들의 성격을 논하고 있다. 하산하는 길도 올라갈 때의 노정과 같이 잡았다. 29일 임어수를 거쳐 자개령에서 유숙하고, 다음 달 1일 심포를 거쳐 오시천에서 묵었다. 2일 혜산진에 도착하였으나 비가 와서 괘궁정에서 유숙하고는 3일 저녁에 갑산으로 돌아와서 여러 사람들의 인사를 받았다. 그리고 말미에 자신의 행차 때 백두산의 형세를 알지 못하여 인근의 백성들을 너무 많이 오랫동안 동원했음을 반성하고 이 자료를 근거로 훗날 백두산을 유람하는 이들은 자기를 교훈삼아 너무 많은 백성을 동원하지 말 것을 당부하고 있다.

이의철의 『백두산기』가 알려지기 전까지는 1764년(영조 40) 박종(朴琮)의 『백두산유록』이 최초의 백두산 기행문으로 알려져 왔지만 그보다 10여 년 앞서 백두산을 다녀와 기행문을 남긴 셈이 된다. 따라서 이의철의 『백두산기』는 박종의 『백두산유록』과 더불어 200여 년 전 백두산의 정황을 알려주는 귀중한 자료이다.

이의철은 조선 후기의 문신으로 본관은 용인(龍仁)이며, 자는 원명(原明), 호는 문암(文菴)이다. 1727년(영조 3) 사마시(司馬試)에 합격하여 진사가 된 뒤 1748년 춘당대문과(春塘臺文科)에 병과로 급제하여 이듬해 검열(檢閱)이 되었다. 그후 정언(正言)·지평(持平)·대사간(大司諫) 등을 역임하였다. 1769년(영조 45)에는 "고서를 많이 읽고 성격 또한 침착하고 깨끗하다"는 칭찬을 받으며 대사헌에 임명되었다. 그 해 전라도 광주 지방 유생들이 박세채(朴世采)를 문묘(文廟)에서 출척하라는 상소를 올린 일에 관련하여 진도에 유배되었다. 1775년(영조 51) 다시 승지가 되고 예조판서·대제학을 지냈다.

백두산기

신미년(1751) 5월 24일 경신

갑산부(甲山府)를 출발했다. 오늘은 망종(芒種 : 24절기의 하나)이 지난 지 11일째 되는 날이다.

이백흥(李百興)과 같이 출발하였는데, 전 수어 초관(前守禦哨官) 강덕구(姜德耈), 병방 군관(兵房軍官) 백수회(白受繪), 그리고 기타 장교 몇 명이 따라왔다. 그 밖에 토병(土兵)과 포수까지 합치면 일행은 모두 40여 명이었다. 4, 5일 전에 이미 먼저 색리(色吏)와 운총(雲寵)·혜산(惠山)·별사(別社) 세 고을의 백성 약 100명을 선발대로 보내어 길을 닦고, 점심 먹고 잠잘 곳마다 모두 임시 숙소를 마련하도록 하였다. 타고 갈 말과 천막, 말 먹이 등 갖가지 여행 물자를 실은 말이 모두 16필이었다. 일행 모두 전립(戰笠)을 쓰고 군복을 입었다. 이는 평상시 의관을 가지고는 산에 들어가 수목 사이를 지나갈 수 없기 때문이다.

동인령(同仁嶺)에서 점심 식사를 하였다. 동인령 권관(權管)은 유춘빈(柳春馪)이란 자였다. 저녁에 운총진에서 묵었다. 운총진 만호(萬戶)는 유성협(柳聖協)이었다. 모두들 전례에 따라 영접하였다. 혜산 첨사(僉使) 유언지(兪彦摰)가 또 문안 인사차 와서 운총 만호 등과 더불어 담소를 나눴다.

5월 25일

아침 일찍 출발하였다. 운총 만호 유성협이 20리 밖까지 나와 전송했다. 오시천(吾是川) 부근 인가에서 말에서 내려 헤어지는 인사를 하고 곧 출발하였다.

여기서부터는 사람이 하나도 살지 않는 무인지경이었다. 길이 산골짜기로 접어들자 수목이 빽빽이 하늘을 가리워 해를 볼 수 없었다. 나무 중에 유삼목(油杉木)이 제일 많았는데, 화살처럼 곧게 뻗은 이 나무들이 삼밭[麻]같이 10여 리에 걸쳐 늘어서 있었다.

견여(肩輿 : 두 사람이 메는 가마)를 타고 백덕령(柏德嶺)에 올랐다. 고갯마루의 길은 조금 평평해서 말을 타고 몇 리 정도를 갔다. 내려오는 길은 다시 가마를 탔다. 돌길이 지극히 험난해서, 가마를 타고 있어도 마음이 불안하였다.

검천(劍川)이 갈라지는 곳에서 임시 천막을 치고 점심을 먹고 말에게도 꼴을 먹였다.

가마를 타고 출발하여 검천을 건넜다. 검천은 보다산(甫多山 : 寶陁山이라고도 씀)에서 발원하는데 조금만 비가 와도 사람들이 건너다닐 수 없다고 한다. 말을 타고 얼마쯤 가서 서소라령(西小羅嶺 : 西水羅德)에 이르렀다. 다시 가마를 타고 올라갔는데 서소라령의 길이 험하고 가파르매 앞에서 끌고 뒤에서 밀면서 겨우 고갯마루에 도착하였다.

고갯마루 이후부터는 산길이라 해도 지세가 평탄하고 넓어 말을 타고 갈 수 있었다. 그러나 수목이 빽빽이 들어찬 것은 백덕령보다 배나 심하였다. 나무 뿌리가 서로 뒤엉켜 있어 사람과 말은 마치 그물 위를 걸어가는 것만 같았다. 걸리고 넘어져서 지나가기가 너무나 어려웠다. 나무 뿌리가 없는 곳은 깊은 진창이었는데 심한 곳은 말의 정강이 부분까지 쑥 빠지기도 하였다. 어떤 곳은 말이 진창에 빠져들지 않게 하려고 큰 나무로 다리를 만들어 그 위로 지나가야 했던 때도 있었다. 이런 진창이 생긴 것은 고개 위가 두루 평평하게 넓어서 비가 내리면 빗물이 흘러 내려가지 못하고 고이기 때문이다. 모기 같은 것들이 쫓아오면서 옷 위로 사정없이 물어대므로 사람들이 모두 쉴새없이 부채로 쫓기에 바빴다.

죽은 나무들이 길 가운데 쓰러져 있는 것이 빈번했다. 가로누운 나무들이 두껍고 커서 말이 넘어가기 어려웠는데 사람들이 찍어내기도 힘이 들었다. 그 중에 반 가량은 이전에 지나갔던 사람들이 나무를 몇 자 정도 깎아 놓아서 근근이 넘어갈 수 있었다. 이제 새로 쓰러진 나무들은 이번 행차에 길을 내는 일꾼들이 잘라내거나 깎아서 낮추었고, 깎지도 자르지도 못할 나무는 피하여 이쪽 저쪽으로 길을 만들면서 나아갔다. 온통 사방에 수백 척 되는 나무들이 쓰러져 누워 있으니 그 험하고 힘든 고생은 이루 다 말할 수 없는 것이었다.

여기서부터 백두산 밑에까지는 30리밖에 안 되는데 길을 가는 데 3일이나 걸리는 것은 사정이 이렇기 때문이었다. 이 날은 심포(深浦)에서 묵었다. 밤에 비가 조금 내렸다.

5월 26일

자개령(自介嶺) 아래에서 점심을 먹었다. 자개령을 내려올 때에는 가마를 타고 절벽 길을 지나왔다. 점심을 먹고 출발해서 또 가마를 타고 자개북령(自介北嶺)에 올랐다. 고갯마루에 오르자 지세가 평탄하고 넓은 것이 모두 서소라령과 같았다. 말을 타고 앞으로 나아갔다. 저녁에는 임어수(林魚水)에서 묵었다. 저녁에 비가 조금 내렸다.

5월 27일

아침에 출발하여 허항령(虛項嶺)을 넘었다. 허항령은 평지와 같았다. 삼지(三池)에 이르러 말을 멈추고 잠시 쉬었다. 상지(上池)는 하지(下池)에 비하여 반밖에 안 되었고 가뭄이 심하면 물이 말라 버린다고 한다. 하지는 사방 둘레가 10리 정도 된다. 남쪽으로 또 하나의 못이 있는데 길에서 조금 들어가 있어 그 곳에 가 보지는 않고 바라만 보았다. 크기는 상지와 하지의 중간 정도 되었다. 하지는 사방이 푸른 산으로 에워싸여 있었고 수면은 거울을 닦아 놓은 것처럼 맑았다. 그리고 가운데 조그마한 섬이 있어 뛰어난 경관을 이루고 있었다.

이 곳에서부터 길이 험한 것이 이전보다 더욱 심해졌다. 천회참(泉會站)에서 점심을 먹고 출발하였다. 5리쯤 가니 길이 산골짜기로 들어갔다. 이 곳은 비가 오면 내[川]가 생기지만 날씨가 개이면 모래펄이 된다.

모래 위에 깔려 있는 것들은 사람들이 소위 포석(泡石 : 거품돌)이라고 하는 것이다. 거품돌 가운데 큰 것은 주먹만하기도 하고 감만한 것도 있으며, 작은 것은 바둑알이나 밤톨만하였다. 큰 것은 부수면 모두 잘게 쪼개지는데, 작은 것은 매우 가벼워서 물에 둥둥 뜬다. 나무나 가죽을 다루는 사람들은 이 돌을 숫돌로 만들어 쓴다. 어떤 것들이 모여서 이와 같이 되었는지는 알 수 없지만 백두산 근처에만 있다고 한다.

거품돌이 있는 곳을 지나서 위로 얼마쯤 올라가니 거품돌은 없어지고 지세가 절벽같이 된 곳에 이르렀다. 모래가 비에 대부분 씻겨 내려가서 거친 돌들이 골짜기를 메우고 있었다. 골짜기 옆으로 올라가면서 돌들을 피해 갔다. 골짜기 중턱쯤에 닿으니 모래펄이 평평하게 펼쳐진 곳이 나왔는데, 연지봉(臙脂峰)이 자못 가까이 보였다. 골짜기 양 옆이 평평해지면서 모래길이 점차로 넓어졌다. 눈앞이 탁 트이면서 어둡고 답답했던 마음이 모두 사라졌다. 저녁에 연지봉 서북쪽 골짜기에 마련된 임시 숙소에서 묵었다.

여기에서부터 처음으로 절벽의 그늘진 곳에 눈이 녹지 않고 쌓여 있는 것을 간간이 볼 수 있었다. 연지봉 중턱 아래와 백두산에는 눈이 녹지 않은 곳이 많이 있었다.

5월 28일

아침 일찍 출발하여 백두산으로 향하였다. 지나치는 곳은 모두 구릉 지대였다. 산록이 빗물에 씻겨 나가 언덕과 골짜기를 이룬 것이다. 겉흙 위에서부터 수십 자까지는 모두 흰 모래와 거품돌이었다. 겉흙 아래로 산 속살이 드러나 있는 곳은 모두 빈틈없이 자흑석(紫黑石)들이 쌓여 있어서 그 모양이 마치 철갑을 두른 듯하였다.

10여 리를 가서 청나라 사람(목극등)이 비석(정계비)을 세워 놓은 곳에 도착하였다. 이 곳이 이른바 분수령이다. 분수령은 평지에 솟은 조그마한 언덕으로 높이가 한 자도 되지 않았고 좌우에 야트막한 골이 있었다. 본디 샘은 없는데 비가 내리면 물길이 서쪽으로는 압록강으로 흘러 들어가고 동쪽으로는 토문강으로 흘러 들어간다.

정계비의 높이는 침척(針尺 : 옷감 재는 자)으로 한 자 남짓 되고 너비는 한 자가 채 못 되었으며 두께는 두 치도 못 되었다. 돌에 글자를 새겼는데 참으로 보잘 것 없었다. 백두산 근처에는 비석을 만들 만한 돌이 전혀 없어서 목극등이 먼 곳에서부터 이 곳까지 실어 왔다고 한다. 비석에 다음과 같은 내용이 새겨져 있었다.

"오라 총관(烏喇總管) 목극등(穆克登)은 변방의 경계를 조사하라는 천자의 명을 받들어 이 곳에 이르러 살펴보니 서쪽은 압록(鴨綠)이고 동쪽은 토문(土門)이다. 그러므로 분수령 위에 돌을 세워 기록한다."

여기서부터 말을 타고 산등성이 한 곳을 오른 후 비로소 가마를 탔다. 가마꾼이 한 차례 쉰 다음, 서너 식경에 곧바로 연지봉에 올랐다. 연지봉 아래에서부터 백두산의 상봉(上峰)까지는 30리 남짓하였다. 백두산은 멀리서 바라보면 매우 높고 크지만 산 아래 가까이 가서 바라보면 일개 조그마한 산에 불과하다. 그 산세가 평지로 내려올 때까지 며칠 걸리는 노정인지 알 수 없지만 아래에서 위로 오르면 점차 높아지기 때문에 마치 평지에서 길을 가는 것과 같다. 그러나 실상은 북청(北靑)까지는 모두 이 산의 자락에 해당된다.

이 산을 백두라고 부르는 것은 산에 나무가 없어 멀리서 보면 희게 보이므로 그렇게 된 것인지, 아니면 사시사철 오직 여름 몇 개월만 빼고 나머지 동안은 눈이 쌓여 있어서 그렇게 된 것인지 알 수 없다.

이 산의 모양은 둥글고 원만한데 유독 한 곳만 돌산이 솟아 있고 그 꼭대기는 탁 트여서 일곱 개의 봉우리가 에워싸고 있고 가운데에 큰 못이 있으니 이것이 곧 이른바 천지이다. 상봉에 앉아서 천지를 굽어 살펴보니 사람으로 하여금 황홀하고 두렵게 하였다. 알지 못하지만 천지조화의 기묘함이 여기에서 극치를 이룬 것이리라. 천지의 크기는 사람에 따라서는 주위 둘레가 40리라 하기도 하지만 내가 본 바로는 10리 아니면 5리 정도에 불과하였다. 남북으로는 조금 길고 동서로는 조금 짧았는데 대체적으로 둥근 모양이었다.

천지의 수면에 얼음이 가볍게 얼어 있었다. 물 색은 푸른 빛을 띤 검은 색이었으며 또한 녹색도 있었는데 조금도 흐리거나 탁한 기색이 없었다. 사방을 에워싼 석벽은 위태롭게 깎아지른 듯이 서서 천지를 향하여 굽어보고 있는데 한 곳도 비어 있는 곳이 없어 가히 흐르는 물로 하여금 밑으로 흘러가게 할 만하였다.

정북쪽으로는 두 개의 봉우리가 있는데 천지 부근에서 끊겨 열려 있어 천지 물이 그 사이로 흘러내리고 있었다. 이름하여 천상연(天上淵)이라는 것이 영고탑(寧古塔) 지역으로 흘러들어 남쪽으로 압록강(鴨綠江)이 되고 북쪽으로 두만강(豆滿江)이 된다는 설은 모두 잘못된 이야기이다. 석벽의 높이는 얼마나 되는지 알 수 없었다. 석벽의 윗부분에는 일곱 개의 봉우리가 뾰족이 서 있는데 마치 붓 같기도 하고 칼 같기도 하였다. 그 모습 전체를 형용하자면 곧 하나의 연꽃으로 휘장을 두른 듯하였다.

상봉 아래에는 또한 세 개의 뾰족한 석봉(石峰)이 천지로 곧바로 이어지고 있는데 약간의 사이를 두고 상봉(上峰)과 산맥이 연결되어 있었다. 비록 섬은 아니지만 그 산맥이 연결된 곳이 곧바로 천지 부근의 평지이다. 상봉에서 사방을 바라보니 백두산 아래의 여러 산들이 자그마한 언덕 같기도 했고 또는 평평한 산록같이 보였다. 이 산이 뻗어 나간 줄기를 알고자 하여 멀리 서북쪽을 바라보니 아득히 멀리 여러 산들이 하늘과 맞닿아 둘러 서 있는데 그 이름이 소다산(所多山)이었다. 서남쪽의 방향으로 길고 평평한 산이 하나 있었는데 이름이 피목령(皮木嶺)이었다.

산이 또 하나 있는데 이것은 토성(土星)으로 여러 산 가운데 봉우리가 우뚝 솟아 있다. 이름은 서대령(西大嶺)이다. 산맥이 차차로 달려오다가 우뚝 솟아 이 산을 이루었다. 이 곳에서 서북으로 멀리 보이는 곳은 모두 청나라 땅인데 매우 광활하여 끝이 보이지 않았다. 생각건대 이 곳은 오곡이 자라지 않아서 오랑캐라도 살 수 없었던 곳이었나 보다. 동북쪽으로 육진(六鎭)과 조금 가까운 곳에 이른바 영고탑이 있는 듯하였다.

백두산에서 동쪽으로 바라보면 큰 산이 구름 끝에 띠처럼 가로 걸쳐 있는데 이것이 바로 보다산(甫多山)이며 산맥이 달려서 장백(長白)·마운령·마천령 등 여러 산이 되는데 모두 우리 나라의 지역 내에 있다. 보다산은 소백두산(小白頭山)을 조산(祖山)으로 삼고 소백두산은 대백두산(大白頭山)을 조산으로 삼는다. 이른바 분수령은 소백두산에서 내려오던 산맥이 협곡을 지나다가 북북서[壬坎]에서 맥이 떨어져 평탄하게 된 것인데, 좌우에서 옹위하여 조금도 빈틈이 없다. 이것이 바로 풍수설에서 말하는 "협곡을 지나는 곳은 바람을 맞지 않는다(過峽處不受風)"는 곳이다.

백두산의 천지를 에워싸고 있는 일곱 개의 봉우리는 모두 화성(火星)이다. 소백두산도 또한 화성이다. 보다산에 이르러서야 비로소 토성(土星)이 된다. 중간의 봉우리나 산세는 멀리서 본 것만으로 상세히 설명할 수 없어 다만 풍수설로 논하였다.

백두산의 일곱 봉우리는 하나의 산으로 보이는데 그 꼭대기는 탁 터져 있다. 백두산은 청나라와 우리 나라 뭇 산들의 조산으로 가장 빼어난 산이다. 그러나 소백두가 흡사 비박(菲薄)하게 떨어져 나와 있고, 또 산이 너무 높은 까닭에 좌우에 뻗어 나온 산들이 모두 낮고 조그마해져서 옹위하기에 부족하다. 여기에서 우리 나라의 산세가 부득불 그렇게 된 것인가, 이는 알 수 없는 일이다. 그러나 천지의 기이한 경관에 이르러서는 중국의 오악(五岳)에도 이러한 것이 있는지 모르겠다.

상봉에 앉아서 주위를 둘러보니 우리 나라의 산세는 모두 거칠었다. 그러나 이 산은 절대로 거칠거나 혼탁한 기상이 없었다. 덕을 갖추고 맑고 깨끗한 기상은 우리 나라 큰 산들 가운데 최고이고 그래서 우리 산천의 조종(祖宗)이 되는 듯하다. 만약 그렇다면 우리 나라가 소중화(小中華)가 된 것은 대개 여기에서 말미암은 듯하다.

산에 오를 때, 산꼭대기에 구름과 안개가 자욱하여 바라는 대로 관람할 수 없을 것만 같았다. 그런데 잠깐 사이에 꽉 막고 있던 운무가 씻은 듯이 사라졌다. 봉우리 위에 올라 천지 동쪽을 굽어보면서 머뭇거렸던 것이 조금 오래 되었는데, 운무가 또다시 가득히 에워싸 버렸다. 걱정스러운 마음으로 상봉에 앉아서 날이 개기만 기다렸더니, 한식경쯤 지나니까 미풍이 부는 듯하다가 사방이 탁 트이면서 원근을 조망하는 데 조금도 가리우고 막히는 것이 없었다. 운무가 처음 씻은 듯이 사라질 때에 쌍무지개가 천지 남쪽에 떴다. 위에서 굽어보니 또한 참으로 기이한 일이었다. 이 날 연지봉 아래로 되돌아와 천회참에서 점심을 먹고 묵었다.

총사냥을 잘하는 장교 한 명이 조그만 사슴 하나를 잡아와 일행의 여러 사람들과 나누어 먹었다.

5월 29일
임어수에서 점심을 먹고 자개령에서 유숙하였다.

윤 5월 1일
심포에서 점심을 먹었다. 검천이 갈라지는 곳에서 말에게 꼴을 먹이고 오시천에서 잤다.

윤 5월 2일
아침 식사 전에 혜산진에 도착하였다. 혜산진 진장(鎭將) 유언지가 머무르라고 극력 만류했고 게다가 비가 와서 괘궁정(掛弓亭)에서 유숙하였다.

윤 5월 3일
운총진에서 아침을 먹고 동인진에서 점심을 들었다. 저녁에 임지의 관사(갑산)에 돌아왔다. 이 곳에 와서 읍중의 여러 사람들의 말을 들으니 비바람에 날이 어두컴컴하게 흐리고 연일 개이지 않아서 우리가 바라던 바대로 백두산에 올라 관람할 수 없을 것이라고 생각

했다고 한다. 백두산에 올라 유람한 이야기를 듣고는 놀라지 않은
이들이 없었다.

이 지역 사람들의 풍속에 산에 들어가 노루, 사슴, 담비 따위를
사냥할 때에는 반드시 산신령에게 기도한다. 물가에 사는 사람들은
수신(水神)에게 기도한다. 이번 행차할 때에 장교와 하인들이 목욕
재계하고 허항령에서 제사를 지냈다. 연지봉 아래에 이르자 다시
제사지냈다. 연지봉 숙소에서부터는 누구도 시끄럽게 떠들거나 농
지거리하며 웃지도 못하였다. 백두산에 올라 관람할 때에 운무가
갑자기 씻은 듯이 사라지자 모두 부사의 행차에 산신령이 돕고 있
다고 하였다. 이전에 백두산에 들어간 사람들 가운데 이번 행차처
럼 조용하고 편안하게 인마가 병들고 죽거나 하는 사고없이 다녀온
경우가 없었다고 하였다. 그 말이 정말 마음에 들어 웃음이 나왔다.

백두산에 들어갈 때, 길 닦는 백성을 20여 명 정도 뽑아 3일 전에
먼저 보내면 임시 숙소와 길을 닦는 것 등은 충분히 해결된다. 그런
데 처음에 산 속의 형편을 알지 못하였던 까닭에 백성을 지나치게
많이 동원하였다. 훗날 유람하는 자들은 마땅히 삼갈지언저.

박종의 백두산유록

『백두산유록(白頭山遊錄)』은 조선 후기 함경도 경성의 유학자 박종(朴琮 : 1735~1793)이 지은 백두산 유람기이다. 1764년(영조 40) 5월 14일부터 6월 2일까지 당시의 경성부사 겸 북병사 신상권(申尙權) 일행과 함께 백두산을 다녀오면서, 도중에서 견문한 내용과 자신의 감상을 일기의 형태로 기록한 것이다.

박종의 본관은 함양, 자는 계옥(季玉)이며 호는 당주(鐺洲)이다. 그의 아버지는 박원양(朴遠揚), 어머니는 남양홍씨로 홍제구(洪濟九)의 딸이다. 그는 경성 어랑면 지방(鏡城漁郎面芝坊)에서 태어나 성장하였다. 장성한 후에는 담와(澹窩) 홍계희(洪啓禧)의 문하에서 수학하였다. 함경북도의 변경 지대에 살았던 박종이 어떠한 인연으로 홍계희의 문하에서 공부를 하게 되었는지는 분명하지 않다. 홍계희는 명문 남양홍씨로서 박종의 외가와 동성이었으므로 먼 친척뻘이 되어 그의 문하에 들어갔을 것으로 생각된다. 그렇지 않으면 홍계희가 함경도에 어사로 갔을 때 박종을 만나게 되었을 것이다. 1777년(정조 1) 홍계희가 아들 홍술해(洪述海) 등의 역모에 연루되어 관작을 삭탈당하자, 박종도 이 때문에 영해에 유배되어 16년간 귀양살이를 하고 그 곳에서 죽었다.

그러나 그는 이 기간에 더욱 학문에 진력하여 많은 저술을 하였다. 그는 문집 21권 7책을 남겼는데, 1931년 6대손 치룡(致龍)에 의해 신활자(연활자)로 간행되었다. 『중용강록(中庸講錄)』과 『주역강의(周易講義)』가 특히 정밀하고 문장이 뛰어났다. 대학자였던 미호(渼湖) 김원행(金元行)은 그의 글을 '송시열 이후 처음 보는 문장'이라고 극찬하였다. 본 『유록』은 『당주집』 제15권에 수록되어 있는 것을 번역한 것이다.

지금도 그렇지만 200여 년 전인 조선시대에는 백두산을 다녀오는 것이 쉬운 일이 아니었다. 산길이 워낙 험난하기도 하지만 길이 멀고 인적이 드물어 보통 사람들은 엄두도 내기 어려운 실정이었다. 간혹 이 지방에 파견되는 관리들 중에 뜻있는 사람들은 많은 군사를 동원하여 길을 닦으면서 다녀오는 경우가 있었다. 그런데 박종은 가난한 선비였으므로 오랫동안 뜻은 가지고 있었으나 갈 수가 없었다. 그런데 1764년 경성부사 겸 북병사로 와 있던 신상권이 백두산을 등정하는 길에 동행할 수 있었다.

박종의『백두산유록』은 다른 백두산 기행문들과 유사한 면도 있지만 몇 가지 점에서 유의할 만한 특징이 있다. 첫째는 이것이 함경도 현지에 살던 재야학자의 등산 기록이라는 점이다. 물론 경성 부사 일행을 따라가기는 하였지만, 현지의 토착 양반이었기 때문에 일반 관료들의 기행문에 비하여 현지 지형이나 기후, 풍물에 대한 이해와 관심이 남달랐고, 기록도 매우 자세한 편이다. 이 때문에 그의『유록』은 당시의 이 지역 사정을 이해하는 데 귀중한 자료가 된다.

둘째, 그들은 장마철에 출발하였으나 운이 좋아 비교적 순탄하게 여행하였고, 백두산 등정 당일에도 날씨가 좋아 장시간 정밀하게 관찰할 수 있었다. 이 때문에 그는 노정에서 관찰한 사실이나 현지 실정을 정확하게 기록할 수 있었다. 특히 백두산 일대의 지형이나 정상에서의 경치 묘사는 매우 탁월한 편이다.

셋째, 그는 성리학을 강마하던 유학자였기 때문에 사색이 깊고, 철학적인 설명이 심오한 느낌을 준다. 즉 자연을 관찰하면서 형이상학적 도의 체득을 이야기하고 있는 것이다. 이것이 다른 사람들의 기행문과 다른 점이라 하겠다.

넷째, 그의 기행문에는 우리의 산하와 우리의 전통문화에 대한 자부심이 강하게 나타나고 있다. 그는 백두산을 중국 곤륜산의 적장자로 인식하고 기타 중국의 여러 산들은 모두 서자나 지자로 간주하고 있다. 그리고 우리 동방의 문물을 요순 공자의 정통을 계승한 소중화의 문화로 인식하였다.

백두산유록

백두산은 동국의 곤륜산이다. 생각건대 나는 조선의 북쪽 변경 지방에 태어나서 중국의 곤륜산에 올라 나의 마음과 눈을 호쾌하게 해 보지 못하였다. 늘 바라기를 우리 동방의 곤륜산에 올라 좁은 소견이나마 펴 보고자 하였다. 그러나 길이 험난하고 맹수들이 우글거리므로 가난한 선비가 언감생심 뜻을 이룰 수 없어 한스럽게 생각한 지 오래였다.

갑신년(1764) 5월 14일
백두산으로 출발하다.

갑신년(1764, 영조 40) 여름에 일이 있어서 우리 고을 사또(鏡城府使兼北兵使)였던 신상권(申尙權)을 찾아뵈었다. 마침 사또도 이러한 계획(백두산 등정)이 있어 무산 부사(茂山府使)와 약조를 하고 있었다. 이에 동행하기를 청하여 허락을 받고 물러나왔다. 한 열흘 지난 후 사또가 편지를 보내왔는데 요지는 아무날 출발할 것이라는 것이었다. 생각해 보면 나는 여비나 양식도 넉넉하지 못하였고, 마침 그 때 아들이 병을 앓아 근심이 많았으므로 주변 사람들도 모두 곤란한 일로 생각하고 있었다. 그러나 이러한 일은 집안의 우환이 모두 없어지고 여비가 갖추어질 때까지 기다리자면 끝내 그 기회가 오지 않을 것이었다. 그래서 즉시 말을 타고 출발하였으니, 그 해 5월 14일 을축일이었다. 지닌 물건이라고는 산천도(山川圖) 1장과 책 몇 권뿐이었다.

비촌(碑村, 5리)에 도착하여 종형(從兄)을 배알하였다.

"자네의 산행은 진실로 좋은 일이다. 다만 고요히 마음 수양을 한다면 방 안에 앉아서 저절로 천하의 경치를 다 볼 수 있을 것이다. 하필 위험을 무릅쓰고 극단적이고 신기한 것을 찾아야만 호연지기를 기르는 방법이 되겠는가? 자네의 마음 쓰는 것을 보니, 분방하고 거친 방향으로만 빠져 마음을 편안하고 고요하게 하는 영정(寧靜)의 공부에는 흠이 있는 듯하다. 자네는 어떻게 생각하는가?"

"훌륭하신 가르침은 과연 지당하시니 감히 승복치 않을 수 있겠습니까? 그러나 내 마음의 즐거움을 경전 공부에서 얻고 산수에서 체험하게 된다면, 실로 심신을 함께 함양하는 방법이 됩니다. 또 이 마음이 편안하고 고요한 것은 활동하고 정지하는 것과는 관계가 없고, 오직 사람이 함양하는 것이 어떠한가에만 달려 있는 것입니다. 비록 밝은 창가에서 깨끗한 책상을 마주하여 고요히 서책을 보더라도 사악한 생각과 망령된 잡념이 분주히 일어나는 것을 억제하지 않으면, 진실로 마음이 편안하고 고요할 수 없을 것입니다. 비록 들길을 치달리거나 만 가지로 일을 처리하더라도 마음 속에 주체가 있어 어지럽게 되지 않으면, 편안하고 고요히 하는 공부에 해가 되지 않을 것입니다. 제가 마음을 고요히 하는 정신 수양에는 진실로 부족한 점이 많지만, 다만 그 고요하고 고요하지 않은 것은 백두산을 유람하고 아니하는 것과는 관계가 없을 듯합니다."

정오에 주촌(酒村, 15리)에 도착하니, 이 선생(莊仲)이 반갑게 맞이하여 웃으면서 말하기를,

"과연 백두산 산행을 하는가? 나는 늙어서 따라갈 수 없으니, 진

기한 경관과 별난 경험들을 그대의 웅장한 필치로 하나 하나 자세히 기록해 주게. 내가 방 안에서나마 유람하는 자료로 삼겠네"
하였다.

날이 저물 무렵 경성 성내(90리)에 들어가 사또를 배알하고 행장 도구들을 준비하였다. 인정(人定 : 밤에 통행을 금하기 위해 종을 침)을 칠 때에 향교에 가서 어간(漁澗)에 사는 내종(內從) 형님의 임시 처소에 도착하여 이야기를 나누다가, 그 곳에서 머물러 잤다. 이 날은 날씨가 맑아 110리를 여행하였다(종형은 즉 月潭이다).

5월 15일 병인

이른 아침을 먹고 나니, 사또는 이미 출발 준비를 마치고, 나에게 먼저 가라고 하였다. 내가 탄 말이 느리기 때문이었다. 어제 집에서 출발할 때는 말만 있고 마부가 없었으나, 이 곳에 도착하여 비로소 견마잡이를 고용할 수 있었다. 어린 제자 황화룡(黃化龍)이 나를 전송하려고 따라왔다가 북문에 이르러 작별하고 돌아가니 섭섭하였다. 수창(輸倉)에서 점심을 먹었다. 감영의 막료인 조 첨지(趙僉知 : 廷來)가 함께 동행하였다. 고씨(高氏) 성을 가진 어떤 자가 와서 말하기를,

"제가 산길을 잘 아는데, 삼지연을 지난 후에는 길이 험난하여 오르기 어렵습니다. 또한 여름철에도 지난 겨울의 얼음과 눈이 녹지 않아, 가다가는 엎어지고 넘어질 것입니다. 여기서부터 돌아가셔서 가을이 올 때까지 기다리는 것이 낫겠습니다"
하였다. 그가 매우 힘써 말하므로 일행 중에는 벌써 안색이 어두워지는 자가 많았다.

오후에 먼저 출발하여 15리를 가니, 사또의 행차가 우리를 앞질러 갔다. 20리를 더 가니 문득 말 탄 사람들은 보이지 않고, 언덕에

는 한 무리의 사람들이 드러누워 나무 그늘에서 낮잠을 자고 있었다. 사또는 개울가 나무 그늘에서 풀을 깔고 앉아 있었는데 아무 말이 없었다. 내가 숲을 뚫고 앞으로 나아가니, 사또가 웃으면서 말하기를, "그대를 기다렸다"고 하였다.

곧장 길을 떠나니, 오른쪽으로 형제 바위가 나왔다. 비록 처음 보는 것은 아니지만 볼 때마다 가파른 것이 진기하게 생각되었다. 바위가 위에 있는 것은 작고, 아래에 있는 것은 크다. 사람들이 이 바위 형제를 나눌 때 위아래로 말하기도 하고, 크고 작은 것으로 말하기도 한다. 전자는 서열로 말하는 것이고 후자는 외모로서 말하는 것이다.

해질녘에 부령에 도착하였다. 이 날은 100리를 여행하였다.

이른 아침에는 일기가 화창하였으나, 다만 산 아래에 구름 기운이 어둑어둑하여 오래지 않아 비가 올 것 같았는데 저녁 무렵에 과연 두 번씩이나 우레가 치다가 곧 그쳤다. 사또가 말하기를,

"무산 백성들이 방금 세곡(稅穀) 운반하는 일로 고통을 당하고 있으니, 백성을 동원하여 길을 닦는 것은 형편상 차마 할 수 없다. 길을 닦지 못하면 여행이 낭패할 것이다. 여기서 다시 경성으로 돌아가 무산 부사에게 편지를 보내야겠다. 다시 기회를 잡는 것이 만전을 기하는 일이 될 것이다"

하였다. 읍내에 사는 한 사령[及唱]이 일찍이 관원을 모시고 백두산을 다녀온 일이 있어 불러 물어보았더니,

"무산에서부터 백두산 아래까지는 대략 370여 리가 되고, 아무 곳에는 물이 깊고 아무 곳에는 진창이어서 길을 닦지 아니하면 절대로 갈 수 없습니다"

고 하였다. 고을 사람들과 장교와 아전 관노들에게 물어보니, 모두 대답이 같았다. 이에 사또가 나를 돌아보며 말하기를,

"어찌하면 좋겠는가?"

하여 내가 말하기를,

"무산 백성들이 세곡 운반으로 곤궁한 형편에 처하여 짐을 이고 진 사람들이 도로에 즐비하니, 그 고을 수령이 손님을 위하여 백성들을 동원할 수 없을 것입니다. 비록 수령이 백성들의 고통을 돌아보지 않고 망령되이 손님을 대접하더라도, 손님된 사람이 어찌 마음이 편하겠습니까? 또 듣건대, 종성 부사 조영순(趙榮順) 대감이 신사년(1761, 영조 37) 가을에 산행을 떠났는데, 갑자기 무산에 도착하여 길을 닦지 못한 때문에 헛수고만 하고 돌아갔다가, 다음 해 미리 길을 닦은 후에야 비로소 백두산에 올랐다 합니다. 조 대감이 산수를 지나치게 좋아하였지만, 처음에는 길이 닦아지지 아니하여 그냥 돌아갔으니, 백두산은 쉽게 갈 수 없음이 명백합니다. 형편이 이와 같은데 억지로 강행한다면, 이는 산수로 욕심이 동하였다는 비판을 면하기 어렵습니다. 호 문정공(胡文定公 : 宋의 학자, 이름은 安國)이 형산(荊山)을 보러 갔다가 사정상 그냥 되돌아간 고사가 있습니다. 이로 미루어 보면 거취를 결정할 수 있을 것입니다"

하였다. 사또가 드디어 고을로 돌아가기로 결심하고 무산 부사에게 편지를 써서 아전에게 시켜 무산부에 통지하도록 하였다. 날이 저문 후에 객관에 돌아와 잤다.

5월 16일 정묘

아침 일찍 일어나니 많은 고을 사람들이 나를 보러 왔다. 내가 백두산과 허항령 사이의 산천 형세와 길의 험난함을 이리저리 물어보았다. 몇 사람이 다음과 같이 말하였다.

"허항령 길은 갑산으로 직통하는 길이라 상인들이 즐비하게 다니는데, 비록 한 겨울 눈이 쌓였을 때라도 길이 막히지 않으며, 허항령 길을 벗어나 백두산 밑으로 꺾어 들어가는 것은 겨우 50리입니다. 길이 비록 험하기는 하나 물로 인한 장애는 심하지 않습니다. 조영순 대감이 입산할 때 가마를 타고 꼭대기까지 올라갔다고 합니다."

생각해 보니, 어제 행차를 정지키로 한 것은 백성을 동원하여 길을 닦기 어려운 때문이었다. 그런데 백성을 동원하지 않고도 혹시 길을 통할 수만 있다면, 어찌 중도에서 포기할 수 있겠는가? 드디어 사또께 들어가 고하였다.

"길이 어렵지 않은 것은 아니지만, 사람들이 어렵다고 하는 것은 실제보다 과장된 것이니, 아마 다 믿을 수 있는 것은 아닙니다. 또 어려움을 겪지 않으면 어떻게 천하의 명승지를 볼 수 있겠습니까?"

이 말을 듣고 사또가 어제 그 급창 사령을 불러 반복하여 힐문하자, 사령이 말하기를,

"상인들은 혹시 말을 끌고 왕래하는 사람들이 있지만, 양반들의 행차는 반드시 불가능합니다"

하였다. 사또가 말하기를,

"상인들의 말은 갈 수 있는데, 관가의 말은 갈 수 없겠는가?"

하자, 그 자의 말문이 막히고 말았다. 부령 부사가 또 극력 만류하였다. 이에 사또가 말하기를,

"무산까지 가 보아서 얼마나 험난한지 체험해 보고 나서 거취를 정해도 무슨 해가 되겠는가?"

하므로 내가 말하기를,

"사또께서 무산에 가서 거취를 정하고자 하시면, 무산 사람들이 곤란하다고 말하는 것이 부령 사람들보다 천 배나 더할 것입니다. 오늘의 행차는 모름지기 당 헌종(唐憲宗)이 채(蔡) 지방을 정벌한 것처럼 독단적으로 결정하여야 소원을 이룰 수 있습니다. 남의 말만

듣고 결정하고자 한다면 3년을 지나도 되지 않을 것입니다"
하였다. 사또가 드디어 진행하기로 결정하였다. 부령 부사가 만류해
도 되지 않자, 나에게 냉소를 띠며 말하였다.

"모름지기 무산이나 잘 보고 오게!"

이것은 반드시 무산에서 되돌아오게 되리란 말이었다. 타고 온
말이 심히 지쳐 있는지라 부령 부사에게 말하여 말 한 필을 빌렸다.

골짜기 입구로 들어가자, 세곡 운반하는 수레들이 10리나 이어져
흡사 제갈량이 만들었다는 목우유마(木牛流馬)와도 같았다. 포사곡
(褒斜谷)을 따라 나오며 물어보니, 모두 무산 고을 백성들이었다. 풀
밭에서 자고, 모래 밥을 지어 먹으며 주야로 행진하여 비바람을 피
하지도 못하였다는 것이다. 머리가 허연 늙은이가 부러진 수레바퀴
의 축을 고치고 있었다. 나를 보고 울며 말하기를,

"자식 하나는 병으로 죽고, 사위 하나는 병으로 누워 있는데, 관
아의 위엄으로 성화같이 독촉하여 늙은이가 길을 나섰습니다. 몇
고랑의 밭을 일구었는데, 아직 한 번도 김을 매지 못하였습니다. 지
금 비록 살아 돌아간들 장차 어떻게 입에 풀칠을 하겠습니까?"
하였다. 아마도 내가 관원의 행차를 따라가고 있으니, 혹시라도 자
기를 구원해 줄까 해서였다. 내가 오랫동안 측은한 마음으로 있다
가 말하기를,

"나는 가난한 선비라 어떻게 해 볼 수가 없소"
라고 하였다.

폐허가 된 옛 무산(茂山) 고을에서 점심을 먹었다. 변방의 한 쇠잔
한 진지가 황폐한 골짜기에 남아 있었다. 진지의 지휘관[堡將]은 할
일이 없어 채소밭이나 가꿀 뿐이었다. 지휘관이 말을 빌려 주어, 부
령에서 빌린 말은 돌려보냈다.

5리쯤 가면서부터 소나무·삼나무가 하늘을 가리고 있었는데, 종

일토록 나무 그늘 속으로 행진하였다. 차유령 고개 위에서 조금 쉬
었다. 고개는 그다지 높지 않았으나, 여기가 부령과 무산 두 고을의
경계가 된다. 해가 질 때 신참(新站)에 도착하여 촌가에 투숙하였다.
이 날은 100리를 여행하였다. 아침 식사 전에 안개가 끼고 가랑비가
오더니 곧장 개었다. 땅거미가 질 무렵에는 작은 우레가 쳤다. 투숙
한 집은 온돌이 뜨거워 밤잠을 제대로 잘 수 없었다.

5월 17일 무진

정오 무렵에 출발하여 곧장 골짜기 입구로 들어갔다. 50리를 가
강변(두만강)에 이르렀는데, 여기가 바로 무산 읍소재지이다. 이 곳
은 여진족 노토(老土) 부락의 옛 땅으로, 무산 읍터는 바로 마을우
(亇乙于 : 여진족 추장 이름)의 진지가 있던 곳이었다. 이 곳은 회령·
부령·경성 3개 고을이 만나는 곳에 위치하여, 장백산에서부터 남
으로 내려가면 명주·길주·단천 등지로 가는 도로가 산재해 있다.
이른바 노왕(老王)이라는 자들이 수시로 출몰하여 남북 여러 고을에
노략질을 하였다.

회령에서 단천에 이르기까지 각 읍에서 수십 곳의 산간 초소를
세운 것은 이 도적들에 대비하기 위해서였다. 지금은 이 오랑캐들
이 물러가고 우리가 진지를 설치한 지 이미 백여 년에 이른다. 사람
과 물자가 모여 땅을 개척하여 농업이 날마다 번창하고 태평의 꽃
이 피어 산수가 그림 같으니, 임금님의 큰 은택이 멀리까지 미쳤음
을 볼 수 있다. 다만 이 곳은 이미 우리 나라의 영토가 되었으니, 남
북의 여러 초소들은 내지나 다름이 없으므로 설치할 필요가 없는데
도, 아직까지 그대로 유지하여 현지 군사들의 원망을 모으고 있으니
한탄스럽다.

최석륜(崔錫倫) 형(나의 친척 형으로 무산에 와서 산다)이 내방하였

다. 이 고을의 무인 차천륜(車天輪)이라는 사람이 있는데, 유식하기
로 이름이 나고 또 백두산 길을 잘 알고 있으므로 불러서 물어보니,
위태롭다고 말하는 것이 한두 가지가 아니었다. 무산 부사도 역시
같은 말을 하였다. 결국 우리 사또도 산행을 어렵게 여기게 되었다.
내가 말하기를,

"부령에서 떠나올 때 사람들이 말하지 않았습니까? 무산 사람들
이 산에 오르는 곤란을 말하는 것이 필시 부령 사람들이 어렵다고
하는 말보다 10배나 더할 것이라고 말입니다"

하니, 사또가 말하기를,

"과연 사정이 이 사람들의 말과 같다면, 사람들의 목숨이 달려 있
는 문제이다. 아무리 등산이 좋지만, 어찌 목숨을 걸고 할 일이겠는
가?"

하였다. 무산 부사가 나를 돌아보며 말하기를,

"그대가 아직 산에 가 보지 못하였으니, 한 번 성루에 올라가 보
게. 무산을 자세히 보는 것도 좋지 않겠는가?"

하므로 내가 웃으면서 말하기를,

"이 곳으로 올 때 부령 부사가 저를 보고 웃으며, 무산이나 잘 보
고 오라고 하였습니다. 지금 과연 그 예언이 맞았습니다"

하였다. 나는 최 형과 함께 성루로 올라갔다. 강을 사이에 두고 오
랑캐 산들이 첩첩이 있어 놀라웠다. 사람들에게서 들으니 차천륜이
아전들의 은밀한 사주와 사또의 명을 받아 말재주를 부려 이번 산
행을 저지하는 것을 자신의 임무로 삼았다고 하였다. 이것은 대개
산행을 하게 되면 본 고을의 비용이 많이 들게 되는 까닭에 향리와
백성들이 싫어하고, 사또 역시 고역으로 생각하였기 때문에 모두들
산행을 저지하려고 하였던 것이다. 나는 처음부터 그의 말을 믿을
것이 못 된다고 생각하였으나, 다만 사람들이 하도 위태롭다고 말하

기 때문에, 사또에게 위험을 무릅쓰라고 권하기 어려웠다. 그러나 마음 속으로는 유감이 많아 최 형에게 자세히 물어보니, 더욱 그러한 사정을 알 수 있었다. 사또 또한 말은 하지 않았지만 그러한 사정을 살피고 있었다. 행장을 꾸리려고 하는 참에 종성 관아에서 온 친구 김조언(金肇彦 : 字는 元之)이 도착하였다. 그와 여기서 만나기로 기약이 되어 있었기 때문이다. 그가 오자 다시 조금 기운이 났다. 그가 거느리고 온 급창 사령 한 명이 예전에 조영순 대감을 따라 백두산에 다녀온 까닭에 자세한 형편을 알 수 있었다. 그래서 드디어 입산하기로 계책을 정하였다. 이 날의 날씨는 반쯤 개었다.

5월 18일 기사

아침 식사 전에 궂은 비가 내려 긴 장마가 시작될 것 같았다. 점심 무렵 구름이 걷히고 해가 밝게 비치니, 그 기쁨이란 가히 짐작할 수 있을 것이다. 행장 도구 등을 준비하느라고 하루를 유숙하였다. 하인 8명을 먼저 산으로 보내어 길을 닦고 임시 움막을 설치하도록 하였다. 최 형이 여러 번 찾아왔다.

5월 19일 경오

일찍 출발하였다. 일기가 쾌청하고 햇빛이 밝게 비추었다. 다만 흰 구름 한 무리가 서북쪽 산 아래에 길게 퍼져 있었다. 강을 따라 15리를 행진하여 산양암(山羊巖)으로 올라갔다. 바위가 두만강에 임하여 천 길이나 솟아 올라 있고, 구름이 삼면을 에워싸고 있어 나는 새가 아니면 올라갈 수 없을 것 같았다. 뒤쪽 한 면은 산에 연하여 가파르게 일어나 있었는데 찰싹 달라붙어 기어오를 수 있었다. 한 줄기의 긴 강이 벽을 에워싸고 돌아가는데 좌우에는 암벽이 병풍처럼 둘러싸고 있어 볼 만하였다. 사또가 묻기를,

"이 강산을 칠보산과 비교하여 어느 쪽이 더 나은가?"

하여 내가 말하기를,

"이것은 단지 강 위의 높은 누대(樓臺)일 뿐입니다. 경치와 기상이 거친 것과 아름다운 것이 크게 다른 것 같습니다"
라고 대답하였다.

16리쯤 가서 하나의 높은 고개[甲嶺]에 올라가 정서쪽을 바라보니, 멀리 트인 곳에 하나의 산이 눈을 가리고 있었는데 바랜 모시같이 희었다. 사람들이 소백산이라고 불렀다. 남하창(南下倉, 5리)에서 점심을 먹었다. 박하천(博下泉)의 나무다리를 건너 강을 따라 몇 리를 내려가서 서쪽으로 꺾어드니 조그만 고개가 있었는데 경사가 심히 급하였다.

강을 따라 5리를 더 가서 큰 비탈 하나를 올라가니 홍살문이 있었다. 여기서부터 길이 강과 만났다 헤어졌다 하였다. 또 비탈길을 두 번 올라가고 골짜기[深谷, 7리] 하나를 건너 임강대(臨江臺, 10리)에 도달하였다. 평야가 둥그렇게 열려 있고, 강이 그 입구를 빙 둘러 막고 있었다. 들판이 끝나는 곳에 작은 봉우리가 있는데, 마치 달이 강에 있는 것과 같았다. 인가가 촌락을 이루고 있고, 물레방아가 올라갔다 내려갔다 하면서 쉬지 않아 보기에도 즐거웠다.

또 5리를 가니 이른바 서북천이 강물과 합치고 있었다. 물을 따라 몇 리를 올라가니 나루터지기가 자피(者皮 : 통나무배)로 사람들을 건네주고 있었는데, 배는 긴 통나무로 만들어 가운데를 파내고 물건을 싣도록 한 것이었다. 나루터지기는 배를 매우 민첩하게 다루고 있었다. 삽시간에 왔다 갔다 하며 일행이 모두 건널 수 있었다. 돌아서 산 위로 올라가니 길이 극도로 험난하였다. 평원은 멀리 광활한데 삼나무와 노송나무[檜木]가 삼대밭같이 빽빽하였다. 현지인들이 나무를 찍고 들에 불을 질러 화전을 개간하였으나, 나무를 다 베지 못하여 간간이 밭 고랑 사이에 나무들이 서 있었다. 토양이 비옥하여 벼가 수풀처럼 자라고 있었다. 집을 지은 것이 공을 들이지 않고 겨우 나무를 얽어 벽을 만든 정도였다. 삼산(三山, 5리)의 민가에서 유숙하였다. 이 날은 75리를 여행하였다.

5월 20일 신미

아침 일찍 일어나 날씨를 보니 붉은 색을 많이 띠고 있었다. 아침에 붉은 것은 비가 올 징조이므로 걱정이 되었다. 한참 있으니 구름이 사라지고 밝은 해가 나왔다. 여기서부터는 사람이 살지 않는 무인지경으로 들어가게 된다. 백두산 근처는 추워서 풀이 자라지 않으므로 말을 먹일 목초가 없다고 하여, 행장을 꾸릴 때 말 먹일 꼴을 실어야 하였다. 산에 들어가는 사람은 위아래 사람을 합쳐 37명이었고, 말은 모두 13필이었다.

길잡이 전통성(全通成)이라는 사람을 고용하였는데, 그는 삼산(三山)에 사는 사람으로 지금 동네의 이장[約正]이었다. 자기 말로 열두 번이나 백두산을 다녀왔다고 하였다. 그의 아버지는 임진년(1712, 숙종 38)에 국경을 정할 때, 약정(約正)으로서 목책(木柵)을 치는 일을 담당하였고, 길을 만든 것은 무산 사냥꾼 한치익(韓致益)과 갑산 사냥꾼 송태선(宋太善)이라 하였다. 전통성이 산길을 잘 아는 데는 이러한 내력이 있었다.

숲이 태양을 가려 말이 전진할 방향을 분간할 수 없고, 오직 전통성이 가리키는 곳만을 따라서 17리를 가니 풍파(豊坡)가 나왔다. 도중에 두 번이나 갈림길을 만났는데, 모두 오른쪽 길을 택하였다[하나는 서대로(西臺路)의 5리쯤에서 들어가는데 사람이 살고 있다. 또 하나는 오갈암(烏渴巖)으로 들어가는데 60리를 가서 대로평(大蘆坪)·소로평(小蘆坪)을 지나면 거기에는 모두 촌락이 있다. 오암을 개간한 지 이제 5, 6년 되었다. 동은 철항이고 북은 장백이며 서는 또

암이다. 또 오십리평(五十里坪)이 있다. 여기를 지나면 또 정평(正坪)
이라는 곳이 있는데 토양이 비옥하여, 사람들이 살기에는 오암이나
대로평보다 낫다. 지난 해 여기에 사창(社倉)을 세웠다].

풍파라고 하는 곳은 광활한 산록에 있는 평원이다. 간간이 만나
는 진창 위에는 나무 다리가 있었는데, 이것은 조영순 대감이 산에
오를 때 설치한 것이다. 이미 2년이 지나 어떤 것은 허물어지고 어
떤 것은 온전하였다. 여기서부터 벌 같은 산등에가 사람을 공격하
여 피를 빨았다. 손으로 휘저어도 달아나지 않았다. 말들이 등에에
물려 피를 비처럼 흘리고 있었다.

19리를 가니 협곡이 하나 있었고, 깊이가 천 길이나 되었다. 걸어
서 내려가는데 개울의 형세가 어지간히 크고 흐르는 물이 맑았다.
이것이 소홍단수(小紅丹水)이다. 우물가 그늘에 앉아 점심을 먹었다.
남쪽 벽에 평사(評事) 이명환(李明煥)이 새긴 글이 있었다("絶三池迫
脂下山白涂退吾舍"라고 새김).

전통성이 말하기를,

"이전에 입산한 사람들은 여기에 도착하면 반드시 산신에게 제사
를 지냈으니, 시행하기를 청합니다"

하였다. 조 첨지가 스스로 헌관(獻官)이 되어 축문을 가지고 고하고,
전통성이 일행의 하인을 데리고 무릎을 꿇고 절하면서 기도하는 말
이 매우 많으니 정말 우스웠다.

서쪽 골짜기로 올라가 석류게덕(石留憩德)에 이르렀다. 대개 이 곳
에서는 산비탈이 약간 평평한 곳을 '덕(德)'이라고 불렀다. 사면을
바라보니 삼나무들이 곧게 하늘로 뻗어 있었다. 마치 같은 날 심어
서 자란 것과 같았다. 석류게덕을 지나니 장파(長坡)가 나오고 수목
이 조금 트이게 되었다. 평평한 수풀이 광활하게 전개되고 한 쌍의
학(흰 저고리에 검정 치마를 하고 있었으나, 붉은 머리는 분명치 않았다)

이 날개를 펄럭이며 춤추고 있었다. 한참 동안 그치지 않아 매우 정
취가 있었다. 내가 묻기를,

"이 곳의 학이 약주(掠舟)의 학과 비교하여 어떠한가?"

하니, 선비 김원지(金元之)가 말하기를,

"오늘밤 혹 꿈 속에 나타날지도 모르겠군"

하였다. 멀리 동쪽 정면으로 바라보니 눈덮인 산이 있었는데, 그것
이 바로 장백산이었다. 보아하니 그 산이 매우 높지 않은 것으로 보
아, 우리가 올라온 지점이 이미 상당히 높은 것을 알 수 있었다. 장
파수(長坡水)를 건너 녹운동산(綠雲東山)에 이르렀다. 서남쪽에는 증
산(甑山)이 있었다(장파동까지 32리이다). 인부들이 나무를 찍어 움막
을 지어 놓았는데, 나무껍질로 지붕을 덮어 겨우 방 1칸을 만든 것
으로 매우 협소하였다.

돌이켜 보면 나와 사또가 같은 막사에 누워 쉬니, 극히 분수에 어
긋난 일이었다. 두 사람이 산 속에서 지내면서 밤에는 베개를 같이
베고 낮에는 함께 밥을 먹으니, 예절대로만 행할 수 없는 일도 있다.
이 날은 68리를 갔다.

5월 21일 임신   맑음

새벽에 눈을 뜨니 두세 개의 별이 장막 사이로 보였다. 날이 밝자
한 줄기의 푸른 연기가 소나무 숲 위로 피어 오르고 있어 상쾌하였
다. 녹운동령(8리)을 넘어 천평(天坪)에 다다랐다. 시야가 망망하여
끝이 없으니, 함흥평야와 비교해 보아 두 배가 더 될 것 같았다. 서
쪽에 산 하나가 있는데, 하늘을 이고 땅에 퍼져서 거칠게 옆으로 뻗
은 것이 구름과도 같고 눈과도 같아서, 바라보자 바로 백두산인 줄
알 수 있었다. 일행이 마치 불교에서 극락세계를 얻은 것이나, 유교
에서 환희의 경지를 얻은 것과 같이 뛸 듯이 기뻐하였다.

서남쪽으로 바라보니 또 보타산(寶陁山)이 높이 솟아 있는데, 눈이 정상 가까이 옆으로 둘러 있었다. 전날 갑령에서 어떤 사람이 이를 소백산이라 하였으나 틀린 말이었다. 들자하니 그 위에 세 곳의 큰 못이 있는데 사람이 올라가면 문득 바람이 불고 우레가 쳐서 쫓겨 내려온다는 것이다. 대홍단수(大紅丹水)를 건너(6리) 소류동(小柳洞)·대류동(大柳洞)을 지나 오른쪽으로 작봉(鵲峯)을 끼고 나아가니 자작나무가 희디희게 죽순처럼 솟아 있다. 좌우로 보나 위아래로 보나 모두 같은 색이어서 흡사 도시 사람들이 어깨를 부딪치고 소매를 마주치며 서로 왕래하는 것 같았다.

반교(半橋, 5리)에 도달하여 점심을 먹고 백두산을 바라보니, 해를 끼고 휘황하게 비치는 것이 백층의 옥탑을 만들어 구름 위로 띄운 것 같았다. 여기서 삼나무와 회나무 사이로 보일 듯 말 듯하여 바라보니 그림 속의 풍경 같았다. 김원지가 말하기를,

"이 곳은 비록 평평하지만 이미 백두산에 가까이 왔으므로 다른 산의 정상보다는 높을 것입니다"

하자, 사또가 말하기를,

"이것은 마치 임금의 침실이 비록 낮아도 대궐의 축대보다는 높고, 대궐 축대가 비록 낮더라도 뜰의 담장보다는 높은 것과 같다. 그러니 이 곳은 백두산의 축대가 되고 장백산 이하는 뜰의 담장이니 외곽이 된다"

하였다.

반교로부터 5리를 가니 세 개의 봉우리가 있었다. 하나의 산맥에서 나란히 솟은 것이 구슬을 꿴 것 같았다. 이것이 삼태봉(三台峯)이다. 수목이 드문드문하고 풀도 제대로 자라지 못하였다. 들판이 하늘과 접하여 사방을 돌아보아도 아득하였다. 키가 매우 작은 나무가 있었는데 꽃이 수없이 피어 있었다. 속명이 두을죽(豆乙粥)이다.

여기서 남쪽으로 25리를 가면 보타산 밑으로 직행하게 된다.

서쪽으로 꺾어 귀롱소(鬼隴所, 10리)를 지나자 비로소 삼지(三池)가 나타났다. 처음 만난 것은 둘레가 4, 5리가 되었고, 두번째 만난 것은 물이 말라 불과 수백 보밖에 되지 않았다. 세번째 만난 것은 둘레가 거의 10리나 되었는데 노목들이 둘러싸고 있었다. 거울의 표면을 펼친 것과 같이 자연 경관과 구름의 그림자가 배회하며 비치고 있었다. 사방의 바위와 모래는 푸르고 깨끗하여 씻은 것과 같았다. 평평한 구릉이 서쪽에서부터 못 가운데로 들어와 앉아 마치 작은 섬과도 같았다. 사또가 나를 돌아보면서 말하기를,

"천하에 신선이 없다면 모르겠지만, 만약 있다면 반드시 여기서 살 것이다"

하였다.

길 북쪽으로 꺾어 들어가 두번째 못과 세번째 못 사이 물가에 임시 움막이 지어져 있었다. 대개 온 길을 따라 서남쪽으로 직행하면 갑산으로 가는 길이 된다. 이른바 허항령(虛項嶺)은 5리쯤에 있다.

장파에서부터 산등에가 더욱 심하여 부채로 쉴새없이 저어 어깨 힘이 다 빠질 지경이었다. 원지는 심지어 휘항을 덮어쓰고 방비하기까지 하였다. 여기에 오자 등에가 비로소 뜸하여졌다. 이 지대의 기온이 차기 때문이었다. 배꽃이 이제 막 피어나고 철쭉꽃은 아직 지지 않았다. 풀은 마른 잎이 많았는데, 전통성이 말하기를, "때때로 서리가 내립니다"고 하였다. 올 때에 유게원(留憩院 : 임시로 지은 숙소)에서 쉬니 총성이 들렸는데, 경성·부령·무산 세 고을의 포수들이라고 하였다. 삼지연에 이르니 또 총성이 들리고 유게소가 있었다. 이들은 갑산 포수들이었다. 전통성이 말하기를,

"매년 여름철에 노루와 사슴들이 백두산에 올라와 호수의 물을 마십니다. 호수의 사면이 모두 절벽이고 다만 한 곳에 조그만 골짜

기가 트여 노루와 사슴들이 이 곳으로 출입합니다. 오랑캐 포수들이 때때로 그 길목을 지키고 있다가 차례대로 잡아간다고 합니다" 하였다. 이 날은 89리를 여행하였다.

5월 22일 계유   맑음

아침 일찍 일어나니 맑은 안개가 호수에서부터 피어 올라 거대한 무리를 만들어 못 전체를 덮고 있었다. 조금 있다가 해가 솟아오르자, 안개는 사라지고 거울 같은 수면이 나타났다. 나무의 그림자가 거꾸로 비치고, 또 한 줄기 푸른 안개가 물을 질러오니 바람이 문득 말아가 버려 그윽하고 기이하였다.

북쪽으로 25리를 가 천수동(泉水洞)에 이르러 점심을 먹었다. 수목은 고색창연하고 이끼 꽃이 늙은 나무에 걸려 있어 흡사 두꺼운 모피가 걸려 있는 것 같았다. 북쪽으로 10리를 가니 포석동이 있었다. 골짜기를 따라 서쪽으로 올라가니 골짜기는 모두 물길인데, 물은 땅 밑으로 흐르고 있을 뿐이고 포석이 땅에 가득하였다. 천평에서부터는 토맥(土脈)이 모두 이러한 암석들이고 들어갈수록 더욱 많아졌다. 나는 말과 마부를 먼저 가게 하고 도보로 천천히 걸어갔다. 조 첨지 역시 말을 버리고 도보로 따라왔다.

개울로 들어가자 두 번씩이나 갈림길 골짜기를 만났는데, 모두 오른쪽을 따라 갔다. 개울이 거의 다하자 다시 갈림길 골짜기가 시작되었는데 오른쪽을 버리고 왼쪽으로 나아가자 백두산 전체가 갑자기 눈앞에 들어왔다. 수목들은 왜소하고 한기가 오싹하게 느껴졌다. 언덕 아래에 눈이 쌓인 등성이가 있었다.

연지봉(30리)에 도착하여 임시 움막에서 유숙하였다. 다음 날 새벽에 등정할 계획이었다. 언덕 위에 나무를 꽂아 장막을 친 곳이 있었는데, 전통성이 말하기를,

"이것은 오랑캐 포수들이 거처하는 곳입니다"
하였다. 이 날은 55리를 갔다.

올 때 노기(路記 : 길안내서) 몇 건을 가지고 왔으나, 거리가 한결같지 않아 모두 표준이 될 수 없었다. 다만 원지가 가지고 온 노기만이 딱 들어맞아 착오가 없었다. 일찍이 임술년(1742, 영조 18)에 담와(澹窩) 홍계희(洪啓禧) 선생이 왕명으로 갑산에서 무산으로 들어와 백두산을 두루 보고 무산 사람 백찬귀(白贊龜)를 시켜 거리를 측량하게 하였으니, 이것이 그 때 만든 것이라고 한다.

5월 23일 갑술

전통성이 말하기를,

"예전부터 관원의 행차가 여기에 오면, 반드시 직접 산신에게 제사하였습니다. 종성 부사 조 대감도 역시 친히 축문을 지어 고해서 (그 말을 과연 믿을 수 있는지 알 수 없다) 백두산을 잘 유람할 수 있었습니다. 그렇게 하지 않으면 반드시 천둥과 변괴가 일어납니다"
하니 사또가 말하기를,

"산이 과연 영험이 있다면, 반드시 착한 사람을 홀대하지 않을 것이다. 사람이 과연 악하다면 산신이 어찌 한 그릇의 제삿밥에 감격하여 망령되이 진면목을 보여주겠는가? 공자님은 (제자들이 제사하는 것을 말리면서) '내가 (마음 속으로) 기도한 것이 오래 되었다' 하셨다. 사람들의 마음이 더럽고 깨끗한 것을 신은 이미 아실 것이다. 어찌 외람되게 산신을 속일 수 있겠는가?"
하고 거절하였다.

전통성이 전례에 따를 것을 군이 청하니, 마침내 소홍단수에서처럼 제사하도록 하였다. 두꺼운 외투와 덧옷을 입고 행장을 단단히 꾸리고 해가 솟아오르자 산에 오르기 시작하였다. 겨우 5리쯤 가니

눈은 더욱 많아지고, 산은 모두 벌거숭이가 되었다. 바람이 포석을
날려서 방죽과 같이 쌓여 있었다. 눈이 조금 녹은 곳에 붉은색, 흰
색 꽃이 땅에 붙어 꽃술을 열고 있었다. 줄기와 뿌리 및 꽃잎은 서
로 붙어 있어 한 치 길이도 분별되지 않았다. 꺾어 보니 붉은 것은
곧 두견화였다. 사계절 눈에 쌓여 있다가 겨우 잠시 양기를 얻어 생
명의 이치에 밀려 어쩔 수 없이 한 번 활짝 피는 것이다.

10리를 올라가니 하나의 물길이 북쪽으로 달리고 있었다. 남쪽
가장자리를 따라 담을 쌓고 목책을 설치하였는데, 물이 갈라지는 분
수령에 오라 총관 목극등이 세운 정계비가 있었다. 이 곳은 토문강
(土門江)의 발원지이다. 국경을 정할 때 마땅히 두만강으로 하여야
하는 것인데, 경계를 찾을 때에 중신(접반사 박권)과 도백(함경도 관
찰사 이선부)이 험난한 곳에 오르는 것을 싫어하여 삼수에 머물러
있고, 단지 군관 몇 사람을 목극등과 함께 올라가게 하여, 토문강으
로 잘못 국경을 정하였던 것이다. 이 때문에 두만강 안쪽 700리의
땅을 잃어버리게 되었다. 현지인들이 서로 전해 오면서 지금까지
비난하여 마지않는다. 대개 두만강의 발원지는 건너 골짜기에 있고,
이른바 토문강이란 것은 다만 하나의 작은 개울일 뿐으로 사람들이
바지를 걷고 건너다닐 수 있다. 그것이 200여 리를 흘러 내려와 홍
단수의 서북 줄기인 박하수와 합친 연후에 비로소 강이 되는 것이
다. 목극등이 정계비를 세우고 난 후에, "소국에 인물이 없어 좋은
땅을 많이 잃었다"고 하였다는 것이다.

산 언덕은 모두가 거품돌이 퇴적하여 된 것이고, 중간쯤에 말라
죽은 고목들이 있는데, 어떤 것은 한 아름쯤 되고 어떤 것은 몇 아
름쯤 되어 보였다. 모두 윗부분이 부러지고 높이가 겨우 1, 2자나 3,
4자쯤 되었다. 지금은 이 산이 여름인데도 눈이 쌓여 한 치의 풀도
자라지 않는데, 나무가 언제 자라서 이와 같이 아름드리 거목이 되

었는지 알 수 없고 거품돌에 뿌리를 박는다는 것도 이해할 수 없다.

가만히 생각건대, 땅 기운이 열리거나 막히는 것은 천지의 운세가 막히고 열리는 것과 같으니, 비록 음산하고 궁벽한 골짜기라도 한 번 기운이 열리면 그렇게 되지 않을 수 없을 것이다. 이 곳을 돌아보니 지금은 비록 음산하게 막혀 있지만, 억만 년 이전에는 혹시 양기가 열려 있었는지 어찌 알겠는가? 그러므로 이 나무는 그때 자랐다가, 바다와 뽕밭이 뒤바뀌고 산과 골짜기가 뒤바뀌어 거센 바람에 날리고 거품돌이 퇴적하여 이렇게 된 것이 아니겠는가?

정오가 지나 정상에 올랐다(20리). 높은 절벽이 둥글게 옹립하여 있고, 바위 봉우리들이 늘어서 병풍처럼 둘러싸고 있어 큰 난봉(鸞鳳 : 전설 속의 새)이 솟아오르는 듯하였다. 한가운데 큰 못이 있는데, 천 길 아래로 빠져 마치 옹기 속에 물이 담긴 듯하였다. 굽어 내려다보니, 아득하여 검푸른 것이 깊이를 측량할 수 없고, 땅 구멍 속으로 통하는 것 같았다. 얼음이 수면에 덮여 있었는데, 녹은 곳은 겨우 4분의 1쯤 되었다. 색은 벽옥 유리와 같았고, 대리석 무늬가 영롱하고 사방의 경치가 비치며, 얼음이 얇아서 거울과 같았다. 때로는 그 색이 청흑색이 되기도 하였는데, 이는 대개 흘러가는 구름 조각이 그림자를 비쳐서 그렇게 된 것이다.

남쪽 벽에는 바위 굴이 있었는데, 산 아래로 직통하기 때문에 바람이 그 곳으로 출입하면서 서로 부딪쳐 소리를 내어 붕붕거리고 있으니, 심히 기묘한 장관이었다. 푸른 새 한 떼가 굴에서부터 비상하여 날아올랐다. 큰 놈들은 꾀꼬리나 비둘기보다 조금 작았고, 작은 놈들은 제비나 참새보다 조금 컸는데, 날고 내리고 하였다. 걸려 있는 얼음은 집채만한데 조금도 녹을 것 같지 않았다. 아마도 이것은 필시 천지가 개벽될 때 응결된 것 같았다. 물을 떠 마시고 싶었으나 절벽이 깎아지른 듯하여 내려갈 수 없었다. 대개 돌 봉우리들이 사면에 늘어서 있는데, 그 수가 큰 것만 해도 16, 17이고, 조금 작은 것은 30여 개나 되며, 가장 작은 것은 60여 개나 되었다. 뾰죽뾰죽한 것이 형태가 가지각색이었다.

여기에 오르니 비로소 사람의 정신을 맑게 하고 기를 한결같이 하며 마음과 눈이 모두 새로워지는 듯하였다. 몸이 황홀하고 아득한 경지에 있어, 풀무 사이에서 혼돈 개벽하는 기미와 조화가 펼쳐지는 듯한 오묘함을 느끼게 되었다. 예전에 들으니 압록강은 호수에서부터 서쪽으로 트여 주전자 귀와 같은 형세를 이루고 있다고 하였다.

그러나 지금 보니 사방의 절벽이 깎아지른 듯이 서 있고, 다만 북쪽 한 변에만 조그만 골짜기가 트여 있는데, 이것이 흑룡강의 발원지라고 한다. 또 언덕은 높고 물은 막혀 흐르지 않으니, 대개 압록강은 분계령의 서쪽에서 별도로 한 줄기를 이루고 있는 것이다. 바라보니 몇 줄기의 흰 골짜기가 산 아래에서부터 서쪽으로 나가는 것이 있으나, 가장자리가 아득하여 어느 것이 압록강의 근원이 되는지 알 수 없었다. 백두산에서 나오는 물은 모두 땅 밑으로 숨어서 흐르고, 백 리나 4, 50리를 지나서야 나타나게 되는 것이다. 호수의 표면에는 한 점의 물결 흔적도 보이지 않았으나, 가운데는 여울 폭포 같은 것이 있어 소리가 심히 웅장하였다. 아마도 물이 산 밑으로 숨어 흐르는 까닭에 이런 소리가 나는 것 같았다. 김원지가 묻기를,

"과연 그렇다면 소리가 끊어지기도 하고 이어지기도 하는 것은 무슨 까닭인가요?"

하자, 사또가 말하기를,

"바람이 강하면 소리가 높고, 바람이 약하면 소리도 작아진다. 다만 듣는 사람에 따라 끊어지기도 하고 이어지기도 할 뿐이다"

하였다. 산에 오를 때는 구름이 음산하게 덮여 있었고, 산 허리를

반쯤 올라왔을 때는 비가 점점이 적셨다. 정상에 도착하자 안개가 깔리고 구름이 덮여 장차 일을 알 수 없을 것 같더니, 이윽고 구름이 걷히고 햇빛이 찬란하게 나타났다.

최고 정상으로 걸어 올라가니(호수에서 남쪽변), 서북쪽은 푸른색 일색으로 하늘에 닿아 있었다. 다만 망망한 곳을 가리키며 생각하기를, 저쪽은 오라와 영고 지방이고 저쪽은 요양·심양·연경·계주 지방일 것이라고 생각되었으나, 방위를 짐작하여 추측한 것일 뿐이었다. 조금 북쪽으로 한 쌍의 봉우리가 있는데, 마치 소 뿔이 마주보고 있는 형상과 같았다. 사람들이 후죽봉(帿竹峯)이라고 하였다. 동남쪽의 구름 바다와 같은 지역은 다만 구릉이 겹겹이 쌓여 있었다. 마치 북망산에 첩첩이 쌓인 무덤과 같고, 바둑판에 돌을 늘어놓은 것과 같았다. 다만 보타산(寶陁山)·가이산(加伊山)·완항산(緩項山)·장백산(長白山) 등 서너 산은 마치 소가 누운 것처럼 하고 있었다.

이 곳의 산하가 눈에 들어오는 것이 몇천만 리인지 모르겠으나, 한스러운 것은 두 눈의 시력으로 다 볼 수 없는 것이었다. 우리 공자님은 농산(農山)에 올라 오(吳)나라의 서울에 있는 백마를 분별하셨다고 한다. 오나라와 노나라의 거리가 천 리보다 적지 않을 것이지만, 그래도 말의 색깔을 분별하셨다는 것이다. 만약 산천의 형체와 같이 큰 것이라면 만 리 밖에 있더라도 반드시 분간하셨을 것이다. 공자님께서 만약 여기에 오르셨다면, 서쪽으로는 기주(冀州)와 항주(恒州)에까지 미치고 동쪽으로는 해가 뜨는 부상(扶桑)까지도 다 보셨을 것이다. 대저 성인은 마음으로 도를 보시는 것이 눈으로 산천의 먼 것을 보는 것에 비교할 정도가 아닐 것이다. 그리고 범상한 사람이 도를 보지 못하는 것은 눈으로 산천을 제대로 보지 못하는 정도가 아닐 것이다. 그러므로 보통 사람들이 어찌 사물에만 항상 눈이 멀 뿐이겠는가? 또한 마음의 도에도 눈이 멀었다 하겠다. 아 어찌 탄식하지 않겠는가!

명나라의 지리지를 보니, 백두산은 높이가 300리이고 깔고 앉은 땅이 천 리이며 못 주변이 80리라고 적혀 있었다. 그러나 지금 이 산을 보니 수백 리 밖에서부터 점차로 높아져서 깎아지른 듯이 급하지는 않으나, 마침내는 북두칠성과 같이 높이 올라와 겹겹이 쌓이고 굴곡져서 능히 한반도 전 지역을 깔고 앉아 있다. 비유하자면 성인의 가르침은 깎아지른 것처럼 준절하지 않아서 사람들이 모두 올라 갈 수 있지만, 실제로는 하늘에 닿을 만큼 높은 것과 같다. 명나라 지리지에서 말한 바 높이가 300리라는 것은 진실로 지나치지 않으나, 깔고 앉은 땅은 천 리에 그치는 정도가 아니다. 그러나 못의 주위는 80리가 되지 않을 듯하였다.

산은 모두 거품돌로 바탕을 이루고 있어, 온 산이 하나의 큰 거품돌 덩어리와 같았다. 처음 천지가 창조될 때 혼돈한 음양의 원기가 팽배하여 밀치고 뜬 거품 액체를 파도치게 하여 점차 바탕을 이루게 하여 된 것이 아니겠는가? 대저 곤륜산은 산의 할아버지인데, 그 정상에서 황하의 근원이 시작되고 모래 밑으로 천 리를 흘러서 비로소 그 흐름이 땅 위로 나타나고, 또 옥산(玉山)에서부터 시작하여 작산(雀山)에까지 다다른다. 지금 백두산은 거품돌이 퇴적하여 정상에 큰 못이 있고, 물이 모래 밑으로 백 리를 흘러가서야 강 줄기가 비로소 나타나니 곤륜산을 빼닮았다 하겠다. 다만 강을 황하에 비교하면 백 리와 천 리의 차이가 있고, 거품돌을 옥과 비교하면 대소와 귀천이 매우 다르다고 하겠다. 이는 바로 형체는 제대로 갖추었으나 규모가 미약한 것일 뿐이다. 곤륜산 아래로는 비록 중국의 산천이라도 백두산에 미치지 못한다. 오악(五嶽)이 높다고는 하지만, 정상에 80리의 큰 못이 있다는 말은 들어보지 못하였다. 다만 화산

(華山)에는 옥정(玉井)이 있다고 하니, 구경하기는 좋겠지만 규모는 이보다 못할 것이 명백하다. 이로써 백두산이 곤륜산의 적장자가 되고, 오악은 단지 그 가까운 조상의 서자나 지자가 될 뿐임을 알 수 있다.

대개 우리 동방은 문물이 심히 융성하여 소중화라고 칭해지고 있다. 이제 천하가 오랑캐 땅이 되었는데 우리가 능히 중화의 전통 문물을 강하게 보존하고 있다. 산하의 영험함이 이 산에 근거를 두고 있음이 크다고 하겠다. 가만히 생각건대, 천지는 두 가지 이치가 아니다. 땅이 이미 중국의 정통을 계승하였으니, 하늘이 기자(箕子)와 같은 성인을 우리 나라에 내려주신 것이 어찌 우연이겠는가?

전통성이 말하기를,

"평사 이명환이 2월에 산 아래에 도착하였으나, 눈이 심하여 보지 못하였고, 이 도사(李都事)는 6월에 등정하였으나, 바람이 급하여 갓을 짊어지고 겨우 한 번 보았을 뿐입니다. 종성 부사 조 대감 역시 눈이 많이 내려 도보로 겨우 산상에 이르러 천지를 반쪽만 내려다보았을 뿐이고 최정상에는 한 번도 올라가 보지 못하였습니다"

하였다. 대개 최정상에 오르지 못하면 중간 산의 벽에 가려서 천지의 전면을 볼 수 없기 때문이다.

내가 오래 앉아 있노라니 티끌과 같은 속세를 초월하여 바람을 타는 듯한 느낌이었다. 사또는 이미 자리를 옮겨 가운데 봉우리(조 대감이 올랐던 곳)에 이르러 나란히 앉아 요기를 하고 바로 하산하였다. 나는 지체하고 뒤돌아보며 홀로 정상에 서 있었다. 그러나 어른이 먼저 내려갔으므로 오래 머물 수 없었다. 연지봉으로 돌아와 점심을 먹는데, 정상에서는 뇌성이 은은히 울리고 있었다. 일행이 포석동을 지나며 돌아보니 빗줄기가 정상을 덮고 있었다. 갈 때는 이 골짜기에서 먼지가루가 눈에 들어가 고생을 하였으나 지금은 다행

히 가랑비에 젖어서 그러한 고생을 면하였다. 사또가 나를 돌아보며 말하기를,

"향음주례를 할 때 술을 실컷 마시지 못하게 하는 것은 사람들의 흥취를 지나치지 않게 하려는 뜻이다. 잠깐만 머물다가 바로 하산한 것도 또한 이러한 뜻이었다. 만약 그대의 말을 들어 오래 머물렀다면 반드시 뇌우를 만났을 것이니, 어찌 통쾌한 마음이 곤욕이 되지 않았겠는가?"

하므로 내가 말하기를,

"삼가 가르침을 받들어 처신하는 표준으로 삼겠습니다"

하였다. 삼지연에 도착하여 움막에서 잤다.

5월 24일 을해

새벽에 비가 왔다. 비를 무릅쓰고 출발하니 문득 구름 한 가운데가 갈라지면서 한 줄기는 비를 몰고 남쪽으로 날아가고 한 줄기는 북쪽으로 날아갔다. 가는 곳에는 다만 간간이 물방울이 떨어지고 있었다. 비가 온 후에는 일기가 청량하여 산등에들이 흩어지고 없었다. 산으로 올라갈 때는 이놈들 때문에 고통이 하도 심하여 심지어는 밤을 타고 가볼까 하는 생각이 날 정도였지만, 지금은 다행히 면할 수 있게 되니 운이 좋았다. 반교에서 점심을 먹고 녹운동령에 올라 서쪽으로 백두산을 바라보니, 구름 봉우리와 산 봉우리가 함께 솟아올라 기이한 형상이 비치고 빛나는 자태를 더하였다. 원지가 '구름백두'라고 불렀다. 장파에서 묵었다.

백두산 아래 끝없이 광활한 곳을 천평이라고 한다. 천평 끝에는 남증산(南甑山), 녹운산(綠雲山)이 머리를 나란히 하고 솟아 있다. 두 산은 오르내리며 내려오다가 소홍단수와 토문강이 만나는 합류 지점에서 맥이 끝난다. 그 사이에 있는 들판을 장파(長坡)라 하고, 구

릉 지대를 석류게원(石留憩院)이라고 한다. 이 곳은 산의 형세와 토양이 사람 살기에 가장 적당하다. 여기에 비하면 천평은 땅이 척박하고 서리가 일찍 내린다. 대개 삼산(三山)에서부터 풍파(豊坡)를 지나 서쪽으로 장파에 이르고 남으로는 오갈암(烏渴巖)과 소로평(小蘆坪) · 대로평(大蘆坪) · 정평(正坪)에 이르기까지 수백 리의 땅이 모두 토지가 비옥하여 사람이 살 만하다. 오암과 노평은 근래 사람들이 점차 유입되어 인근에 사창(社倉)이 설치되었다. 이 곳은 갑산에서부터 그다지 멀지 않고, 삼수 · 갑산으로부터 압록강을 따라 서쪽으로 70리를 내려가면 후주(厚州)의 폐사군이 강계(江界)에 접하고 있다. 들판이 넓고 토양이 비옥하여 더욱 살기 좋은 곳이다. 지금 삼산에 도착하여 들으니, 어떤 사람이 우물을 파다가 한 꿰미의 동전을 습득하였는데, '운흥통보(雲興通寶)'라고 씌어 있었다고 한다. 운흥이란 것은 금(金)나라의 연호이다. 때문에 장파에서 서쪽 지방은 일찍이 오랑캐 땅이었음이 명백하다.

내가 백두산에 올라 도내의 산천을 보니, 대체로 배와 등의 형세를 하고 있다. 안변으로부터 경흥에 이르기까지는 장백산 앞에 위치하여 바다를 따라 고을을 이루고 있으니 배에 해당하는 것이다. 무산에서부터 폐사군에 이르기까지는 장백산의 뒤에 위치하여 강을 따라 지형을 이룬 것이 등에 해당한다. 지금 삼수와 갑산은 등의 척추 위치에 있는데, 외롭게 매달리고 격리되어서 (방어를 위해) 힘이 되지 못한다. 북으로 풍파에서부터 서로 폐사군에 이르기까지 천여 리의 땅은 텅 빈 채로 폐기되어 있으니, 참으로 배는 가득 부른데 등은 빈 것과 같다. 만약 오랑캐 도적들이 백두산에서부터 그 허한 틈을 타고 함흥 · 북청 · 단천 · 길주 · 경성 · 부령 등지로 나누어 쳐들어 오면 연해의 여러 고을들이 삼분오열되어 맥락이 끊어지고, 함경남북도의 원수(병사)들이 비록 손자 · 오자와 같은 병법을 알고 있더라도 그 손발을 써 볼 방도가 없을 것이다. 지금 만약 회령 이남과 단천 이북의 여러 요새의 현지 병사들로 내지(풍산·폐무산·어유간·오촌·주을온·보노지·삼삼파·보화·서북리동·쌍청·황척파는 예전에 오랑캐의 노토 부락이 무산에 있었던 까닭에 설치하였으나, 지금 무산이 이미 우리 땅이 되었으므로 이들 요새가 내지에 있게 된 것이다)에 있는 자들과 함경북도의 유민들을 장파와 정평 사이에 이주시킨다면, 몇 년을 지나지 않아 반드시 논밭을 개척하고 곡식을 쌓아 부자가 될 것이다. 이렇게 되면 장파와 오암 두 곳에 고을을 설치하여 북쪽으로는 무산을 후원하고 서쪽으로는 갑산과 연대할 수 있다. 또 서쪽에 있는 여러 요새로 내지(자작·어면·강구·신방·묘파 등의 요새는 옛적에 장진강으로써 국경을 삼았기 때문에 설치하였으나, 지금은 압록강으로써 국경을 삼고 있으므로 여러 요새들이 모두 내지가 되었다)에 있는 것과 평안도 유민들을 후주와 폐사군으로 이주시켜 고을을 설치하고 관원을 파견하여 삼수와 갑산에 접하게 한다면, 무산에서부터 후주에 이르기까지의 1천여 리의 땅에는 마을이 형성되어 닭이 울고 개가 짖으며 밥하는 연기가 서로 이어질 것이다. 그리고 요충이 되는 땅에 다시 군영을 설치하여 배후의 여러 고을 군사를 통솔하게 하여, 남병영·북병영과 통하게 하면 등과 배가 상응하게 될 것이고, 기세좋게 서로 원조할 수 있게 될 것이다. 그렇게 되면 저들이 노략질을 할 수 없게 되고 우리는 능히 방어할 수 있게 될 것이다. 이는 토지를 개척하고 백성을 정착시켜 좋을 뿐만 아니라, 국가를 방어하는 계책으로도 이점이 있다는 것이 명백한 것이다. 그러나 일개 선비의 생각이라 덧없이 감개만 일으킬 뿐이니 무슨 소용이 있으랴!

5월 25일 병자

학 한 쌍이 훨훨 날아가며 울었다. 산에 올라갈 때 만난 것은 앞

에서 춤추며 환영하더니, 지금은 까악까악 하며 축하하니, 소동파가
꿈 속에서 황홀하게 본 것과는 비교도 안 된다고 하겠다. 유게원을
지나자 경성의 사냥꾼들을 만났다. 그들을 따라가 소홍단수에 이르
러 점심을 먹었다. 그들은 짐승 고기를 구워 오고, 조종성은 막대기
로 물고기를 잡아 국을 끓여 오니, 산수의 진미가 입 안에서 상쾌한
맛을 느끼게 하였다.

풍파를 지나 삼산의 높은 봉우리에 올랐다. 백두산을 바라보고
싶었으나, 산에 가려 보이지 않으니 한탄스러웠다. 저녁에 강구촌
(江口村)에 도착하여 노숙하였다. 무려 5일 만에 비로소 사람 사는
집에 오니, 일행이 모두 자기 집에 온 것처럼 기뻐하였다.

머리가 허연 산골 노인이 와서 말하기를,

"제가 이 곳에서 평생을 늙었습니다. 깊은 산에는 사시사철 천둥
과 우박이 변화무상하여, 이전에 산행하던 관원들이 한 사람도 비를
만나지 않은 사람이 없었습니다. 지금 왕래하시는 길에 일기가 쾌
청하니, 이것은 반드시 하늘이 알고 귀신이 아는 일이요, 범속한 일
이 아닙니다"

하였다.

돌이켜보면, 이번 행차에는 네 가지 장애를 물리쳤고, 세 가지 위
험을 넘겼으며, 두 가지 난관을 극복하였다. 첫 출발할 때의 만류,
수참(輸站)에서의 만류, 부령에서의 만류, 무산에서의 만류가 네 가
지 장애였는데 모두 물리쳤다. 산에 들어가 우박과 천둥 번개를 만
난 것이 위태로웠고, 계곡 물이 불어 진퇴를 할 수 없었던 것이 위
기였고, 여러 날 노숙할 때 뱀·등에·호랑이·곰 등을 만날 뻔한
것이 세 가지 위험이었으나 모두 면할 수 있었다. 비록 산 아래에
이르렀더라도 만약 구름이 덮었으면 백두산의 진면목을 볼 수 없었
을 것이다. 사람들이 평생에 이 산을 두 번 다녀오기는 어려울 것이

다. 백 년 안에 단지 한 번 관광할 수 있을 뿐인데, 산이 구름과 안개에 싸이지 않는 것이라든지 혹은 백 년 만에 등정하는 그 날 마침 산의 일기가 쾌청한 것도 또한 어렵지 않겠는가? 또 돌아보면 등산을 시작할 때는 구름과 비가 심하였으나, 정상에 올라가자 곧 구름이 개었고, 하산할 때도 비가 오고 어두웠으나 포석동의 먼지를 씻어 내었고, 천평과 반교에서 등에를 쫓아 버렸으니, 이는 우연이 아닌 것 같다. 원래부터 구름이 끼고 비가 오지 않는 일은 혹시 있으나, 구름이 끼었다 비가 왔다 하면서 이와 같이 교묘하게 피하는 일이 어찌 있겠는가? 이것이 두 가지 난관이었으나, 모두 이룰 수 있었으니 인력으로 할 수 없는 일이요, 하늘이나 할 수 있는 일이라고 하겠다.

주인 원경회(元慶會)라는 사람이 쌀밥을 짓고 물고기를 올리며, 매우 후하게 대접하였다. 스스로 말하기를, 자신도 과거 공부를 하는데 나의 이름을 익히 들었다는 것이다.

5월 26일 정축

일찍 비가 오다가 개었다. 10시쯤에 출발하여 하창(下倉)에서 점심을 먹고, 날이 저물어서 무산에 도착하였다. 무산 부사는 부령으로 출타하고 없었다. 무인 차천륜이 와서 알현하는데 매우 부끄러운 안색을 하고 있었다. 최 형은 우리를 맞이하면서 웃었다. 대개 지난 번에 우리를 만류하고 권장하던 차이 때문이었다. 유생인 유학수(劉學洙)와 손제현(孫齊顯)이 모두 와서 나를 배알하고 쌀과 반찬을 도와주었다.

5월 27일 무인

원지가 작별하고 종성으로 향하니, 섭섭한 마음을 금할 수 없었다. 내년 봄 꽃피는 계절에 다시 만나기로 기약하였다. 읍내의 여러 선비와 벗들이 모두 와서 작별하였다. 신참(新站)에서 점심을 먹고 저녁에는 폐무산에서 잤다.

5월 28일 기묘

정오에 부령에 도착하였다. 말과 마부가 모두 지쳐 있어서 여기서 유숙하기로 하였다. 무산과 부령의 두 수령들을 알현하고 말하였다.

"갈 때 사또께서 저를 보고 '무산이나 잘 보고 오라'고 하셨지만, 이제 백두산을 잘 보고 왔습니다. 두 사또께서 약속을 하고도 같이 가시지 않으니, 이것은 소동파의 두 손님이 따르지 않았던 것과 같으니 또한 어찌 나를 위한 미담이 아니겠습니까?"

하였더니 두 사람이 모두 껄껄 웃었다. 선비 이제신(李齊新)이 찾아와 산의 경치가 좋았다는 말을 듣고는, 불쑥 호기를 부리며 자기도 역시 다녀오겠다고 말하였다.

5월 29일 경진   흐림

일찍 출발하였다. 수참을 5리 남겨두고 큰 비가 왔다. 문득 백두산에 들어가 비를 만나지 않았던 행운을 생각하고, 감히 고생이라는 생각을 할 수 없었다. 수참에서 점심을 먹은 후 비를 무릅쓰고 바로 향교로 갔다. 어간의 내종형이 또 와서 만났다.

6월 1일 신사   아침에는 맑고 저녁에는 흐림

일찍 일어나 역락헌(亦樂軒 : 경성 관아의 동헌)에 들어가 사또께 하직 인사를 올렸다. 사또가 완강하게 만류하였으나, 산에서 내려온 후 여행 피로가 가시지 않고, 아들의 병과 집안 사정으로 마음이 무거워 부득불 신속히 집으로 돌아가야겠다고 말하였다. 사또가 성대한 음식을 준비하고, 또 조 첨지를 불러오게 하였다. 산에서 굶주린 고생을 위로하기 위해서였다. 좌석이 파하자 병영을 찾아가 인사하였다. 느지막이 출발하여 온촌(溫村)의 당숙부 댁에서 잤다.

6월 2일 임오　맑음

방평(方坪)의 외가에 도착하여 점심을 먹고, 비촌의 종형을 찾아 뵈었다. 유람중의 경치와 사연들을 다 이야기하고, 해질녘에 집으로 돌아왔다. 가고 온 거리가 모두 1,322리요, 소요된 날짜는 18일이었다.

＊ [선생은 그때 어랑면 지방에 살고 계셨다]

서명응의 유백두산기

　『유백두산기(遊白頭山記)』는 1766(영조 42년) 서명응(徐命膺 : 1716~1787)이 조엄(趙曮) 등과 함께 백두산에 오른 후 돌아와 쓴 백두산 유람기로서 그의 문집인 『보만재집(保晚齋集)』에 실려 있다. 서명응은 대구가 본관으로 자는 군수(君受), 호는 보만재(保晚齋)이다. 1754(영조 30년) 문과에 급제하여 홍문관 부제학, 이조판서, 대제학 등을 지냈다. 특히 정조 즉위 직후 규장각이 세워졌을 때 제학(提學)에 임명되어 오랫동안 규장각 운영에 많은 영향을 끼쳤다.

　서명응은 홍문관 부제학으로 있으면서 홍문관록의 선출을 주관하라는 명을 받았으나 사양하다 갑산부(甲山府)로 유배가게 되었고, 조엄 또한 부제학으로 임명되었으나 응하지 아니하여 삼수부(三水府)로 유배가게 되었다. 이들 두 사람은 유배길에 서로 만나 백두산 근처에 유배된 것을 계기로 백두산에 오를 것을 합의하고 갑산 부사 민원(閔源), 삼수 부사 조한기(趙漢紀) 등과 함께 왕복 8일에 걸쳐 백두산에 올랐다.

　일행은 갑산부에서 출발하여 운총진, 심포(深浦), 임어수(林魚水), 연지봉 아래로 하여 백두산 정상까지 올랐고, 천수, 자포, 운총으로 되돌아왔다. 이들은 백두산의 절경에 흠뻑 취하여 산에 올랐지만, 한편으로 국방 문제 즉 백두산 일대 지역의 보(堡), 진(鎭), 영(營)을 둘러싼 방어망 구축에도 적지 않은 관심을 기울였다. 더욱이 운총에서는 지형과 지세를 살피고 위도를 측정하기 위해 '상한의(象限儀)'라는 부채꼴 모양의 천체 고도 측정기를 만들어 수시로 이용하였다. 이른바 '분수령'에 이르러 백두산 정계비를 보고 경계가 잘못되었음을 밝히고, "분계강과 합류해 두만강으로 들어가고, 두만강은 다시 백두산 동쪽으로 넘쳐 흐르니, 그 근원을 쉽게 찾을 수 있었을 것인데도 7백 리 땅을 하루 아침에 손 한 번 쓰지 못하고 잃었다"라고 매우 안타까워했다. 아울러 그 때 우리측 대표였으나 그 현장에 참여하지 않았던 접반사 박권(朴權)과 함경도 관찰사 이선부(李善溥)를 통렬히 비판하였다. 이러한 인식은 백두산 정계비 건립 이후 현장을 직접 답사한 고위 관료의 시각이라는 데서 중요하다. 또한 이들은 백두산 12봉우리의 이름이 없음을 안타까워하며 처음으로 그 이름들을 지어주었다.

　서명응과 조엄은 하산길에 유배에서 풀렸다는 공문을 받았다. 이들은 "죄를 입은 것이 백두산을 유람시키고자 하늘이 도운 것"이라고 표현할 만큼, 유배를 전화위복의 기회로 이용하였다. 이들이 해당 고을의 수령과 함께 많은 노복들을 대동하고 백두산을 유람한 사실은 당시 유배 문화의 한 단면을 잘 보여준다. 그러므로 이 『유백두산기』는 백두산의 풍경을 읊은 유람기로서뿐만 아니라, 역사 자료로서의 가치도 높다 하겠다.

유백두산기

　병술년(1766, 영조 42) 5월 21일 임금님이 특교를 내려 홍문관록을
주관하라고 하였다.[1] 나는 홍문관 부제학으로 마땅히 이 일을 주선
해야 했지만, 두 번이나 부름을 어기고 나아가지 않았다. 임금님이
유지를 내려 질책하여 말하기를 "만약 행하지 않는다면 신하로서
갖추어야 할 절조가 없는 것이니 무엇을 애석히 여기겠는가" 하였
다. 부르는 명이 세번째 내려왔으나, 나는 또 어기고 나아가지 않았
다. 임금님이 노하여 곧바로 갑산부로 귀양보내도록 명하였다. 조
엄[2]을 대신 부제학으로 삼아 빨리 오라고 독촉하였지만, 조엄 또한
나아가지 않았다. 임금님이 또 삼수부에 귀양보내라고 명하였다. 귀
양길에 오르는 날에 두 사람이 동문 밖에 나서니 전송하는 사람들

---

1) 홍문관록은 홍문관의 교리(校理)·수찬(修撰)의 임용 기록이다. 7품
　이하의 홍문관원이 문과합격자 명단에 의하여 임명 후보자 명단을 작
　성하면, 홍문관 부제학·응교·교리·수찬 등이 권점(圈點)을 찍어
　본관록(本舘錄)을 작성하였다. 이를 다시 의정·참찬·대제학·이조
　판서·이조참판·이조참의 등이 권점을 찍어 도당록(都堂錄)을 작성
　하여 계문하면, 한림소시(翰林召試)를 보여 차점 이상자를 임명하였
　다.
2) 1719(숙종 45)~1777(정조 1). 조선 후기의 문신으로 본관은 풍양(豊
　壤), 자는 명서(明瑞), 호는 영호(永湖)이다.

이 서로 바라볼 뿐 이별을 나눌 수 없었다. 땡볕 더위에 빨리 말을 달려 누원(樓院)에서 상봉하였다. 여기서부터는 앞서거니 뒤서거니 하면서 가다가 잘 때는 반드시 이웃하여 잤다. 대략 13일 만에 유배지에 도착하였다. 도중에 진령(榛芩)의 시를 읊어3) 임금님의 덕망을 위로하였다. 여가가 나면 고금의 이야기를 나누었으나 시사(時事)에 대해서는 언급하지 않았다.

하루는 내가 말하기를,

"나는 아이들 혼인을 이미 마쳤으니 마칠 일을 대충 한 것 같다. 그런데 아직도 하지 못한 일이 세 가지가 있으니, 첫째는 『주역』을 읽지 못한 것이며, 둘째는 백두산을 유람하지 못한 것이요, 셋째는 금강산에 가보지 못한 것이다. 지금 유배지가 백두산 아래에 있으니 하늘이 혹시 나로 하여금 백두산 유람을 시키려 하는 것 아니겠는가?"

하니, 조엄이 기뻐하며 말하였다.

"내가 북쪽에 온 것이 두 번이고, 그대도 북쪽에 온 것이 세 번인데 한 번도 백두산에 오르지 못했다니 부끄러운 일이다. 그대도 유람을 못하였고 나 또한 유람을 못하였으니, 우리 둘이 같이 가는 것이 좋겠다."

이에 적소에 도착한 지 3, 4일 되는 날, 나와 조엄은 서신으로 6월 10일에 백두산으로 떠나기로 약속하였다. 갑산 부사 민원(閔源 : 자는 仲淵)과 삼수 부사 조한기(趙漢紀 : 자는 士振) 모두 산수 유람을

---

3) 『시경(詩經)』「국풍(國風)」간혜(簡兮)에 "山有榛 隰有芩"이라 하니, 산에는 개암나무가 있고 습지에는 감초풀이 난다는 말로, 곧 각각 적합한 땅에 생겨나게 마련이라는 뜻이다. 저 당당한 사람은 그토록 씩씩건만 천한 지위에 머물고 있으나, 임금은 그런 것을 몰라서인지 올바른 지위에 등용하지 않고 있다면서 자기의 신세를 한탄하는 말이다.

좋아하는 자들로 기꺼이 동행하기를 원하였다. 내 손님인 최우흥(崔遇興)과 홍이복(洪履福), 조엄의 손님인 이민수(李民秀), 민원의 아들 민정항(閔廷恒 : 자는 武叔)이 모두 동행하였다. 백두산 도로를 잘 아는 갑산 선비 조현규(趙顯奎), 군교 원상태(元尙泰)가 길안내를 하였다.

가는 데 4일, 돌아오는 데 4일이 걸렸다. 빼어난 산택(山澤), 시원스럽게 멀리 바라다보이는 조망, 궁경과 관방(關防)의 형편을 한눈에 다 볼 수 있었으니, 평생에 바라던 쾌거였다. 산에서 나오자마자 용서한다는 임금님의 명령이 이미 내려와 있었다. 아! 두 사람이 임금님께 죄를 얻어 이 곳에 온 것은 하늘이 이로써 백두산에 오랫동안 갖고 있던 묵은 빚을 갚게 하고자 함이 아니었는가? 두 사람의 행적이 여기에서 그쳤으니 이 또한 기이한 일이 아니겠는가? 집에 돌아와 각각 한 본(本)씩 기록하였다. 관직 생활을 마치고 야인으로 돌아가 한가로이 지내면서 소일거리로 삼았으면 한다. 또한 후일에도 금일의 수고로움을 잊지 않고자 할 따름이다.

6월 10일 갑산부를 출발하여 운총진(雲寵鎭)에 이르다

나는 갑산을 출발하여 북쪽으로 후덕산(厚德山)·마고정(麻姑頂)·손전항(遜田項)을 지났다. 촌락들이 띄엄띄엄 뒤섞여 늘어서 있는데 마치 바둑판 같았다. 길 주변에는 당수(棠樹 : 산앵도나무)가 많았다. 열매는 대추알 같았으며 길에 잔뜩 떨어져 있었다. 그 곳 사는 주민들은 산대추라고 부르면서 그것을 대추 대신 사용하고 있었다. 흰 새 수십 마리가 떼지어 나무에 무리지어 있다가 사람의 행차를 보고는 놀라 푸드득 날개 치며 날아갔다.

손전항에서 10리까지는 삼봉(杉峯)이며, 삼봉에서부터 10리까지는 두 산이 좌우로 벌려 있는데, 가히 성보(城堡)를 쌓을 수 있다. 동인진(同仁鎭)이 있고 권관(權管)이 관리하였다. 점심을 먹고 두루 주위

형편을 살펴보니 돌무더기를 쌓아 성벽처럼 만들었는데, 높이가 가
히 8, 9척 가량 되고 둘레가 가히 천여 척가량 되었다. 토병 33인,
봉군(烽軍) 30인이 있었다. 봉수대는 삼봉 위에 있었다. 북쪽으로는
안간봉(安間峯)에 맞닿고 남쪽으로는 갑산부의 앞산인 응굴봉(鷹窟
峯)에 닿았다. 동인진에서 동쪽으로 40리 가면 대동(大同) 땅으로 파
수(把守)가 있는데 권관이 멀리서 통솔하였다. 이전에 오랑캐 부락
이 검천(劍川) 주변에 모여 살면서 이 곳까지 약탈하러 왔기 때문에
이를 막고자 동인진을 세운 것이다. 그런데 성벽은 오래 되어 군데
군데 허물어져 견고하지 못했으며, 동인진의 막사 또한 낡고 기울어
져 있으니, 방수를 제대로 감당하지 못할 것 같았다.

조엄은 삼수(三水)에서 북쪽으로 광승판(廣承坂)을 넘어오는데, 그
길이 좁고 험준하여서 말고삐를 늦추고 천천히 진행하였다. 허천강
(虛川江)을 건너 별사(別社)에서 점심을 먹었다. 나와 앞서거니 뒤서
거니 하면서 운총에 도착하였다. 이 날 나는 80리를 갔고, 조엄은
60리를 갔다. 운총성의 통군루(統軍樓)에 올라 오랫동안 바람을 쐬
고 누각에서 내려와 촌의 숙소에서 잤다. 혜산 첨사 유언진(兪彦鎭),
운총 만호 윤득위(尹得偉), 진동 만호 송석손(宋錫孫), 나난 만호 김
구서(金龜瑞), 인차외 만호 김홍제(金弘濟), 구갈파지 권관 윤수인(尹
守仁), 행영 비장 유상화(柳尙和), 삼수인으로 전에 군수를 지낸 우정
하(禹正夏)가 영접하여서 행로의 수고로움을 위로하고는 각기 차례
대로 돌아갔다.

11일 운총진을 출발하여 심포(深浦)에 이르다

아침 일찍 밥을 먹고 말을 먹였다. 위로하러 왔던 진장(鎭將)들이
모두 돌아갔다. 내가 먼저 출발하고 조엄이 그 뒤에 출발했다. 갑산
부사, 삼수 부사, 민정항, 최우흥, 이민수, 홍이복 등 여러 사람이 또

그 뒤에 출발했다. 운총진 뒤에 있는 은사문령(銀沙門嶺)을 경유하여 위로 올라가 약 15리를 가니 오시천(五時川)이 있다. 오시천은 덕은봉(德隱峰) 아래로부터 서쪽으로 200여 리를 흘러 은사문령을 휘감고 돌아 압록강으로 들어간다.

고갯마루에 올라 동북쪽을 바라보니 산이 첩첩이 있는 것이 마치 상투를 구름 속에 꽂은 것 같았다. 이것이 보다산(寶多山)이다. 고개를 넘으니 지세가 조금 평탄해졌다. 두 산이 둥글게 합해져 마치 사람의 두 손을 포갠 것 같은 곳이 나항포(羅巷浦)이다. 파수가 그 왼쪽에 있는데 운총진에서 관할한다. 이전에 이른바 변방 오랑캐들이 침략할 때 이 길을 따라 운총과 동인(同仁)에 이르렀기 때문에 파수를 설치한 것이다. 임진년(1712, 숙종 38) 이전에는 이 길은 잡초가 무성하여 다니지 못했는데 임진년 목극등이 정계(定界)를 위해 백두산에 오르면서 비로소 뚫렸다. 이로부터 갑산에서 무산에 다니는 자는 반드시 이 길을 경유하여 마침내 대로(大路)가 되었다.

나항(羅港)을 지나 긴 골짜기를 지났는데 그 사이 15리는 나무들이 하늘 높이 빽빽이 들어서 있어 햇볕이 들지 않았다. 또한 부러져 넘어지거나 불타 쓰러진 나무들이 길 사이에 가로놓여 어지러운 것이 마치 치초(蘛草) 같았다. 뿌리들이 드러나 엉켜 무성한 것이 마치 병풍을 두른 것 같고 용이 서린 것 같았다. 사람을 시켜 도끼로 앞길에 있는 나무들을 베어 길을 낸 후 몸을 숙이고 지나가는데도 말이 자빠지고 넘어졌으며, 사람의 발도 푹푹 빠졌다. 고갯마루를 넘어 산을 내려왔다. 골짜기에는 돌이 날카롭게 삐쭉삐쭉 서 있어 모두 바로 걷지 못하고 기우뚱하게 갔다.

10리를 가니 시내가 있는데 오시천과 검천 사이에서 나와 검천 하류와 합해져 서쪽으로 5리를 가서 압록강으로 들어가는데 신대신천(申大新川)이다. 신대신천 안쪽은 깊고 넓어 집도 짓고 밭도 경작

할 만하였다. 북쪽 사람들이 서로 전하여 신대신동이라 하였다. 옛
날에 신대신(申大新)이란 자가 있어 인삼을 캐고 고기를 잡고 담비
를 잡느라 이 곳을 왕래하면서 살았기 때문에 이름 붙여진 것이다.

또 세 골짜기가 있는데 북쪽으로 가면 신대신동처럼 깊고 넓었다.
수년 전 날이 가물어 초목이 모두 말랐는데 행인이 불을 놓아 온 산
이 불타버린 후에는 산삼이 나지 않는다고 한다. 여기서부터는 날
아다니는 새가 보이지 않고 이따금 꾀꼬리가 관목 위에서 우는데,
울음소리가 남쪽에 있는 새처럼 조금 촉박하게 들렸다. 짐승은 호
랑이와 표범은 없고 곰과 사슴들만 있는데, 여름철이 되면 더위를
피해 백두산 아래로 왔다가 가을, 겨울이 되면 다시 남쪽으로 간다.
담비와 박쥐는 사계절 모두 있다. 그래서 담비 잡는 사람이 나무에
구멍을 뚫어 물에다 띄워 놓으면, 담비가 물을 먹으러 그 나무에 오
르내리다가 구멍에 빠져서 사람이 잡게 되는 것이다.

골짜기 앞쪽 땅은 평탄하고 낮은데 형세가 장곡(長谷)의 검천같이
물이 소리를 내면서 흘러간다. 이 곳이 바로 오랑캐 부락이 옛날 거
처하던 곳이다. 또 마전봉(馬顚峰)이 가로놓여 있는데 그 서쪽은 험
한 낭떠러지로 가로막혔다. 압록강이 옷 하나 사이의 짧은 거리에
있는데 명나라 숭정(崇禎) 갑신년(1644, 인조 22)에 변방 오랑캐들이
청나라 임금을 따라 심양에 들어간 후 모두 우리 나라 땅이 되었다.
무술년(1718, 숙종 44)에 조정에서 의논하여 동인진과 동량진(東兩鎭)
을 이 곳에 옮겨 설치하고자 남병사(南兵使) 이삼(李森)을 파견하여
터를 살피게 하였다. 기미년(1739, 영조 15)에 또 남병사 신익하(申益
夏)를 보내 터를 보게 하였는데 이삼은 진을 설치하기에는 마땅치
않다고 아뢰었으나, 신익하가 아뢰기를,

"신대신동은 북쪽 변방을 왕래하는 길목입니다. 한 군졸이 관문
을 지키면 만 명의 적이 뚫을 수 없는 형세이니 진을 설치해야 합니

다"

고 하여 지금까지 사람이 살면서 지키고 있다. 이는 신익하가 옳았고 이삼이 틀린 것이다. 어떤 사람은 골짜기가 높아 서리가 일찍 내려 곡식을 심지 못한다고 하나 골짜기 동남쪽은 길주, 갑산 두 읍 사이에 있고 또 감평산(甘坪山)이 감싸 길이가 20리, 너비가 5리나 되고 땅은 매우 기름졌다.

갑인년(1674, 현종 15)에 남구만(南九萬)이 관찰사로 오면서 길주의 서북진을 경유하여 감평에 이르러 형편을 살피고 진을 설치할 것을 건의하여 영파보(寧波堡)를 설치하였다. 7년 후인 경신년(1680, 숙종 6)에 백성들이 서리가 일찍 내려 곡식이 익지 않는다고 말하자 함경도 관찰사가 조정에 아뢰어 없앴다. 그러나 그 때는 수목이 울창하여 음습하고 추워서 곡식이 익지 않은 것이었지 서리 때문에 그런 것은 아니었다. 지금은 수목이 점차로 성글어서 백성들이 골짜기에 들어와 오곡을 심는데 모두 잘 익어 갑산읍과 다르지 않다고 하니, 어찌 골짜기가 평지만 못하다고 할 수 있겠는가?

대체로 백두산 한 줄기가 동남쪽에서 꺾여 보다산, 마등령(馬等嶺), 완항령(緩項嶺), 설령(雪嶺)이 되는데 설령부터는 서북진이며, 길주가 그 아래에 있다. 설령 북쪽으로 참두령(巉頭嶺), 원봉(圓峰)이 있으며, 갑산이 그 아래에 있다. 두 봉우리 모두 남·북관의 목덜미를 어루만지는 것처럼 그 배후에 자리잡고 있다. 갑산에서부터 남병영까지는 마덕령(馬德嶺), 후치령(厚峙嶺), 관령(關嶺)이 있는데, 겹겹이 쌓인 봉우리가 하늘을 찌를 듯 높이 솟아 있어 오가는 데 5, 6일은 걸린다. 만일 위급한 일이 일어나면 아무리 빨리 알리려고 해도 되지 않는다.

이제 만약 동인진과 동량진을 파하고 감평과 신대신동에 진을 설치한 후, 갑산에다 방영(防營)을 두어 오랑캐에 대한 경비를 강화하고, 삼수부와 연변의 절진(節鎭)을 통솔케 하여 길주와 서로 기각지세(掎角之勢)를 형성하게 하고, 설령에서 길주에 이르는 험한 옛길을 개통하면 영(營)과 진(鎭)이 가지런히 배열되어 있으면서 성원하여 견고하게 될 것이다. 무릇 후치령 밖으로 남병사가 적의 동태를 들을 수 없는 곳은 갑산 방영에서 독자적으로 호령하여 적을 막는 방책으로 한다면, 비록 밖으로 잘 드러나지는 않지만 하나의 장성(長城)이 될 만하겠다.

검천을 따라 상류의 남쪽 언덕에 이르렀다. 혜산(惠山)의 백성들이 먼저 막사를 지어 놓고 삼나무를 베어 들보와 기둥을 세우고 자작나무 껍질을 벗겨 지붕을 덮고 또 삼면에 보루를 세웠다. 산에서 구한 것인데도 비바람을 막을 수 있었다. 만약 남쪽 백성들에게 이 일을 하도록 한다면 한 해가 끝날 때까지도 쉽게 할 수 없을 것이다. 부엌일 하는 사람이 점심밥을 내왔는데 밥상에 큰 물고기가 반찬으로 올라왔다. 물고기 이름이 여항(餘項)인데 맛이 달고 좋았다. 그물로 잡은 것이 아니라 앞 냇가에서 때려 잡은 것이라고 한다.

밥을 먹고 검천을 건너 서수라덕령을 넘어 또 몇 리를 가니 고개가 더욱 험해지고 산길은 구불구불하여 앞에 가는 사람은 위에 있고 뒤에 가는 사람은 아래에 있게 되었다. 아래를 내려다보면 황천 같고 위를 쳐다보면 구천(九天)이다. 우박과 가랑비를 만났으나 이내 그쳤다. 고갯마루에 올라 동쪽으로 길주를 바라보니 뒤로 덕은봉, 완항령이 구름 속에서 점점이 보였다. 여기서부터 지세는 평탄하고 오래 된 삼나무가 많은데 개오동나무와 자작나무가 간간이 섞여 있었다.

15리를 가니 간산봉(艮山峰)이 있는데, 왼쪽으로 압록강을 끼고 밖으로는 오랑캐 산들이 마치 푸른 장막을 친 듯 늘어서 있다. 백두산의 희미한 모습이 서북방에 드러나 있는데 마치 책상 위에 흰 사발을 엎어 놓은 듯하였다. 간산봉을 경유하여 5리를 가니, 곤장평(昆長坪)으로 탁 트인 광활한 숲이 화살 다발처럼 촘촘히 서 있었다. 또 15리를 가니 심포(深浦)인데, 하늘이 탁 트이고 골짜기가 광활하였다. 일행이 막사를 치고 밥을 먹은 후 잤다. 삼나무를 베어 불을 때서 따뜻한 기운을 쬐었다. 이 날 90리를 갔다.

12일 심포를 출발하여 어수참(魚水站)에 도착하다

아침을 먹고 삼나무 숲을 통과하여 가는데 모기들이 좌우에서 사람을 공격하니, 손으로 휘저어도 달아나지 않았다. 5리를 가니 중심포(中深浦)가 되고, 또 5리를 가니 말심포(末深浦)가 되었다. 동남에는 연봉(輦峰)이, 동쪽에는 보다산이, 동북에는 침봉(枕峰)이 있고, 북쪽으로는 소백산이 보였다. 또 5리를 가니, 태산준령이 끊어질 듯하고 삼나무가 얽혀 있는데, 구현(狗峴)이라고 하였다. 여기서 또 5리를 가자 자포(滋浦) 두 갈래가 있는바, 하나는 보다산 아래 서쪽편에서 내려온 것이고, 하나는 보다산의 서북쪽에서 내려온 것이다. 여기에 이르러 한 물줄기로 합쳐져 서쪽으로 10리를 흘러가면 압록강으로 들어가기 때문에, 지명을 단지 자포라고만 하였다.

평평한 황무지에 천막을 치고 점심을 지어 먹은 후 자포령을 넘었다. 고개가 끝나면서 대평원이 널리 펼쳐져 있는데, 40리에 걸쳐 있는 것을 판막(板幕)이라고 하였다. 삼나무가 하나같이 불타 말라 있으니, 역시 예전에 사냥하는 사람들이 실화하여 이와 같이 된 것이다. 그러나 나무줄기가 천 자나 되며 끝이 뾰죽뾰죽 정정하게 서 있고, 줄기에는 바람 구멍이 나 있었다. 이 때문에 여러 구멍에서 소리를 내어 마치 휘파람을 부는 것 같기도 하고 생황을 부는 것 같기도 하여 음조가 가히 들을 만하였다. 이것이야말로 장자(莊子)가 말한 바 하늘의 퉁소라는 것이 아니겠는가?

자포에서부터 40리를 가서 임어수(林魚水)에서 묵었다. 이 물은 보다산에서 발원하여 여기에 이르고 서쪽으로 흘러 압록강으로 들어간다. 처음에 나와 조엄이 비록 백두산을 가기로 약속하기는 하였으나, 그래도 확신이 서지는 못하였는데, 여기 운총에 도착하여 말하였다.

"옛 사람들은 어떤 일을 할 때 늘 몇 가지 일을 겸하였다. 우리가 여기까지 와서 한갓 산천의 경치나 즐긴다면 천박한 일이 될 것이다. 변경의 방비를 위한 지세를 살펴보는 것도 좋겠고, 북극성이 떠오르는 것을 관측하는 것도 좋겠다."

그래서 재목과 목수를 구하여 상한의(象限儀)라는 관측기구를 제작토록 하였다. 여기에 도착하여 천구의 별 하나를 관측하니, 별은 땅에서 42도 조금 못 되는 곳에서 나왔다. 그러므로 이 곳은 심양(瀋陽)과 같은 위도에 있는 것이 된다. 동지에는 태양이 진시(辰時) 초2각(刻) 2분에 떠서 신시(申時) 정1각 13분에 진다. 낮은 35각 11분이 되고, 밤은 60각 4분이 되며, 신혼(晨昏)은 6각 14분으로 나뉜다. 하지에는 태양이 인시(寅時) 정1각 13분에 떠서 술시(戌時) 초2각 2분에 진다. 낮은 60각 4분이고, 밤은 35각 11분이 되어 신혼은 9각 3분으로 나뉜다. 그 나머지 22절기는 이것으로 유추해 알 수 있다.

13일 임어수를 출발하여 연지봉 아래까지 가다

해가 돋자 임어수를 떠나 수풀 속으로 10여 리를 가다가 허항령에 다다랐다. 허항령은 구불구불 이어져서 북방으로 길게 뻗어 절정을 이루니 바로 삼수·갑산의 척추가 되고, 백두산과 소백산의 출입문이 된다. 이 곳은 무산으로 가는 길과 백두산으로 가는 길이 나뉘는 곳이 된다. 북쪽 사람들은 여기를 천평(天坪)이라고 부른다. 동북쪽으로 수백 리가 끝없이 펼쳐져 있으나 다만 수풀에 가려져 있어 멀리 볼 수 없을 뿐이다. 길이 갈라지는 곳으로부터 북쪽으로 5리를 가면 산수가 수려하여 마음과 눈이 낭랑하게 되어 삼지연(三池淵)에 도착한다. 오른쪽 못은 둥글고 왼쪽 못은 네모지고, 가운데 못은 넓고 주위가 15리나 되며 작은 섬을 에워싸고 있다. 수목은 모두 한 아름씩 되어 낙락장송과 같고, 물은 맑아서 바닥이 보여 고기 노는 것을 헤아릴 수 있다. 물오리 수십 마리가 범범히 떠다니거나 자맥질을 하고, 사람이 가까이 가도 놀라지 않는다. 물새 한 마리가 비상하여 울며 지나가고, 노루 사슴의 자취가 모래톱에 어지러이 나 있으니, 이야말로 신선의 땅이요 사람 사는 땅이 아니다. 일행 중에 경포대와 영랑호를 본 사람이 있었는데, 모두 여기에 미치지 못한다고 하였다. 나 자신도 일찍이 태액지(太液池)를 본 적이 있지만 이보다는 훨씬 못하였다.

삼지연에서부터 북쪽으로 30리 떨어진 곳에 천수(泉水)라는 곳이 있는데, 샘물이 지상으로 솟아나오기 때문에 붙인 이름이며, 점심을 지어 먹는 곳이다. 천수에서부터 북쪽으로 5리를 가면 낭떠러지 골짜기가 있다. 높은 산이 앞을 가로막아 겉으로 보면 나무 말뚝이나 창을 세워 놓은 것 같지만, 속으로는 깊은 구렁텅이로 되어 있다. 말을 세우고 내려다보니 대협곡이 한가운데 갈라져 하나의 골짜기를 형성하고 있었다. 검정색 수포석(水泡石)들이 양쪽 언덕에 깎아지른 듯이 서 있고, 푸른 삼나무가 화살촉처럼 그 위에 병풍처럼 널려져 있었다. 그 가운데로 물길이 나 있는데, 모래가 눈처럼 희다. 모두 수포석이 부서져서 된 것이다. 말이 사납게 발을 들어올릴 때마다 먼지가 얼굴을 때린다. 10여 칸씩 갈 때마다 흑포석이 계단처럼 쌓여 있고 매우 높아서 넘어갈 수가 없었다. 그래서 길 양쪽 언덕으로 바위가 굴러 떨어져 흙이 끊어진 곳으로 돌아가야만 앞으로 나아갈 수 있었다. 이와 같이 하기를 무릇 35리나 하였다. 이 곳은 백두산 아래 산록으로서 골짜기의 물이 흘러 가는 곳이다. 때마침 오래 가물었기 때문에 큰 길이 나 있었지만, 만약 비를 만나게 되면 많은 골짜기에서 물이 불어 넘쳐흐르면서 폭포가 되기도 하고, 격랑이 되기도 하고, 웅덩이가 되기도 하며 포효하면서 동쪽으로 흘러 두만강 강원(江源)으로 흘러 들어간다고 한다.

무지봉(膴脂峯)에 점차 가까워지면서 소백산의 여러 봉우리들이 매우 낮아져 겨우 사람의 상투만한 높이로밖에 보이지 않게 되었다. 무지봉 아래 골짜기에 도착하여 산이 끝난 곳에서부터 북쪽을 바라보니, 3개의 봉우리가 둥그렇게 솟아 있는데 그 색이 모두 백자를 엎어 놓은 것처럼 희게 보였다. 이것이 바로 백두산의 동남면이다. 나와 조엄은 그 산을 보고 크게 기뻐하며 말을 달려 곧장 정상으로 올라가고자 하였으나 날은 이미 오후 3, 4시가 지나 있었다. 조현규와 원상태가 말 앞에 나서서 말렸다.

"여기서부터 백두산 정상까지는 30리쯤 되는데 그 곳을 유람하면서 갔다 오자면 적어도 90리 길의 시간이 소요될 것입니다. 날이 이미 3, 4시를 넘었으니, 산 아래에 도착하면 반드시 어두워질 것입니다. 만약 비바람을 만나게 되면 진퇴유곡에 빠질 것이니 두 분께서는 어떻게 하시렵니까?"

나와 조엄이 그들의 말을 듣지 않고 앞으로 나가자, 여러 수행원들도 모두 따라왔다. 약 10여 리를 가니 날이 저물려고 하는데 앞의 봉우리는 아직도 멀었다. 나와 조엄 그리고 수행인들은 모두 말에서 내려 탄식하였다.

"큰 일이든지 작은 일이든지 간에 이치는 한가지이다. 우리가 조현규와 원상태의 말을 듣지 않고 길을 떠난 것이야말로 진(秦)나라 목공(穆公)이 맹명(孟明)의 말을 듣지 않았던 것과 같은 결과가 아닌가?"

결국 우리는 무지봉 아래 휴게소로 되돌아왔다. 상태 등이 또 말하였다.

"예로부터 사람들이 여기에 도착하면 목욕재계하고 글을 지어 제사합니다. 그래야만 비로소 정상에 올라가 유람할 수 있고, 그렇지 않으면 구름 안개 바람 비 등이 사납게 일어나 제대로 바라볼 수 없습니다. 이제 우리도 역시 글을 지어 제사하여야만 합니다."

이에 그의 말을 받아들여 갑산 부사가 제수를 준비하고 갑산의 장교를 시켜 제사를 올리도록 하였다. 제문의 내용은 이러하였다.

"우뚝한 백두산이 우리 강토에 진주하니, 아래 땅에 사는 사람들이 우러러 그 전모를 보고자 합니다. 이번의 행차는 참으로 하늘이 편의를 베풀어 주신 것으로, 풍찬노숙하면서 온 것이 거의 삼천 리나 되었습니다. 산에 신령이 계시면 우리의 성의를 아실 것입니다. 구름과 안개를 거두고 장엄한 모습을 보여주십시오. 하늘이 어찌 감추려고만 들겠습니까? 해와 별도 하늘에 밝게 걸려 있습니다. 땅의 도리로서도 하늘의 뜻을 순응하지 않겠습니까? 여기 깨끗한 채식을 담아 희생을 대신합니다."

삼수 부사가 제수를 준비하고 삼수의 장교를 시켜 제사를 올리게 하였다. 그 제문은 이러하였다.

"천하의 명산에는 서른 여섯이 있는데, 곤륜산을 으뜸으로 칩니다. 중국 사람들은 모두 곤륜산에 오르는 것을 장관으로 생각합니다. 곤륜산도 또한 그 장엄한 모습을 사람들에게 숨겨서 감추지 않는데, 이 때문에 성수해(星宿海 : 『山海經』)가 후세에 전해지게 되었습니다. 우리 나라의 백두산은 중국의 곤륜산과 같은데, 만약 해동의 편협한 땅에 사는 사람들이 한 번 백두산에 올라 그 웅대한 경관을 보지 못한다면, 그 한스러움이 어떠하겠습니까? 어떤 이가 전하기를, 백두산에 오르는 사람들 중에는 풍우와 운무 때문에 제대로 경관을 보지 못하는 사람들이 많다고 합니다. 곤륜산의 신령이 중국인들에게 그 모습을 숨기지 않는데, 어찌 백두산의 신령만이 그러하겠습니까? 산신은 우리를 보우하셔서 해와 달이 밝게 비추어서 만상이 밝게 드러나고 산의 풍광을 모두 다 볼 수 있게 하십시오."

이는 모두 내가 지은 것이다. 갑산의 제사는 13일 저녁에 지내고, 삼수의 제사는 14일 새벽에 지냈다. 모두 땅을 청소하고 자리를 깔고 제사하였는데, 신당을 지어서 제사하던 잘못된 관례는 모두 폐지하였다. 두 고을의 수령이 직접 제사하지 않은 것은, 두 수령이 지방관의 책임을 가진 자이므로 임금만이 할 수 있는 산천의 제사를 지내기에 곤란한 혐의를 피하기 위한 것이다. 두 고을의 장교로 하여금 제사케 한 것은, 토착인들은 마땅히 그 지방의 풍습을 따라야 하기 때문이다. 이 날 밤에 얕은 운무가 사방에 드리웠는데 그 형색이 그림과 같았다. 상한의로 천추(天樞 : 북극성)를 측정해 보니 땅과의 각도가 42도 3분이었다. 대개 위도가 북쪽으로 갈수록 점차 높아지는 것은 이치의 당연한 것이다. 이로써 측후의 정밀함을 알 수 있었다.

14일 연지봉 밑에서 출발하여 백두산 위에 오르다

이 날 일찍 일어나니 하늘은 한 점 구름도 없고 솟은 해가 빛났다. 일행 여러 사람들은 혹 가마를 타기도 하고 혹 말을 타기도 하고 혹 걸어서 서서히 산에 올랐다. 산이 모두 하얗고 나무가 없었으며 왕왕 녹색 잡초가 이름없는 풀과 꽃으로 덮여 있어 혹 붉기도 하고 혹 노랗기도 하였다. 계곡 사이에 층층의 얼음이 아직 녹지 않아서 멀리서 보면 조각 눈이 있는 것 같았다. 이리저리 돌아서 점차 위로 올라가니 깎아지른 듯한 바위가 있고 20리를 가니 백산(白山)

세 봉우리가 면전에 깎아지른 듯이 서 있다. 역시 연지봉(臙脂峯) 밑에서 본 것과 같다. 동남쪽 언덕 위에 나란히 목책을 세웠는데 길이가 십수 보였다. 자빠지고 떨어져 나가 남아 있는 것이 거의 없었다. 몇 자 되는 조그만 비가 깎지도 다듬지도 않았는데, 위에 새기기를 '대청(大淸)'이라고 하고 밑에는 다음과 같이 되어 있었다.

"오라 총관 목극등(烏剌摠管穆克登)이 황지(皇旨)를 받들고 변경 조사를 위하여 이 곳에 이르러 살펴보니 서로는 압록이요 동으로는 토문이다. 그러므로 물이 나뉘는 고개 위에 돌을 새겨 기록하노라. 강희(康熙) 51년 5월 15일 필첩식 소이창(筆帖式蘇爾昌), 통관 이가(通官二哥), 조선 군관 이의복·조태상(朝鮮軍官李義復趙台相), 차사관 허량·박도상(差使官許樑朴道常), 통관 김응헌·김경문(通官金應瀗金慶門) 운운"

여러 사람이 다 본 다음에 형세를 둘러보니, 비의 뒤쪽 수보쯤에 전의 장마비가 흘러 내려가 움푹 파여 골짜기가 되었는데 깊이는 약간 척에 불과하였다. 지금은 한 방울의 물도 없고 또 전에 돌아서 언덕 위의 비석 앞으로 나온 흔적도 없다.

백두산 한 줄기가 서남쪽으로 가서 떨어져 연지봉이 되었는데, 겹겹이 막혀 있어 이른바 압록강은 보지 못하였다. 그런데 고개의 이름을 물이 나뉜다[分水]고 하는 것은 왜 그런가? 또 양국의 사신이 함께 경계를 강정할 때 한 나라의 사신은 비에 이름을 실었는데, 다른 한 나라의 사신은 그렇지 않으니 부끄러워서 그런 것인가 아니면 두려워서 그런 것인가. 여러 사람이 서로 돌아보며 당혹하여서 원상태에게 물어보니, 원상태가 말하기를,

"저의 형 상필(尙弼)이 혜산 토병 김애순(金愛順), 운총진의 백성 송태선(宋太先)과 함께 길잡이로 뽑혔는데, 상필은 병이 나서 돌아

오고, 태선과 애순이 따라가서 정계의 시말을 자세히 상필에게 전하였습니다. 상필이 또 저에게 전하였는데, 당시의 접반사 박권과 관찰사 이선부가 목극등과 만나 먼저 황제의 건강을 물으니 목극등이 크게 꾸짖기를 '너는 외국 사신이다. 어찌 감히 황제의 건강을 묻는가? 나를 따라 경계까지 좇아오지 말라'고 하니, 박권과 이선부가 크게 놀라서 검천, 허항령을 지나 무산으로 돌아와서 감히 나아가지를 못하였습니다. 목극등이 스스로 우리 나라 통역관과 길잡이와 함께 백두산에 이르러 산골짜기가 갈라진 곳의 빗물이 지나갔던 곳을 가리키며 갑자기 말하기를 '이 곳이 토문강의 근원이고 이 곳이 압록강의 근원이다'고 하였습니다. 태선과 애순이 다투어 말하기를, '토문의 상류는 토문강으로 흘러 들어가지 않고 압록의 상류이니 당연히 서쪽으로 가서 의주에 이릅니다. 지금 서쪽으로 가지 않고 남쪽으로 가니 둘 다 모두 틀렸습니다. 토문강 외에 두만강이 있는데, 옛날부터 우리 나라의 경계로 삼았습니다. 또 지금 말하는 압록강의 상류 바깥에 보은수(保恩水)가 있어서 백두산의 서쪽에서 나가서 서쪽으로 흘러 서대산(西臺山)을 지나니 이른바 압록강 상류라는 것이 합해져서 의주의 압록강으로 흘러 들어갑니다. 이것이 실로 압록강 상류입니다'라고 하니, 목극등이 꾸짖어 말하기를, '빨리 칼을 가져오라. 두 사람의 눈을 빼겠다'고 하므로, 두 사람이 두려워하여 감히 말을 하지 못하였다고 합니다. 이에 목극등이 그 언덕을 강제로 '분수령'이라 하고 밑에 비를 세우고 우리 나라의 두 사신의 이름은 넣지를 않았습니다"

라고 하였다. 조엄이 말하기를,

"내가 일찍이 어사로 무산에 이르렀는데, 선비 윤명삼(尹命三)이라는 자가 당시 향임(鄕任)의 아들로서 나이가 18세인데 그 아비를 따라 정계하는 곳에 갔는데, 그 서로 힐난하는 말은 원상태가 전하는 것과 같으나 자세한 것은 차이가 있다. 또 강막종(姜莫從)도 또한 무산인으로 나이가 80여 세인데 어려서부터 두루 북방의 산수를 돌아다녀서 익히 물의 원류를 알고 있다. 그의 말에 의하면 토문강은 백두산 동남쪽 30리 밖 천평(天坪) 두평처(頭平處)에서 나와 북쪽으로 흑룡강에 흘러 들어가는데 그것을 토문이라고 하고, 장항해탄(獐項害灘)을 지나 유원(柔遠)에 이르러 두만강과 합한다는 것은 잘못이다. 유원의 물은 회령성변(會寧城邊)의 긴장수(緊長水)에서 나온다고 한다. 대개 온성의 서남쪽 100리에 분계강(分界江)이 있어서 선춘령(先春嶺) 밑에 고려 시중 윤관의 정계비가 있는데, 강의 이름과 비로 추정하건대 이 곳이 우리 나라의 경계임이 의심의 여지가 없다. 하물며 분계강은 윤이후(尹伊厚)의 우가토강(件加土江)과 합류하여 두만강으로 들어가고 두만강은 또 백두산의 동쪽에서 솟아나오니, 그 원류를 찾아서 한 번만 보면 결정할 수 있다. 그런데 700여 리의 땅을 하루 아침에 두 손을 들고 잃어버렸으니, 아! 아깝다"
고 하였다. 이에 내가 가슴을 치며 탄식하였다.

"목극등은 오랑캐 사람으로 오히려 그 나라를 위하여 그 땅을 더했는데, 박권과 이선부는 홀로 마음에 부끄럽지 않단 말인가! 목극등이 그 나라에 아뢰는 글에 '백두산에 올라 지수(池水)를 보니 동으로는 토문이요 서로는 압록이다'라고 했으니, 이는 산 위의 못 물이 동서로 흘러가 두 강이 되었는데, 비를 세우면서 명확히 못 물을 말하지 않고 범연히 두 강이라고 칭하였다. 아마도 다른 사람이 이 곳에 와서 상고하여 무너뜨릴 수 있으니 그 말이 근거가 없음을 알겠다. 박권과 이선부로 하여금 따라서 산에 이르러 한 번 죽음을 무릅쓰고 다투었다면 목극등이 장차 어떻게 했겠는가? 두 사람은 오로지 자기 몸만 돌보고, 국토를 가볍게 보고 그 국토가 크게 줄어듦을 아깝게 여기지 않아, 백 년 사이에 땔나무를 하고 삼을 캐는 백성이 국경을 범하여 죽은 사람이 손으로 꼽을 수 없을 정도이다. 아! 일을 한 번 성실하게 하지 않으면 그 피해가 이렇게 되는 것이다. 남의 신하된 자가 경계하지 않을 수 있겠는가!"

일행 여러 사람들은 비의 우측을 돌아서 언덕 위에 가서 굽어 돌아 우러르며 약 10리를 올랐다. 그 위에 오르니 사방의 여러 산이 모두 자리 밑에 있어 눈이 하늘 끝까지 가서 한 번에 다 들어왔다. 다만 멀리 볼 수 없는 시력을 한탄할 뿐이다. 그러나 추측컨대 북쪽은 영고탑·오라·길림의 땅이다. 서쪽은 요양·심양의 땅이다. 서남은 혜산·인차·가파·폐사군의 땅이다. 동은 무산·회령·종성·온성의 땅이다. 동남쪽 한 줄기가 소백산·침봉·허항령을 지나서 보다산이 되고 마등령이 되고 덕은봉이 되며 완항령·설령·참두령·원봉·황토령(黃土嶺)·후치령·통파령(通坡嶺)·부전령(赴戰嶺)·죽령(竹嶺)·상하검산(上下黔山)이 되니 모두 한양(漢陽) 산의 정맥(正脈)이다. 봉우리들을 내려다보니 혹은 높고 혹은 낮으며 혹은 뾰족하고 혹은 둥근 것이 마치 파도가 치는 것과 같은데 구름이 넓고 푸르러 만리에 걸쳐 서로 이끌며 받드는 것 같다. 몸을 돌려 두 봉우리의 사이에 서니 봉우리 밑에 5, 600장(丈) 정도 거리에 텅 비고 평평한 곳에 큰 못이 있다. 둘레가 40리인데 물이 매우 푸르러서 하늘빛과 위아래가 한색이다. 못의 동남 언덕에 정황석산(正黃石山) 세 봉우리가 있는데 높이는 같고 그 바깥 봉우리 셋이 있어 사람의 혀가 입 속에 있는 것 같다. 뒤의 사면은 열두 봉우리가 둘러 있는데 못을 성처럼 둘러쌌다. 선인(仙人)이 쟁반을 이고 있는 것, 큰 붕새가 부리를 들고 있는 것, 기둥으로 떠받드는 것, 솟아서 빼어난 놈 같은 것들인데 안쪽은 모두 깎아지른 절벽에 붉고 누런 분을 발라 찬란하게 빛나서 잘 짜진 포목으로 둘러친 것 같았다. 바깥쪽은 비스듬히 창백하여 혼연히 하나의 큰 수포석이 응결하여 있다.

발걸음을 여러 봉우리로 옮기니, 큰 못이 혹은 둥글게 혹은 네모 지게 각각 그 보이는 모양이 다르다. 사방이 조금 평평한 봉우리에 앉으니 봉우리에 오석(烏石)이 많았는데, 작은 것은 주먹만하고 큰 것은 말[斗]만 하였다. 뒷면에 검푸른 모래 같은 점이 박혀 있어, 갑 산인들이 이를 갈아서 갓끈 장식으로 만들어 사용한다.

아래로 큰 못을 내려다보니 삼면이 산으로 둘러싸여 있고 한쪽만 열려 있는데 그쪽으로 물이 넘쳐 흘러 흑룡강이 되고 곧바로 영고 탑에 이르러 바다로 들어간다. 그러므로 압록강과 토문강이 큰 못 으로부터 발원한다는 것은 잘못된 말이다.

사슴들이 무리를 지어 있는데, 물을 마시거나 걸어다니거나 누워 있거나 느릿느릿 달리기도 한다. 검은 곰 두세 마리가 벽을 따라 오 르내리고, 신기한 새 한 쌍이 물에 점을 찍듯 오락가락 날아다니니, 마치 그림 가운데 장관을 보는 것 같았다.

이 때에 일행은 약 백여 명이었는데 봉우리에 둘러서서 경치를 바라보고 있자니 비록 산수의 정취를 깨닫지 못하는 사람이라도 잠 깐 사이에 다리가 앞으로 나가며 몸이 기울어지고 하였다. 나와 조 엄은 밑으로 떨어질까 걱정되어 이를 금지시켰으나 어쩔 수 없었다.

조현규를 시켜 붓과 벼루를 가지고 그 경치를 그리게 하고 지남 침을 이용하여 그 봉우리들의 위치를 알아냈다.

대개 반나절을 자유롭게 유람했으나 아무도 돌아갈 줄을 몰랐다. 갑산 사람 중 여러번 산행길에 동행한 자들이 모두 말하기를

"옛부터 이 산에 들어오는 자는 여러 날 목욕재계하고 수행원들 을 부리는 것도 금지하였습니다. 그럼에도 운무가 갑자기 일어나고 바람과 우레가 번갈아 일어나서, 기쁘게 모든 것을 볼 수 없는데 이 번 행차처럼 마음대로 방랑하며 구경을 흔쾌히 한 일은 아직 없었 습니다"

고 하였다.

내가 조엄에게 말하기를

"우리들이 이 때에 이 곳에 오게 된 것은 기이한 일이오. 이 곳에 이르러 병든 몸으로 노숙을 꺼리지 않고 작심하여 이 행차를 하게 된 것도 또한 기이한 일일세. 이 행차중에 춥지도 덥지도 아니하고 적당한 기후로 풍우가 일어나지 않아 백두산 원근을 다 볼 수 있었던 것이 신통한 일이네. 대개 자연이 그렇게 되는 것은 하늘의 뜻일세. 하늘이 아마도 산과 못에 이름이 없는 것을 우리들로 하여금 이름을 짓게 하려는 것이 아니겠는가?"

조엄이 대답하기를,

"이름이 없는 것이 이름을 가지게 되면 진실로 좋은 일이오. 다만 우리들이 작명하는 것이 지나치지 않겠는가?"

내가 말하기를

"그렇지 않다네. 무릇 산을 연지, 소백, 침봉이라고 한 것은 모두 토착인들이 이름을 붙여 후대에 전해져서 지금까지 고쳐지지 않은 것일세. 이제 백두산은 우리 나라에 속하지도 아니하고 저들의 나라에 속하지도 아니하니, 우리와 같은 세상의 호사가들이 여기에 발길이 미치는 것은 천백 년이 지나도록 한두 명일 뿐이오. 만약 우리들이 지금 이 산들의 이름을 짓지 아니하면 이 산들의 이름이 끝내 없을 터일세. 하물며 지금 백두산 아래에 사는 토착인들이 사사로이 지은 이름이 후세에 전해져서 결국 이 산들의 이름으로 정해지게 되면 이 산들에게 불행이 아니겠는가?"

하니, 조엄이 좋다고 하였다. 이리하여 산과 못의 이름을 궁리하여 정하였다.

연못의 이름은 태일택(太一澤)이라고 하였다. 이것은 연못의 중심이 동북 산수의 한 가운데에 있어서 동북의 산천이 모두 이 연못에

서 근본되기 때문이다. 그러므로 태극(太極)의 태자와 천일(天一)의
일자를 따다가 그 연못의 이름을 정한 것이다. 연못가의 솟아 있는
봉우리를 황중봉이라고 하였다. 이 봉우리는 12봉우리의 가운데에
있으므로 그 색이 황색이다. 그러므로 주역의 곤(坤)괘 중 둘째 효
(爻)의 설명인 "황색 가운데서 이치를 통한다(黃中通理)"는 말을 따
서 그 봉우리 이름을 정하였다. 그 봉우리의 인(寅 : 북동) 방향에 있
는 것은 옛적부터 대각봉(大角峯)이라고 하였는데, 하늘에는 대각이
라는 별이 있는데 섭제성과 천정성의 가운데 위치하여 청룡좌의 머
리를 직향해 있다. 청룡의 머리는 인 방향이므로 대각이라고 칭하
는데 아마도 여기에서 뜻을 취한 듯하여 그 이름을 그대로 따른다.
묘(卯 : 정동) 방향에 있는 봉우리는 청양봉(靑陽峰)이라고 하였다. 오
행(五行) 중 목덕(木德)은 동쪽에 있으면 그 색이 푸르고 그 기운이
밝다. 명당성(明堂星) 동쪽의 태묘성(太廟星)이 청양이 되므로 청양
봉이라고 하였다. 진(辰 : 동남동) 방향에 있는 봉우리는 포덕봉(布德
峯)이라고 하였다. 목덕이 진 방향에 있으면 임금님이 덕을 베풀고
은혜를 행하며 명사를 초빙하고 어진이를 예로써 대하는 것인데,
'은혜를 행한다'는 등등은 모두 덕을 베푸는 데서 근본하므로 이름
을 포덕봉이라 하였다. 사(巳 : 동남) 방향에 있는 봉우리는 예악봉
(禮樂峰)이라 하였다. 사(巳)의 화기(火氣)가 일어나면 곧 임금이 악
사에게 명하여 예악을 조화시킨다. 우리 나라가 사봉(巳峰) 아래 있
으며 예악 문물로써 정치를 빛내고 있으니 예악봉이라고 이름을 지
었다. 오(午 : 정남) 방향의 봉우리는 주명봉(朱明峰)이라고 하였다.
오(午)의 화기는 붉고 그 하는 일은 문명이기 때문이다. 미(未 : 남서
남) 방향에 있는 봉우리는 황종봉(黃鐘峰)이라고 하였다. 황종은 오
행의 토(土)에 속하고 흙의 기운은 3월, 6월, 9월, 12월에 왕성하게
되는데 6월에는 더욱 성하기 때문이다. 신(申 : 서남서) 방향의 봉우

리는 실침봉(實沈峰)인데 하늘의 12차(次)가 실침이며 신 방향에 해
당하기 때문이다. 봉우리 중 유(酉 : 정서) 방향에 있는 것은 총장봉
(總章峯)이라고 하였다. 명당(明堂) 자리의 여덟 별 중에 총장은 서쪽
의 한 가운데 있는데 12진법(辰法)으로 치면 유(酉)에 해당한다. 술
(戌 : 서북서) 방향에 있는 봉우리는 신창봉(神倉峯)이라고 하거나 지
경봉(祇敬峯)이라고 하였다. 금덕(金德)이 술 방향에 있으면 임금이
그 백성의 호적을 거두어 신창(神倉)에 보관하며, 반드시 공경하고
조심하게 된다. 그래서 신창봉이라고도 하고 혹은 지경봉이라고도
하였다. 봉우리가 해(亥 : 북북서) 방향에 있는 것은 일성봉(日星峯)이
라고 명명하였다. 백두산은 해 방향을 등지고 사 방향으로 향하고
앉아서 우리 나라 팔도의 여러 산들을 거느리고 있다. 12봉 가운데
해 방향에 있는 것은 해의 해(亥) 방향에 해당한다. 마치 해월(음력
10월)에 태양이 차성(次星)을 돌아 천장(天將 : 견우성)으로 돌아가야
비로소 동지가 오는 것과 같다. 봉우리가 자(子 : 정북) 방향에 있는
것을 현명봉(玄冥峯)이라고 하였다. 북방의 신을 현명이라고 하는데
산의 북쪽은 바로 궁색하고 아득한 곳이어서 현현명명(玄玄冥冥)하
기 때문이다. 봉우리가 축(丑 : 북북동) 방향에 있는 것은 오갈봉(烏
碣峯)이라고 하였는데, 오갈이라는 것도 예전부터 부르던 이름이다.
중국의 동북 지방에는 갈석(碣石)이 있기 때문에 서경에 "오른쪽으
로 갈석을 끼고 바다로 들어간다"고 하였다. 백두산은 우리 동방의
동북쪽이고 오갈봉은 또 백두산의 동북쪽에 해당하기 때문에 옛 이
름을 그대로 쓰고 고치지 않았다.

대저 허항령 이북에서부터 백두산에 이르기까지는 사람의 자취
가 없고 경작이 이루어지지 않는다. 그러나 우리 나라의 산천은 높
고 낮은 것이나, 평평하고 비탈진 것이나, 모두 백두산에서 발원하
지 않은 것이 없다. 이것은 마치 하늘에 있는 북극성이 한결같이 움

직이지 않지만 모든 움직이는 별들의 몸체가 되는 것과 같다. 그러
나 땅의 12봉에 반드시 4계절의 방위를 활용한 것은 무슨 까닭인가.
『중용』에 "아득하고 끝이 없지만 만 가지 형체가 울창하게 갖추어
있다"고 하지 않았던가. 오직 그 사용하지 않는 중에도 사용하는 바
탕이 있으니, 무궁하게 활용하더라도 고갈되지 않는다.

　12봉 외에 또 하나의 산맥이 동남쪽으로 떨어져 나간 것이 소백
산이 된다. 소백산에서부터 백두산까지는 작은 봉우리 둘이 있는데,
위쪽은 보라색이고 아래 쪽은 흰색이다. 흰 봉우리는 둥글고 보라
색 봉우리는 뾰죽하여 마치 두 산에 각도(閣道 : 아방궁에서 남산으로
통하는 대로)를 놓은 것 같다. 갑산 사람들이 억지로 이름을 붙여 연
지봉이라고 하였으나, 연지는 그 뜻이 탐탁지 않으니 지금 고쳐서
자각봉(紫閣峯)이라고 하였다.

　날이 정오가 되자 우리들은 여러 사람들과 더불어 모두 내려왔다.
몇 사람이 아직도 뒤처져 있다가 검은 안개가 천지의 중심에서 일
어나 뭉개뭉개 위로 솟아 오르니 두려워서 내려왔다. 모두 자각봉
앞 야영하던 곳에 모여서 조금 쉬었다. 곧 40리를 가서 천수에 도착
하여 잤다. 산은 공허하고 밤은 서늘하니 월색은 물빛과 같았다. 피
리를 불고 해금을 타게 하였다. 해금을 3, 4곡 연주하자 노래하는
사람들이 화답하니 온전히 속세를 떠난 듯하였다. 천수는 우리가
갈 때 점심을 해 먹은 곳인데, 그 때는 북극성의 고도를 측정할 수
없었으나 이날 밤에 측정하니 땅에서의 고도가 42도가 조금 더 되
었다.

15일 천수를 출발하여 자포에 이르다

　처음에 나와 조엄은 삼지를 지나면서 그 경치가 맑고 운치가 있
어 매우 기뻐하였다. 다만 백두산을 아직 보지 못하여 그 곳에 마냥

머무르면서 마음껏 구경할 수 없었다. 이 날 여러 사람과 더불어 삼지도(三池島)를 같이 유람하기로 약속하였다. 앞에서 해금과 피리를 불게 하고 천천히 나아가 중지(中池)에 이르렀다. 왼쪽 언덕에서 그 주위를 돌아 오른쪽에 이르러 모래 사장에 앉았다. 물을 건너 섬으로 들어가고 싶어도 종자들이 물의 깊이를 알지 못하여 두려워 감히 건너지 못하고 있자, 조엄이 화를 내며 말하기를,

"어찌 이 곳에까지 이르러 이 섬을 보지 못하겠는가?"

하였다. 중연이 그 관노를 큰 소리로 불러 "빨리 가서 물의 깊이를 알아 오라"고 하였다.

"만약 물에 빠지기라도 하면 장차 어떻게 하려고 그러는가?"

하고 내가 만류하였으나, 중연이 듣지 않고 빨리 들어가라고 재촉하여 물 속에 들어가게 하였다. 언덕의 동쪽에서부터 섬의 서쪽에 이르기까지 물은 겨우 무릎을 스칠 정도였다. 나는 크게 기뻐하고 즉시 견여에 올라탔다. 조엄이 그 뒤를 따르고 중연이 또 그 뒤를 따랐으며, 사진 등 여러 사람이 또 그 뒤를 따라왔다.

섬에 이르자 수목이 대오리로 엮은 자리처럼 빽빽이 들어차 있어서 겨우 사람이 몸을 돌려야 지나갈 정도인데, 갈대가 밑에 엉겨 있어서 지나갈 수가 없었다. 이에 종자들로 하여금 앞서서 풀을 헤치게 하고 철쭉나무를 잘라 지팡이를 만들고, 옷을 걷어올리고 발길 닿는 대로 그 주위를 둘러보았다. 못의 둘레는 거의 10여 리 정도이고, 섬의 둘레는 거의 수백 보 정도 되었다. 서북쪽을 돌아보니 백두산, 소백산, 침봉이 차례로 보이는데, 흰 매와 푸른 매가 서로 좇아 좌우로 날아드는 것 같았다. 동남쪽을 바라보니, 천평, 허항령이 앞에서 둥그렇게 에워싸고 있는데 삼나무가 뾰족뾰족 솟아 있는 것이 상 위에 죽순 껍질을 벌여 놓은 것 같았다. 봉래산, 영주산과 비교하여 이 경치가 어떠한지 잘 모르겠다.

조엄은 못가에서 갓을 씻고 나는 그 옆에 앉아 물장난을 하였다. 해금과 피리 소리가 숲 속에서 은은하게 서로 화답하니 그 소리와 산수의 정취가 같이 어우러졌다. 원상태가 앞에서 말하기를,

"예로부터 이 곳을 지나는 자는 이 섬에 신령이 있다고 여기고 두려워하여 감히 발걸음을 들이지 못하였습니다. 참으로 두 공께서 이 곳까지 들어올 줄은 생각도 하지 못하였습니다"

하였다. 내가 말하기를,

"섬과 못에 정해진 이름이 있는가?"

하니, 원상태가 없다고 하였다. 이에 우리들이 상의하여 그 이름을 정하였다. 삼지 중에 가운데 것을 상원(上元), 오른쪽 것을 중원(中元), 왼쪽 것을 하원(下元)이라 하고, 섬은 지추(地樞)라고 하였다. 대개 침봉에서부터 백두산에 이르는 60여 리가 동북 산하의 중심이 되는데, 마치 북극성의 6도가 하늘의 중심이 되는 것과 같기 때문에 지추도라 이름한 것이다. 내가 붓을 찾아 삼나무 껍질에다 큰 글씨로 "지추도이다. 서명응과 조엄이 이 곳을 지나다"라고 이름을 새겨 넣었다. 사진과 무숙이 기뻐하면서 말하기를,

"어찌 이 이름을 후세에 전하지 않을 수 있겠는가?"

하고는 곧바로 칼을 꺼내 새기는데 나무가 단단하여 깊이 파서 돌에 새긴 것처럼 오래 가도록 하였다. 내가 탄식하며 말하기를,

"우리가 떠나간 후에 다시 어떤 사람들이 이 섬에 이르러 새겨 놓은 것을 보겠는가?"

하자, 조엄이 말하기를,

"나무가 돌로 변하는 수도 있지 않겠는가?"

하였다. 드디어 반나절 동안 시를 읊조리며 즐기다가 해가 설핏 기울기에 자포참 막사로 돌아왔다. 20리쯤 가서 돌아보니 서북쪽에서 우레 소리가 은은하게 들리더니 빗발이 온 산에 가득 찼다가 한두

시간 후에 그쳤다. 이 곳은 대개 백두산과 소백산의 중간이다.

이 날 밤 달빛이 온 산에 가득하고 흐르는 물소리가 맑게 삼나무 사이로 들려 오는데, 귀에는 마치 패옥이 굴러가는 소리처럼 들렸다. 조엄이 갑자기 자리에서 일어나 앉으며 말하기를,

"오늘은 유두일(流頭日)이 아닌가? 소동파4)가 황강(黃岡)에 유배되어 갔을 때에도 오히려 헛되이 보내지 않고자 그의 생일인 7월 16일에 배를 적벽(赤壁) 아래에 띄우고 유람하였네. 우리들 또한 어찌 동행인들로 하여금 이 날을 헛되이 보내게 해서야 되겠는가?" 하였다. 그리하여 종자를 시켜 막사 앞에 솥을 걸어 놓고 나무를 베어다가 콩을 볶아 일행에게 나누어 먹게 하였다. 피리 소리와 해금 가락에 노래를 불러 화답하며 즐기다가 밤이 깊어서야 잠자리에 들었다. 꿈 속에서도 정신이 맑았다.

16일 자포를 출발하여 운총에 이르다

자포에서 자고 아침 일찍 출발하여 서수라덕령에 이르렀다. 순찰사가 기발을 보내어 나와 조엄이 유배에서 풀렸다는 관문을 보냈는데, 그 공문과 집에서 보낸 편지가 같이 이르렀다. 두 사람이 말에서 내려 수풀 사이에 앉아 먼저 공문을 보니 임금님의 기체가 편안하며 건강이 평상시와 같으며 6월 8일에 진전(眞殿)과 원묘(原廟)를 배알하였다고 하였다. 두 사람은 서로 돌아보면서 기뻐하였다. 다음으로 관문을 보니 임금님의 말씀이 간절하고 선조에 대해서까지 언급하고는 특명으로 두 사람의 유배를 풀어 준다고 하였다. 두 사람은 또 서로를 돌아보며 눈물을 머금고 임금님의 은혜에 감격해 하

---

4) 소식(蘇軾) : 자는 자첨(子瞻), 호는 동파(東坡). 아버지 소순(蘇洵), 동생 소철(蘇轍)과 함께 당송팔대가(唐宋八大家)의 한 사람. 신종(神宗) 때 왕안석과 뜻이 맞지 않아 황주(黃州)로 좌천되어 동파라는 호를 지었음. 철종(哲宗) 때 소환되어 한림학사 · 병부상서 등을 지냄.

면서 집에 돌아갈 기약이 있게 되었음을 은근히 기뻐하였다. 그 다
음으로 집에서 보내온 편지를 읽은 연후에 길을 출발하여 검천에
이르러서 점심을 먹었다.

또 5리를 가니 혜산 첨사 유언신, 운총 만호 윤득위가 길에 나와
서 맞이하였다. 길 옆 풀섶에 앉아 천천히 몇 마디 말을 주고받고는
또 출발하여 운총에 도착하여 잤다. 다음 날 나와 갑산 부사는 갑산
으로 돌아가고 조엄과 삼수 부사는 삼수로 돌아갔다. 6월 22일에 서
울로 출발하기로 약속하였다. 대개 유배지에 도착하여 서울로 돌아
갈 때까지 모두 19일이었는데, 백두산에 갔다 온 것이 8일이었다.
사람들이 모두 말하기를 "서명응과 조엄이 죄를 지어 이 곳으로 유
배된 것은 하늘이 두 사람으로 하여금 백두산을 보게 하고자 함이
었다"고 하였다.

이중하의 백두산일기

『백두산일기(白頭山日記)』는 1885년 8월 토문감계사로 임명된 이중하(李重夏 : 1846~1917)가 중국측 감계관 진영(秦煐), 덕옥(德玉), 가원계(賈元桂)와 함께 백두산 정계비와 토문강 발원처를 조사한 기록으로서 그 사료적 가치가 크다.

이중하는 조선 말기 문신으로 자는 후경(厚卿), 호는 규당(圭堂)이며 현감 인식(寅植)의 아들이다. 좌랑으로서 1882년 증광 문과에 병과로 급제하여 홍문관 교리가 되었다. 1885년 공조참의, 안변부사가 되었다가 토문감계사로 국경 문제를 놓고 담판하였으나 청과의 견해차와 그들의 강압적 태도로 회담은 실패하였다.

이중하가 토문감계사로 임명된 배경은 다음과 같다. 1870년대에 들어와 청나라는 뒤늦게 간도 지역에 대한 지정학적 중요성을 깨닫고 오래 전에 이 지역에 들어와 농토를 개간하고 인삼을 채취하며 살아가던 조선인들에 대한 통제를 강화하였다. 특히 1882년 임오군란 이후 우리 내정에 깊이 간섭하게 된 청은 간도 거주 조선인들에게 호적을 작성하고 조세를 징수하는 등 자국민에 적용하는 권리를 행사하겠다고 조선에 통보한 데 이어 1883년에는 토문강 일대 정착 조선인들을 조선 경계 안으로 강제로 내쫓겠다고 종성, 회령 양 읍에 통보하고 있다. 이른바 이 지역에 대한 실질적인 영토권을 행사하겠다는 의미였다.

이러한 청나라 조처에 대해 간도 거주 조선인들은 청이 국경선의 경계로 정한 토문강을 두만강으로 오인하고 있다고 항의하는 한편 직접 정계비와 토문강 원을 답사하여 그 실상을 경원부사에게 호소하고 있다. 동시에 조선정부는 어윤

중(魚允中)을 서북경략사(西北經略使)로 임명하여 이 지역에 파견, 백두산을 탐험케 하였고 그 결과 이 지역 주민들의 호소가 사실임을 확인하고 정식으로 백두산 정계비와 토문강 발원처를 조사할 것을 청에 제의하였다. 결국 간도 영유권 분쟁은 1712년 청과 조선 간에 백두산 일대를 조사하고 그 경계를 비석에 새긴 백두산 정계비의 문구, 이른바 동위토문(東爲土門)이 과연 청나라 주장대로 두만강을 의미하는가 아니면 우리측 주장대로 송화강 상류의 토문강을 의미하는가로 모아졌고 이에 백두산 정계비와 토문강 발원처 조사를 제의하였다.

본 일기는 우리측 감계관과 중국측 감계관이 함께 백두산 정계비를 답사하고 그 발원처를 확인하는 과정이 자세하게 기록되어 있다. 이 기록을 통해서 간도 영유권 분쟁과 관련하여 몇 가지 사실을 알 수 있다.

첫째, 백두산 답사에 대한 양측의 입장 차이다. 청나라가 백두산 답사 자체에 회의적이고 소극적인 데 비하여 우리측은 간도 지역의 영유권을 확인하기 위하여 적극적으로 백두산 답사를 주장하고 있다. 결국 양측의 입장 차이로 긴 논쟁이 벌어졌고 분감은 ① 홍단수원(紅丹水源) ② 서두수원(西頭水源) ③ 백두산 정계비와 토문강수원 등 세 길로 나누어 이루어지게 되었다. 본 일기는 세 경로 중 가장 중요한 백두산 정계비 답사와 토문강 발원에 대한 기록이다.

둘째, 첫째 사항과 관련되는 것으로 이러한 입장 차이가 실제 답사과정에서도 나타나고 있다. 이를테면 일례로 청은 한밤중에 출발하자는 주장을 하고 있는데 당시는 한겨울로 낮에도 답사하기가 어려운 것을 감안한다면 무리한 요구였다. 그러나 이러한 무리한 요구를 우리측 감계관이 적극 수용하여 죽음을 무릅쓴 답사를 하고 있는데 이를 통하여 우리측 관원들의 우리 영토를 지키려는 강한 열정을 읽을 수 있다.

셋째, 간도 영유권 분쟁의 불씨였던 토문강의 발원처가 두만강이 아닌 송화강 상류의 토문강임을 확인한 것이다. 이는 특히 중요한 성과로서 이후 이 지역에 대한 영유권을 적극적으로 주장할 수 있도록 하는 근거가 되었다.

백두산일기

백두산의 지명 유래

백두산은 저 먼 곳으로부터 구불구불 몇 천 리를 동북을 향하여 달려와 중국의 동삼성(東三省)에서 우뚝 솟았는데 우리 나라 함경도와 평안도 사이의 천 리에 반거하고 있어 아름답고 광대하다. 동남 쪽으로는 우리 나라 여러 산의 으뜸 산이 되며 북쪽으로는 영고(寧古), 오라(烏喇) 등지가 모두 그 지맥이 뻗어나간 곳이다. 옛 이름은 불함산(不咸山)인데, 우리 나라 사람들은 백두산이라 부른다. 중국 사람들은 혹 장백산(長白山)이라 칭하는데, 이는 대개 산이 높고 크고 추운데다 쌓인 눈이 녹지 않아 사계절 늘 하얗기 때문에 산 이름이 여기에서 나온 것이었다.

을유년(1885, 고종 22) 8월

내가 토문감계사(土門勘界使)의 명을 받들었다.

9월

회령에 이르렀다. 중국 감계관(中國勘界官) 진영(秦煐)·덕옥(德玉)·가원계(賈元桂)와 함께 회령에서 출발하였다.

10월 6일

무산(茂山)에 도착하여 백두산으로 방향을 바꾸었다. 이 때 날씨가 차고 눈이 쌓여 산에 오르기가 매우 어려웠다. 이에 수행원을 줄이고 식량을 간략히 하였다. 수행원으로 단지 안무 중군(按撫中軍) 최두형(崔斗衡)과 전 오위장(前五衛將) 최오길(崔五吉), 전 첨지(前僉知) 이후섭(李后燮), 출신(出身) 오원정(吳元貞), 영리(營吏) 전보권(全普權), 가동(家僮) 흥업(興業), 근예(跟隷) 춘길(春吉) · 응범(應範) · 이돌(利乭) 몇 명만 데리고 함께 출발하였다. 모두 가죽 신발과 털 속옷으로 바꾸어 입고 단단히 졸라매었다. 출발할 때 서로 돌아보니 사냥꾼으로 분장한 것 같았다.

10월 10일

삼천(三川)에 도착하여 잤다. 40리를 갔다.

10월 12일

30리를 가 삼하강구(三下江口)에 도착하여 말에 꼴을 먹였다. 중국 관원이 갑자기 다른 의견을 내어 서두수(西頭水)로 향하여 가고자 했다. 이는 대개 우리 나라 정계비의 경계라고 의심했기 때문이었다. 내가 굳게 고집하여 허락하지 않고 단지 산에 올라갈 것을 주장했으나 그들은 또 따르지 않았다. 3일간 논쟁하였고 이에 각기 인원을 내어 세 길로 나누어 감계(勘界)할 것을 정하였다. 우리 나라 종사관 조창식(趙昌植), 전 첨지 이후섭, 화원(畵員) 김우식(金禹軾)은 중국 관원 덕옥과 함께 홍단수(紅丹水)를 향하여 갔고, 우리 나라 수행원인 출신 오원정은 중국 화원 염영(廉榮)과 동행하여 서두수를 향해 갔으며, 나는 수행원 최두형, 최오길과 중국 관원 진영, 가원계와 함께 백산(白山)으로 향해 갔다. 세 길로 각기 나누어 출발하였는데 서로 전송하면서 떨어져 가는 것을 아쉬워하였다.

10월 15일

30리를 가 홍단사(紅丹祠)에 이르러 제물을 진설하여 사신(祠神)에게 제사하였다. 그 축문은 다음과 같다.

"엎드려 바라건대 우뚝하고 밝은 산신령은 우리 나라 여러 산의 으뜸입니다. 여러 강물의 근원이 되고 왕업의 자취의 기초를 열었으니 주나라 기산(岐山)이나 한나라 풍(豊) 땅과 같습니다. 비석이 봉우리에 있으니 변경의 끝입니다. 이에 왕명을 받들어 산에 올라 짊어지고 부여잡고 눈 속을 뚫고 바람을 무릅쓰니 저 사람들 마음의 부담이 큽니다. 산신령께서는 우리 어리석은 사람을 불쌍히 여겨 말없이 도움을 내리시어 길이 처음과 끝을 편안하게 하소서."

물을 떠서 띠를 벤 곳에 뿌리고 조그마한 정을 고하였다. 사당의 편액은 천왕당(天王堂)이라 하였는데 어느 때에 세웠는지 알 수 없었다. 대개 산신령을 섬기는 곳으로 사람들이 기도하는 곳이었다. 사당의 뒤쪽에는 또 세 개의 작은 사당이 있었는데, 백산당(白山堂)과 흑산당(黑山堂), 대원당(大願堂)이었다. 흑산이라는 이름은 무슨 뜻인지 모르겠는데 혹 음신(陰神)을 구하는 것인가 보다. 기도를 끝내고 출발하여 20리를 가서 장파(長坡)에 이르렀다. 여기가 바로 산기슭 초입이었다. 다시 산에 들어갈 행장을 꾸렸다. 하루를 머물렀다.

10월 16일

비로소 산 입구에 들어섰다. 마을 어른들이 모두 전송하여 수서(水西)에 이르렀다. 읍리 안창준(安昌俊)이 식량과 마초(馬草)를 혹 짊어지고 혹 말에 싣고 민정(民丁) 수십 명을 징발하여 먼저 출발했다. 우리와 그들이 한 길에 이어졌는데, 출발 초기에는 비록 간솔하였는데도 인마(人馬)가 오히려 70여나 되었다. 산 입구에서부터 물을 따라 갔는데, 길이 모두 평탄하고 아주 높거나 험한 곳이 없었다.

간간 수전(水田)을 새로 경작한 지역들이 있었다.

나무는 모두 삼나무와 자작나무였는데 자생하기도 하고 저절로 말라 죽기도 하였다. 가장 많은 것은 백선차(白鮮茶)였는데, 본초(本草) 가운데 이것이 어느 나무인지 알지 못하겠다. 차맛은 매우 좋았는데 세상 사람들이 알지 못하니, 이는 풀과 나무도 세상 사람들과 잘 만나지 못하였기 때문이다.

40리를 가서 직동(直洞)에 이르렀다. 머물러 쉬는 막사가 있었는데 사냥꾼들이 자는 곳이었다. 그 집의 구조는 양 기둥에 서까래를 걸고 지붕이 없어서 바로 바깥으로 통하여 앉아서도 하늘을 볼 수 있고 비와 이슬이 흘러 내렸다. 대개 사냥꾼이 와서 자는데 불을 때서 추위를 막는다. 이와 같이 하지 않으면 연기와 불꽃이 통하지 않기 때문이다.

막사는 몇 곳이 있지만 온돌은 하나만 있는데 서너 명을 수용할 수 있었다. 나와 진영·가원계가 함께 묵고, 나머지 사람들은 모두 노숙하면서 불을 때고 혹은 앉고 혹은 졸았다. 마부와 역에 동원된 장정들은 바깥에서 나무를 잘라 불을 때면서 날이 밝기를 기다렸다. 듣자니 이 사람들은 길을 내는 역으로 전에 입산하여 이처럼 지낸 지가 한 달 남짓이나 되었다 한다. 그 배고프고 추운 고생이 사람으로 하여금 측은하게 하였는데 이들은 오히려 피곤한 기색이 없었다. 산골짜기 백성의 순박함과 윗사람을 섬겨 일에 종사하는 마음이 참으로 감탄스럽기만 하였다. 이 날 밤 그들과 함께 거처하니 앉으나 누우나 불편하였다.

10월 17일

불편을 참고 날이 밝자 밥을 재촉하여 먹고 바로 출발하였다. 새벽달이 희미하게 비추이고 잔설이 내리고 있었다.

20리를 갔는데 눈은 더욱 세차게 내렸다. 장산령(長山嶺)을 넘는데 길은 좁고 눈이 덮여서 길이 미끄러우니 일이 걱정스러웠다. 또 20여 리를 가 가척봉(加隲峯)의 엽막(獵幕)에 도착하였다. 말에게 먹이를 주고 즉시 출발하여 개울을 따라 갔다. 개울의 이름은 월로수(越路水)였다. 10여 리를 가니 못이 있었는데 두만강 발원처라고 한다.

또 30리를 가서 절파총수(折把摠水)의 엽막에 도착하니 날이 저물어서 잤다. 이 막사는 지어진 것이 매우 열악하였고 또한 온돌도 없었다. 종일토록 눈과 싸워 온 나머지 인마가 모두 얼었는데도 노천에서 새벽을 기다렸다. 어렵게 하룻밤을 지냈다.

10월 18, 19일

아침 일찍 출발하여 30리를 가니 이것이 바로 새로 개척한 길이었다. 삼나무와 자작나무가 빽빽이 들어서서 마치 바늘이 찔러대는 것처럼 사람 얼굴을 난타하였다. 나뭇가지를 구부리고 꺾으면서 앞으로 나아갔다. 나무들이 기울어지고 높기도 하고 낮기도 하여 근근이 발을 디디면서 나아가 삼포(杉浦)에 도착하였다.

이 곳이 바로 둔덕이 끝나는 곳이고 도랑이 처음 넓어지는 곳이었다. 진영과 가원계에게 형편을 알려주고 다시 왼쪽 산록의 협곡을 따라 올라갔다. 여기에서부터는 한 걸음 옮길 때마다 높이 올라가 산길이 점점 가파르고 쌓인 눈은 더욱 깊었다. 삼포 위로는 개울가에 흙무더기를 쌓아 놓았기 때문에 이를 증표로 삼아 길을 가게 한 것이다. 30리를 가 이석포(裡石浦)의 엽막에 도착하여 잤다. 이날 밤 중국 관원 두 사람이 상의하여 우리에게 요청하기를, 삼경에 밥을 지어 먹고 민정(民丁)으로 하여금 먼저 식량과 마초를 싣고 길을 열어 먼저 출발하게 하면 저들과 우리 일행이 뒤따라 출발하여

곧바로 백두산에 이를 것이라고 말하였다. 내가 말하기를,

"지금 쌓인 눈이 정강이까지 차고 여기서 백두산까지 거리가 60리나 된다. 깊은 밤에 가는 것은 인명에 관계되니 매우 불가하다"고 하니, 그가 크게 화를 냈다. 대개 그 뜻은 처음부터 감계에는 뜻이 없고 나에게 행할 수 없는 일을 요구하여 우리가 가는 계획을 정지시키려는 데 있었다.

내가 최두형과 상의하여 드디어 한밤중에 밥을 짓고 말에게 꼴을 먹이고 일제히 산에 올랐다. 때는 차가운 눈이 흩날리고 달빛이 비쳤다 가렸다 하였는데 눈을 뚫고 길을 열었다. 대각봉(大角峯) 북쪽 낭떠러지를 따라 올라가는데, 그 옆은 천 길이나 되어 깊이를 알 수 없는 계곡이 있었다. 한 번이라도 혹 실족하면 생사를 알 수 없었다. 앞서 가며 짐을 짊어진 역부가 이렇듯 매우 추운 혹한에 배는 고프고 얇은 옷을 입었으니 추위에 얼어 쓰러질까 매우 염려되었다. 그런데도 오히려 힘을 다해 앞으로 나아가 나무를 베고 산을 뚫고 눈을 뚫어 길을 내는데, 마치 싸움터에 나가 적을 대하는 기세와 같이 어려운 기색이 조금도 없으니 그 정성이 더욱 감탄할 만하였다.

내가 몇 리를 걸어 가다가 눈이 깊어 발을 옮길 수가 없었다. 드디어 오위장 최오길의 말에 올라타 눈을 뚫고 절벽을 따라 나아갔다. 말이 혹 넘어지고 혹 엎어지니 그 고생이 갖가지였다. 오직 춘길과 이돌이 나를 뒤따르며 떨어지지 않았다. 내가 말 위에서 시를 지었는데 다음과 같다.

> 남아의 벼슬길 모두가 어려우나
> 이 먼 곳 유람할 줄 어찌 생각했을소냐
> 적막한 산 삼백 리에 눈만 첩첩 쌓였는데
> 오경(五更)에 말을 몰아 산봉우리 오르노라

　수십 리를 가니 길이 더욱 험하고 눈은 더욱 깊이 쌓였다. 앞서
간 최두형와 수행원 여러 사람이 모두 말에서 내려 눈 속에 섰다.
나 또한 말에서 내려서서 민정으로 하여금 먼저 가서 길을 내라고
하였다. 조금 후 출발하려 하는데 저 중국 관원들의 코고는 소리가
마치 우레와 같아 조금도 움직일 뜻이 없었다. 우리 일행이 일제히
출발하는 것을 보고 비로소 밥을 지었다. 천천히 좇아오는 것이 마
지못해 하는 모습이어서 또한 가소로웠다.

　또 수십 리를 위로 올라가니 삼나무도 점점 드물어졌다. 드디어
산꼭대기에 이르니 한 포기의 풀도 없었고 사방을 둘러보니 공활
(空濶)하고 눈빛이 한결같이 흰 것을 깔아 놓은 것 같았다. 이 때는
하늘 빛이 아직 밝지 않아 앞뒤를 분간할 수 없었다. 조금 있으니
산의 모습이 점차 분명해지고 동방이 이미 밝아졌다. 그런데 찬바
람이 사방에서 불어와 온 하늘이 흐릿하여 백두산의 여러 봉우리들
이 정말로 어느 방향에 있는지 알 수가 없었다. 정계비가 있는 곳도
역시 길을 찾을 수 없었다. 무산 사람인 이종려(李宗呂)·김이헌(金
利憲)·황학채(黃鶴采) 등은 평소 산길에 익숙하다 하여 처음 출발부
터 정성껏 앞에서 인도하여 온 사람이었는데, 민부(民夫) 등과 더불
어 방황하면서 길을 찾아 헤매어 혹은 동쪽으로 혹은 서쪽으로 마
침내 방향을 분간하지 못하였다. 저들과 우리 일행이 모두 산 위에
서 말을 세우고 있는데, 눈바람이 몰아쳐 안주할 수가 없었다. 그
때 마음이 멍해지는가 싶더니 사람들이 일제히 소리를 지르길래 머
리를 들어 바라보니 어두운 구름이 걷히고 둥글고 붉은 해가 동쪽
하늘에 떠올랐다. 백두산이 짧은 순간에 눈앞에 전개되어 언덕, 골
짜기를 낱낱이 볼 수 있었다. 이 때 마치 취했다가 깨어난 것 같기
도 하고 눈이 멀었다가 밝아진 것 같기도 하니 모두 하늘과 신의 조
화라고 하겠다. 나 또한 경이로워 시 한 수를 지었는데 다음과 같다.

한 겨울 왕명받아 백두산에 오르노라
눈보라 앞을 가려 지척 분간 어렵도다
경각간에 탁 트이어 하늘 개이니
수레같은 붉은 해 산 위에 걸렸도다

비로소 멀리 백두산 전체를 보니 아침 해가 쌓인 눈을 밝게 비추고 있었다. 밝게 빛나고 조용한데 한 포기의 풀과 한 그루의 나무도 없었다. 우뚝 솟은 봉우리들이 가득 어우러져 하늘에 솟아 있으니 마치 수정으로 만든 궁전 같고 옥으로 지어진 세계 같아 사람의 마음과 눈을 황홀하게 하였다. 또 신령스러운 기운이 감돌아 사람들로 하여금 두려워 떨며 공경케 하고 삼가하여 두렵게 만들었다.

드디어 서로 정계비가 있는 곳을 가리키며 나아가는데 높은 산과 골짜기가 매우 많았다. 하늘에서 부는 바람이 눈을 날려 곳곳에 쌓여 있는데, 쌓인 것이 몇 천 년을 계속 내려온 것인지 알 수 없다. 매번 이 계곡에 올 때마다 마치 깊은 바다를 건너는 것 같아 사람들이 모두 안으로 두려운 마음을 품었다. 말이 쓰러지고 사람이 넘어져 끝없이 괴로운 곳이 또 몇 군데인지 모르겠다. 옛날의 험하고 꼬불꼬불한 비탈길을 말로 모는 것도 이것에 비하면 오히려 편안히 다닐 수 있는 길이라 하겠다.

내가 너무 피곤하여 춘길과 이돌이 좌우에서 부축하였다. 그들도 또한 힘이 빠지자 중군 최두형이 또 부축하여 나는 가까스로 앞으로 나아갈 수 있었다. 정계비가 있는 곳은 눈으로 바라다 보이는 거리인데도 또 30리 거리였다. 정계비가 세워져 있는 곳에 이르니 이곳은 공중의 세계로서 사방이 훤히 탁 트였고 오직 운무만이 깔려 있을 뿐 다시 어떠한 사물도 그 사이를 차단하는 것이 없었다. 내가 시를 지었는데 다음과 같다.

하늘과 산꼭대기 지척으로 나누이니
하늘나라 선악(仙樂)이 들리는 것 같고
겹겹 바위 천년설 계속 쌓여 있는데
하계(下界)에 만리운(萬里雲) 길게 깔려 있네
기자(箕子)의 옛 나라가 조그맣게 펼쳐 있고
강희(康熙)의 남긴 글[遺文]이 비석에 있네
복파(伏波) 장군 세운 비석 어찌할 수 없으니
칼 어루만지며 서풍(西風)에 저녁 노을 보내노라

이 봉우리는 사각(四角)인데 듣자니 가운데 커다란 못이 있는데 둘레가 80리나 된다고 한다. 매양 구름과 안개가 자욱하여 못 가운데에서 피어 올라 하늘에 가득 차니 대개 산 연못의 변화가 끝이 없다. 정계비가 있는 곳에서 10여 리 되는 곳에 있다고 하는데, 바람과 눈이 하늘에 가득해 올라가 볼 수 없어서 매우 유감스러웠다.

동쪽 봉우리 셋째 산기슭을 따라 계곡을 지나니 땅이 조금 편편해지며 양쪽으로 커다란 계곡이 나누어 전개되었다. 서쪽은 바로 압록강의 근원이고 동쪽은 바로 토문강의 근원이니 참으로 분수령이다. 그 분수령 가운데에 조그마한 비석이 세워져 있는데 앞면 위에는 가로로 대청(大淸) 두 글자가 씌어 있고, 그 아래 기문(記文)에 다음과 같이 기록되어 있었다.

"오라 총관 목극등이 천자의 명을 받들어 변경의 경계를 조사하고자 이 곳에 이르렀다. 살펴보니 서쪽은 압록(鴨綠)이고 동쪽은 토문(土門)이다. 그러므로 분수령 위에 돌을 새겨 기록한다.
강희(康熙) 51년(1712) 5월 15일 필첩식(筆帖式) 소이창(蘇爾昌), 통관(通官) 이가(二哥), 조선(朝鮮) 군관(軍官) 이의복(李義復)·조태상(趙台相), 차사관(差使官) 허량(許樑)·박도상(朴道常), 통관(通官) 김응헌(金應瀗)·김경문(金慶門)."

비석의 동쪽 가의 계곡을 따라 둔덕을 쌓았는데 돌로 쌓기도 하고 흙으로 쌓기도 하여 삼포까지 90리에 끊이지 않았으니, 생각건대 옛 사람이 힘쓴 것이 매우 크다고 하겠다. 비석의 표면은 얼음이 얼어 붙어 있어 깎아도 떨어지지 않아 불을 때서 녹여 세 장을 인출(印出)하여 한 장은 진영에게 주고 두 장은 품 안에 넣었다.

이 때 음습한 바람이 더욱 심해지고 눈꽃이 어지럽게 흩날려 잠시도 머무를 수 없었다. 서둘러 일어나 길을 되돌아가는데 겨우 수십 보를 가자마자 길이 희미해져 찾을 수가 없었다. 되돌아서 가차을봉(可次乙峯) 꼭대기에 올라 사방을 둘러보니 어두컴컴하고 망망하여 마치 큰 바다 한 가운데 있으면서 그 끝을 볼 수 없는 것과 같았다. 길을 안내하는 사람들의 의논이 일치하지 않아 각자 길을 찾아갔는데 멀리서 그 행렬을 바라보니 마치 어부가 새벽에 개펄에 들어가는 것 같아 사람들로 하여금 걱정스럽게 하였다. 혹은 남쪽으로 몇 리를 가서 낭떠러지와 계곡으로 막히고 끊어져 망연히 되돌아왔고, 혹은 동쪽으로 몇 리를 가서 등성이와 언덕이 아득히 넓어 두려워 되돌아왔다.

다만 보이는 것은 자욱한 안개뿐이고 눈바람이 얼굴을 때리므로 위아래가 모두 혼몽하여 향할 바를 알지 못하였다. 하늘은 어느덧 점차 어두워졌다. 일행의 인마가 하루 낮과 밤 동안 굶주리고 피곤한 나머지 갈수록 마음이 더욱 두려워지고 얼굴은 사람의 모습이 아니었다. 중국 관원 가원계도 또한 두려워 떨면서 손에 나침반을 들고 단지 통역관 권흥조(權興祚)를 불러,

"어느 쪽이 동남쪽인가?"

하고 물어대며 그치질 않았다. 통역관도 초조하여 입과 입술이 바짝 말라 중군 최두형을 향하여 말하기를,

"영감! 영감! 내가 어떻게 해야 합니까?"

하였다. 많은 인부들이 단지 통역관이 앞에 가는 것만 믿고 따라가
는데 통역관도 걸음 걸음이 힘들어 방향을 분간하지 못하였다.

　이 때 여러 사람들이 생각하기를, 길을 찾는다는 것은 감히 바랄
수 없고 다만 수목이 있는 곳을 찾아가서 불을 때며 밤을 넘기려고
하는 것이었다. 그런데 눈을 닦고 사방을 보아도 한 그루의 나무도
보이지 않으니 바로 이 곳이 막다른 골목이었다. 각자가 하늘을 부
르고 아버지를 부를 뿐이었다.

　그런데 갑자기 동남쪽에서 하늘빛이 잠깐 열려 몇 개의 봉우리가
반쯤 드러났다. 길을 잃은 지 반나절이 지나 비로소 산의 모습을 보
니 사람들이 모두 환호하며 기뻐하고 서로 축하하며 이르기를,

　"하늘이 나를 살렸는가, 산신령이 나를 살렸는가?"

하면서 말끝마다 감탄할 뿐이었다. 비로소 생기가 돌아 통사로 하
여금 방향을 분간토록 하니 이르기를,

　"이제 방향을 알 수 있습니다"

하여 드디어 수봉(竪峯)을 향하여 내려갔다. 눈이 깊어 거의 무릎 위
까지 찼으나 살 길을 찾았기 때문에 괴로운지를 알지 못하였다. 이
리저리 찾아 수봉 엽막에 이르렀는데도 날은 아직 어둡지 않았다.

　이 날 백여 리를 갔다. 인마가 모두 허기졌는데도 모두 온전히 돌
아올 수 있었으니 이것이 어찌 사람의 힘으로 할 수 있었겠는가?
이는 곧 왕령(王靈)이 보살핀 것이다. 내가 시 한 수를 지었는데 다
음과 같다.

　빈 강에 눈 가득차고 달은 하늘에 가득한데
　표연(飄然)히 말을 타고 백두산 마루에 섰노라
　사람의 힘으로는 여기 올 수 없으니
　오로지 왕령(王靈)에 기대어 앞을 향해 갔도다
　영토를 개척함에는 이목(李牧) 같은 사람이 없고

근원을 찾는 데는 예로부터 장건(張騫)을 말하였다
임금이 계신 궁전이 이 밤에 얼마나 추울런지
머리를 돌리니 모난 궁전 모서리가 아득하도다

또 시 한 수를 지어 신의 도움에 감사를 드렸는데 다음과 같다.

짙은 안개와 구름이 만겹으로 덮으니
깊은 산에 날 저물어 길 잃어 버렸다네
하늘 문이 갑자기 동남쪽에서 열리니
여러 봉우리 드러나니 길 환히 밝도다

막사가 매우 좁고 춥기가 노천이나 다름없어 불을 때고 밤을 보냈다.

10월 20일

아침 일찍 출발하여 40리를 가서 신무충(申武忠) 엽막에 도달하였다. 가는 길이 평탄하였는데 이를 천평(天坪)이라 하였다. 여기가 바로 백두산 전면의 명당 자리였다. 너비가 거의 100리나 되었고 수목이 울창하였다. 만일 기후가 차고 서리가 일찍 내리는 땅이 아니라면 큰 도시를 세울 만한 곳이었다.

산 속의 여러 갈래의 물이 끊기기도 하고 흘러가기도 하는데, 어느 곳으로 가는지 알 수 없었다. 대개 이 산의 많은 물이 모두 돌 밑으로 흐른다는 말이 참으로 거짓이 아닌가 보다. 이 엽막은 중국인 동씨(董氏) 성을 가진 자의 막사였는데 지은 것이 우리 나라 사람의 엽막에 비하여 자못 정밀하고 깨끗하여 쉴 만하였다.

10월 21일

그 다음 날 50리를 가서 다시 가을척봉(加乙躑峯)의 엽막에 이르러 잠시 쉬고 곧바로 출발하여 직동 엽막에 이르니 밤이 이미 삼경이었다. 장파의 어른들이 술과 고기를 가지고 와서 기다리고 있다가 환영하면서 위로하니 그 뜻이 가상하였다.

10월 22일

다음 날 아침 즉시 출발하여 장파로 돌아오니 곧 22일이었다. 마을 사람들이 모두 모여 서로 축하하며 말하기를,

"10월달에 백두산에 가는 행차는 자고로 없었는데 한 사람도 다치지 않고 무사히 돌아왔으니 어찌 하늘이 도운 것이 아니겠는가?" 하면서 감사하기를 그치지 않았다.

그 사이 산행은 불과 7일이었는데 지나간 일을 회상하니 마치 세상에서 떨어져 있던 사람이 다시 인간 세상에 돌아온 것과 같았다.

10월 25~27일

3일 동안 푹 쉬었다.

25일에 출발하였다.

27일에 무산부로 돌아왔다.

후 기

이번에 백두산기를 모아 번역을 내게 된 것은 처음부터 그러한 목적으로 시작한 것은 아니었다. 생각해보면 국사편찬위원회의 연구직인 우리 편역자들이 함께 모여 윤독회를 시작한 것은 벌써 7, 8년 가까이 되는 오래된 이야기이다. 처음에 이상태, 이영춘, 김현영 등을 중심으로 함께 모여 공부하는 분위기를 만들자고 제안하였고, 그래서 시작한 것이 초서공부였다. 탈초가 되지 않은 태백산본 조선왕조실록을 읽으며 공부에 재미를 들이기 시작했다.

서로의 세부적인 관심사와 전공 분야가 다르고 각기의 업무와 학위 논문 준비 등에 짓눌려 가벼운 마음으로 매일 조금씩 부담 주지 않는 범위 안에서 공부하기로 하였다. 이 모임은 매우 다양한 회원들의 출입을 가져왔으며 짓눌리고 별다른 재미없는 직장생활에서의 스트레스를 풀어주는 활력소의 역할을 하였다. 어려운 구절이 나오면 쩔쩔매며 중지를 모으기도 하고 준비가 부족한 친구가 할 때는 일부러 중간에 자꾸 지적을 해서 놀리기도 하였다.

이렇게 부담없이 공부하며 즐기는 가운데 그 동안 읽은 책만 하여도 꽤 많은 분량이 되었다. 근무 시간을 피해 매일 점심시간에 2, 30분씩 하는 공부는 어느새 『화랑세기』, 『주자가례』, 『향음례』, 『퇴계전서』, 『추강집』, 『졸고천백』, 『삼봉집』, 『율곡선생전서』, 그리고 여러 『백두산기』들을 다 읽어나갔다. 시작할 때만 해도 모두들 박사과정에 있어서 자기 전공 외에 눈을 돌리기 힘든 어려운 시기이기도 했으나 용케들 잘 견뎌서 오늘에는 젊은 한두 사람을 제외하고는 모두 박사학위를 취득하였다.

이제 그 동안의 연륜을 거쳤으니 나름대로 하나의 획을 그어 보자는 의미에서 번역본을 내기로 하였다. 그리하여 기왕이면 전공시대가 조금씩 다른 한계성을 뛰어 넘어 모두의 관심과 흥미를 끌 수 있고 일반 대중에게도 접근하기 쉬운 백두산기를 택하기로 하였다.

아직까지 우리 나라 사람들은 백두산을 등정하는데 우리땅에서 출발하지 못하고 중국의 장백산에서 뒤로 올라가서 보고 돌아와야 하므로 백두산에 가 본 사람은 백두산에 올랐다는 벅찬 기쁨과 동시에 우리땅을 밟지 못하는 또다른 가슴 아픈 감회를 맛보아야만 한다. 이 책이 간행됨으로써 200여 년 전 우리 선조들이 그랬던 것처럼 혜산진으로부터 출발하여 백두산 천지에까지 갈 수 있는 우리의 길이 열리게 되는 계기가 되기를 바란다. 그 때는 이 책이 좋은 안내서의 구실을 하게 되기를 기원하면서 후기를 마친다.

1998 . 5.
한국중세사료강독모임

조선시대 선비들의 백두산 답사기

—

김지남 외 저
이상태 외 역

초판 1쇄 인쇄 · 1998년 6월 8일
초판 1쇄 발행 · 1998년 6월 12일
발행처 · 도서출판 혜안
발행인 · 오일주
등록번호 · 제22 - 471호
등록일자 · 1993년 7월 30일
121 - 210 서울 마포구 서교동 326 - 26
전화 · 02) 3141 - 3711, 3712
팩시밀리 · 02) 3141 - 3710

값 10,000원

ISBN 89 - 85905 - 56 - 2 03910